부
치
하
난
의
우
물

부치하난의 우물

장용민
장편소설

재담

차례

첫눈

그 건물은 망부석처럼 버티고 있었다.

화장을 고쳐봐야 시커먼 민낯은 여전했고 너저분한 주변 상점도 그대로였다. 하지만 여전히 배 속에 오래전 죽은 한 아이의 이야기를 품고 있었다. 언젠가 나타날 임자에게 보따리를 풀 심산으로 잔뜩 웅크린 채.

어둑어둑 먹구름이 몰려들고 있었다. 덕분에 때 이른 네온사인이 하나둘 들어왔다. 그런데 건물 옥상에 범상치 않은 기척이 있었다.

난간 위에 위태롭게 선 여인. 여인은 아득한 발치를 응시하고 있었다. 일상에 찌든 사람들, 무심한 자동차 경적, 버림받은 구세군 자선냄비. 뭐 하나 새로울 거 없는 세상. 그런 거리를 여인은 눈에라도 넣을 듯이 바라보고 있었다. 그녀의 본명은 태경이었지만 또 다른 이름이 있었다. 십 년 전 그 아이가 불러준 이름.

태경은 고향의 향기를 빨아들였다. 구수한 매연 냄새는 십 년이

지나도 여전했다.

"인생 참 웃기지. 이 지긋지긋한 동네 쪽으론 오줌도 안 싸려고 했는데."

얼굴에 차가운 손님이 내려앉았다. 뒤를 이어 머리에도, 어깨에도. 첫눈이었다. 태경은 팔을 벌려 눈송이를 맞았다.

"이게 얼마 만이니."

그녀가 사는 곳에는 일 년 내내 눈이 내리지 않았다. 크리스마스에도 반소매를 입고 다녔다. 태경은 바닥에 누웠다. 그러자 하얗게 강림하던 천사들이 십 년 전으로 끌고 갔다.

그날도 오늘처럼 눈이 내렸다. 세상을 삼키려는 듯 펑펑. 눈은 그 아이의 식어가는 몸뚱이를 이불처럼 덮었다. 그게 그 아이의 마지막 모습이었다.

"누리……."

오랫동안 잊고 있었던 이름. 아니, 지우기 위해 먼 나라로 도망쳤다. 하지만 결국 부메랑처럼 돌아와 다시 그 이름을 부르고 있었다. 벌겋게 녹슬었던 심장이 뛰기 시작했다. 잃어버렸던 열쇠를 꽂은 것처럼. 박동이 점점 빨라지더니 움켜쥘 수 없을 정도로 뜨거워졌다. 눈물이 흘러내렸다. 과열된 심장을 식히려는 듯.

"미안해, 누리야. 내가 널 못 지켰어……. 미안해……."

그녀의 흐느낌이 닿자 시커멓던 건물이 젊어지기 시작했다.

하루를 지나 일주일……. 한 달을 넘어 일 년……. 그렇게 태경을 잉태한 낙원상가는 산란을 위해 십 년의 물살을 거슬러 올라갔다.

'난 보이지 않는 건 믿지 않았다. 난 만질 수 없는 건 거들떠보지도 않았어. 사랑…… 꿈…… 그딴 건 개나 줘버려. 그런데 어느 날 벼락처럼 그 아이가 나타났다. 그리고 말했다. 세상에 중요한 건 보이지 않는다고. 가장 소중한 건 만질 수 없다고. 나의 사랑……. 나의 부치하난…….'

누리

1996년 겨울. 낙원동 뒷골목은 여느 때처럼 사람들로 붐볐다. 허름한 가판대에는 갓 삶은 족발이며 돼지머리 국밥이 김을 내뿜고, 주름 깊은 주인장들이 구수한 입담으로 손님을 불러댔다.

취객들은 얼큰하게 술잔을 기울였고 고단한 하루를 마친 사람들은 옷깃을 여미며 잰걸음을 옮겼다. 가게 입구에는 어울리지도 않는 트리 장식이 캐럴과 함께 걸려 있었다. 크리스마스까지 이제 3일 남았지만, 누구도 관심 없었다. 한 사람만 빼고.

흰 눈 사이로…… 썰매를 타고…… 달리는 기분……

누리는 리어카를 끌고 신나게 뒷골목을 달리고 있었다.

낡은 외투는 구멍투성이였고 큼지막한 군화는 달릴 때마다 덜그럭 소리를 냈다. 얼굴에는 광부처럼 때가 덕지덕지했고 덥수룩한 머리는 사방으로 뻗쳐 있었다. 하지만 두 눈만은 레이더처럼 빛이 났다. 벅차 보이는 리어카에는 빈 병이며 신문지 따위가 한가득 실려 있었다. 언뜻 보기에도 무게가 상당할 거 같은데 누리는 날듯이 끌어댔다.

징글벨…… 징글벨…… 징글 오더 벨……

저만치 레이더에 빈 병이 포착됐다.
"코카콜라, 이십 원. 깨진 건 못 써!"
누리는 동생을 쓰다듬듯 콜라병에 묻은 흙을 털어냈다.
병을 리어카에 싣고 쓸 만한 게 있는지 쓰레기통을 뒤지려던 순간이었다. 또 다른 병이 시선에 들어왔다.
"오란씨, 십오 원!"
하지만 당장 가질 순 없었다. 왜냐면 빈 병이 아니었기 때문이다. 벤치에 앉은 연인이 오란씨 한 병을 사이좋게 나눠 마시고 있었다. 나란히 빨대를 빨며.
"다 마실 거야?"
누리가 뚫어지게 병을 보며 말했다. 갑작스러운 누리의 등장에 연인은 놀라 자빠질 뻔했다.
"너 뭐야?"
남자가 소리쳤지만 누리는 시계추처럼 제자리를 맴돌았다.
"오란씨, 십오 원. 칠성사이다, 이십 원. 코카콜라, 이십 원……."

"얘 모자란 거 아냐?"

여자가 어이없다는 듯 말했다. 그러자 누리가 멈춰 섰다.

"할머니가 그랬어. 좀 모자라도 괜찮다고. 어린애로 사는 게 더 좋은 거라고. 어린아인 좋은 거만 보니까……."

누리는 여전히 오란씨 병을 바라보고 있었다.

"별 붕신 같은 게. 가자."

남자가 병을 던지고는 여자와 함께 사라졌다. 주홍색 탄산수가 시커먼 콘크리트 바닥에 흘러내렸다. 누리는 소중히 병을 집어서 리어카로 돌아갔다. 온종일 뒷골목을 누빈 덕에 리어카는 만원이었다. 누리는 졸병처럼 빈 병들을 나란히 줄 세웠다.

"할머니가 그랬어. 좀 모자라도 괜찮아. 어린애로 사는 게 더 좋은 거야……."

리어카를 끌자 병이 부딪치며 맑은 종소리가 났다.

사실 누리는 평범한 아이가 아니었다. 스무 살이었지만 다섯 살 아이 지능을 갖고 있었다. 그로 인해 삶은 순탄치 않았다. 미혼모였던 엄마는 누리를 보육원 앞에 버린 채 떠났다. 편지 한 장 남기지 않았다. 보육원에서도 놀림받기 일쑤였고 그나마 보육원은 문을 닫아 여섯 살부터 거리를 전전했다. 구걸도 제대로 못 해서 끼니를 거를 때가 허다했다. 누리가 또래에 비해 작은 건 그 때문인지도 모른다.

그러던 누리를 거둬준 건 길거리에서 폐지를 줍던 할머니였다. 할머니는 엄동설한에 신문지를 뒤집어쓴 채 떨고 있던 누리를 데려다가 밥을 주었다. 그리고 이불자락을 나눠줬다. 그렇게 두 사람은 가족이 되었다. 그 후로 누리는 할머니의 다리가 됐고 할머니는 푸근한 품을 내주었다. 두 사람은 원래 가족이었던 것처럼 어깨를 기댔고 달동네 단칸방에서 백열전구처럼 따뜻하게 살았다. 가진 건 없었지만 부족함도 없었다. 그러던 어느 날 할머니가 덜컥 병에 걸렸다. 보건소 의사가 병명을 말해줬지만 누리는 알아들을 수 없었다. 그저 태어나 처음으로 세상이 끝나는 기분을 느꼈다. 어쩔 줄 모르는 누리의 손을 할머니는 꼭 잡아주었다. 언제나 옆에 있어 줄 것 같은 미소를 지으며.

"이 할멈, 소원이 있어. 누리야."

"뭔데? 내가 꼭 이뤄줄 거야."

"할머니 소원은 이거야. 네 반쪽을 만나는 거. 누리를 정말 사랑해주는 짝을 만나는 거. 그래서 둘이 행복하게 사는 거."

"그 반쪽, 내가 만날게. 꼭 데려올게. 할머니, 그러니까 아프지 마."

그러자 할머니가 누리의 머리를 쓰다듬었다.

"그럼. 만나고말고. 왜냐면 누리는 세상에서 제일 좋은 사람이니까. 그때까지 열심히 살아야 해. 아무리 힘들어도…… 살아야 해……."

이 말을 남기고 할머니는 세상을 떴다. 누리 나이 열다섯 살 때였다. 그 후로 누리는 하루도 할머니의 유언을 잊은 적이 없었다. 그리고 약속대로 열심히 빈 병을 주우며 살았다. 언젠가 만날 반쪽을 기다리며.

뻐꾹…… 뻐꾹…… 뻐꾹…… 골목 저편에서 뻐꾸기 우는 소리가 들렸다. 시계방 뻐꾸기시계 알람이었다. 누리는 손가락을 접으며 울음을 셌다.

"넷…… 다섯…… 여섯…… 일곱……."

뻐꾸기가 멈췄다.

"7시!"

고물상이 문 닫을 시간이었다. 그 전에 모은 빈 병과 폐지를 넘겨야만 했다. 누리는 헐레벌떡 리어카 머리를 돌렸다. 온종일 화투장을 붙잡고 있는 김 영감네 복덕방을 지나, 인심 좋은 과부댁 선술집을 돌아, 대로로 들어섰다. 누리가 지날 때마다 입심 좋은 동네 노인들이 한마디씩 보탰다.

"모자란 놈이 갓 잡은 잉어 새끼마냥 펄펄 나누먼."

"저눔, 올해 몇이지?"

"할망구 돌아가고 오 년은 됐응께, 스물은 족히 됐지."

"벌써? 생긴 건 멀쩡한 눔이 안됐어."

그렇다고 과자 쪼가리 하나 건네는 사람 없었다. 누리 역시 십 년을 오갔지만 아쉬운 소리 한번 한 적 없었다. 모두 할머니의 가르침 때문이었다.

'힘들어도 손 벌리지 마라. 다들 우리만큼 힘드니까. 없으면 없는 대로 사는 거야.'

구석의 전봇대처럼 조용히 빈 병을 주울 뿐이었다.

경적을 울려대는 택시를 지나 삼일로로 들어서려는 순간이었다.

레이더에 붉은 점이 나타났다. 이번엔 대어였다. 누리는 브레이크를 밟았다. 리어카가 묵직한 덕에 한참 밀려가다가 멈췄다. 목표물은 정종집 뒷문에 큼지막하게 버티고 있었다.

"복순이!"

'백화 수복' 정종 대병이었다. 복순이는 누리가 붙인 별명이었다. 정종 대병은 다른 빈 병에 비해 몇 배 비싸게 팔 수 있었다. 그때문에 넝마주이들 사이에선 고래처럼 귀하게 여겨졌다.

그런데 어쩐 일인지 고래가 나타났는데도 누리는 섣불리 달려들지 못했다. 이 골목은 '오덕이파'가 관리하는 곳이었다. 오덕이파는 낙원동 일대 쓰레기를 독점하는 노숙자 조직이었다.

그들은 넝마주이였지만 두목 오덕을 중심으로 단합이 잘 되어 있었다. 알짜배기 식당과 술집 빈 병은 모조리 그들 몫이었다. 만약 영역을 침범할 시에는 매서운 보복이 뒤따랐다. 누리는 그들 눈치를 보며 자투리를 모아 근근이 생활하고 있었다.

"복순이…… 이백오십 원……."

유혹을 뿌리치기에는 복순이는 너무나 매력적이었다. 한 걸음…… 두 걸음……. 결국 누리는 까치발로 다가가기 시작했다. 네온사인 불빛에 반사된 정종병이 에메랄드처럼 빛나고 있었다. 드디어 손을 뻗어 잡으려던 순간이었다.

"거기 딱 서라!"

오덕이파 졸개였다. 졸개가 리어카를 끌고 귀신처럼 나타난 것이다.

"뒤지기 싫으면 손 떼고 가던 길 가라. 븅신아."

졸개가 리어카를 내려놓으며 소리쳤다. 하지만 누리는 빈 병에서 눈을 떼지 못했다.

"복순이…… 이백오십 원…… 이백오십 원……."

"꺼지란 소리 안 들려!"

졸개가 각목을 집어 들었다. 순간 누리가 병을 집더니 냅다 뛰는 것이었다.

"이 새끼! 거기 안 서!"

졸개가 리어카를 내팽개치고 뒤쫓아 왔다.

누리는 병을 움켜쥔 채 자신의 리어카로 돌아왔다. 그리고 날듯이 달리기 시작했다. 날쌔게 버스 사이를 통과해 뒷골목으로 뛰어들어갔다. 리어카와 한 몸이 된 지 오래였고 동네 골목은 손바닥처럼 훤했다. 미꾸라지처럼 건물을 빠져나갔고 내리막길에선 리어카에 몸을 싣고 바람처럼 달렸다. 졸개가 갖은 욕을 뱉으며 쫓아왔지만, 터줏대감 누리를 잡기에는 역부족이었다. 얼마쯤 달렸을까. 졸개의 모습이 보이지 않았다.

"내 복순이!"

그제야 누리가 정종병을 껴안으며 환호를 질렀다.

고물상은 낙원상가 뒤편 후미진 골목 안에 자리 잡고 있었다.

합판으로 대충 만든 벽 너머에는 폐지며 버려진 자전거, 빈 병 따위가 산더미처럼 쌓여 있었고 주인 홍 영감이 투덜대며 정리하고 있었다. 술을 달고 산 덕에 딸기코가 된 홍 영감은 근처만 가도 짠내가 진동하는 구두쇠였다. 덕분에 동네에서 손꼽히는 부자였지만 자식 하나 없는 홀아비였다. 마무리가 끝나자 홍 영감은 한잔할 심산으로 자물쇠를 꺼내 들었다.

"반푼이 눔이 올 때가 됐는디."

누구를 기다리는지 홍 영감이 주위를 쓱 훑었다. 그때였다.

"나 왔어! 홍 영감."

저만치 누리가 숨이 턱에 차서 달려오고 있었다. 문을 잠그려던 홍 영감은 뒷짐을 졌다.

"저 등신이, 홍 영감이라고 부르지 말라니께."

이윽고 누리가 번개처럼 고물상으로 들어섰다.

"나 왔어…… 홍 영감."

누리가 가쁜 숨을 몰아쉬었다. 그러자 홍 영감이 냅다 뒤통수를 갈겼다.

"으른한테 홍 영감이 뭐여! 이 노무 새꺄. 홍 사장님이라고 부르라고 몇 번 혔냐."

"사장님은 좋은 차 타는 사람이야. 홍 영감 차는 고물이잖아."

누리가 낡은 트럭을 가리켰다.

"뭐여? 이 새끼가 확 그냥!"

홍 영감이 주먹을 불끈 쥐자 누리가 움찔 물러섰다.

"오늘 운수 된장이야. 홍 영감, 복순이도 있어."

"된장이 아니라 운수대통. 등신아."

누리의 리어카는 어느 날보다도 풍성했다.

"반푼이 눔이 잘도 모았네. 설마 오덕이 애들 거 슬쩍한 거 아녀?"

홍 영감이 '백화 수복'병을 들며 물었다.

"아니야. 다 내 거야. 내가 모은 거야."

누리가 힘차게 고개를 저었다. 홍 영감은 마지못한 척 계산기를 꺼내 들었다.

"어디 보자. 칠성사이다가 한 놈, 두 놈, 석 삼에…… 서른네 병하고. 콜라병이 마흔일곱…… 소주병이 서른여섯에다가…… 백화수복 하나. 거기에 폐박스가 3킬로니께, 그러면 설라 무네."

홍 영감은 능숙하게 계산기를 두드렸다. 언뜻 보기에도 족히 만원은 넘는 양이었다. 하지만 홍 영감의 계산법은 달랐다.

"합해서 삼천 원이네. 옜다. 인심 써서 삼천오백 원."

홍 영감이 꼬깃꼬깃한 돈을 건넨다. 홍 영감은 늘 이런 식으로 산수를 모르는 누리를 속여 왔다. 돈을 받아 들며 누리가 고개를 갸웃거렸다.

"왜? 뭐 잘못된 겨?"

홍 영감이 되레 버럭 했다.

"어제보다 무거웠는데…… 왜 삼천 원이야?"

누리가 머뭇거렸다.

"시방 나가 속이기라도 했다는 겨? 등신아, 잘 봐. 사이다 서른네 병, 콜라 마흔일곱 병, 소주 서른여섯 병. 하나에 이십 원잉께 곱하믄 을마여?"

홍 영감이 다그치자 주눅 든 누리가 고개를 숙였다.

"사칠이 이십사에…… 칠오 삼십오…… 더하면 삼천 원이잖여. 맞아? 안 맞아?"

홍 영감이 '3,000'을 찍은 계산기를 들이밀었다.

"맞아……."

"맞으면 꺼져. 등신아."

홍 영감이 등짝을 발로 찼다.

"얌마. 오백 원 도로 내놔! 짠해서 도와중께 되레 적반하장이여."

누리는 삼천 원을 쥔 채 고물상을 나서야만 했다. 주머니를 뒤져봤지만, 동전 몇 개가 전부였다. 그 돈으로는 국밥 한 그릇 사 먹을 수 없었다. 그래도 누리는 싱글벙글이었다.

"할머니, 나 오늘 열심히 일해서 삼천 원 벌었어. 이거로 우유랑 보름달 빵 사 먹을 거야."

누리가 하늘을 향해 손바닥을 펼쳤다. 휘영청 뜬 보름 달빛에 동전이 반짝였다.

"할머니도 같이 먹으면 좋을 텐데. 보름달 빵 좋아했잖아."

대답이라도 하듯 보름달이 활짝 웃고 있었다.

누리는 빈 리어카를 끌고 단골가게로 발길을 돌렸다.

고된 하루였지만 누리의 발걸음은 가벼웠다. 하늘에는 보름달이 무대조명처럼 떠 있었고 멀리서 캐럴이 흥을 돋웠다. 누리는 박자에 맞춰 흥겹게 발걸음을 옮겼다. 가게가 있는 골목으로 돌아서려던 순간이었다. 뒤에서 익숙한 목소리가 울렸다.

"붕신이 아주 신났어. 훔쳐간 병으로 고깃국이라도 자셨나?"

오덕이파 졸개였다. 이번은 간단히 안 끝날 거라는 걸 누리도 잘 알고 있었다. 방법은 하나뿐이었다. 누리는 죽을힘을 다해 달렸다. 그런데 반대편 입구에도 어두운 그림자들이 버티고 있었다.

외통수였다. 그림자 중 하나가 가로등 불빛으로 들어섰다.

"니였냐. 그동안 내 피를 빨아먹은 쥐새끼가."

두목 오덕이었다.

"맞아요. 두목, 저 새끼가 훔쳐간 게 아마 몇 트럭은 될걸요."

졸개가 부추겼다. 두목이 유심히 누리 얼굴을 살폈다. 누리는 겁에 질려 잔뜩 움츠렸다.

"아따, 쥐새끼 허벌나게 크네."

"나 쥐새끼 아냐!"

누리가 버럭 소리쳤다.

"그라믄 도둑이네."

"그 새끼, 꼴통이에요. 대가리가 모자라다니까요."

졸개가 대신 대답했다.

"나 꼴통 아냐. 이름 있어."

누리가 웅크리며 대답했다.

"이름이 몬디?"

오덕이 물었다.

"누리."

"그래. 누리야, 니가 내 병 훔쳤냐?"

"안 훔쳤어. 할머니가 훔치는 건 나쁜 일이라고 했어."

"그라믄 니가 홍 영감한테 판 병들은 뭔디?"

"주운 병. 빈 병은 줍는 사람이 임자야."

"니 몰 모르나 본디. 이 동네 빈 병은 전부 내 끄야. 이 오덕이 형 꺼. 알긋냐?"

"빈 병은 임자 없어. 할머니가 그랬어."

누리는 물러날 기색이 없었다.

"제가 뭐랬어요. 저 새끼 꼴통이라니까요. 말로는 안 돼요."

졸개가 부추겼다.

"말로 안 되믄 맞아야제."

그러자 기다렸다는 듯 졸개들이 누리를 향해 달려들었다.

졸개들은 병 판 돈을 빼앗고 두들겨 패기 시작했다. 누리는 바닥에 쭈그린 채 발길질을 고스란히 맞았다.

"리야까도 뽀사부러!"

오덕이 지시하자 졸개들이 리어카마저 부수기 시작했다.

"그건 안 돼! 우리 할머니 거야. 안 돼!"

화가 난 누리가 비명을 지르며 달려들었지만, 오히려 심하게 맞을 뿐이었다. 입술이 터지고 온몸이 멍투성이가 됐다. 그 와중에도 유품인 리어카를 지키기 위해 안간힘을 썼다. 하지만 얼마 못 가 산산조각이 나고 말았다.

"나쁜 놈! 나쁜 놈!"

피투성이가 된 누리는 여전히 리어카에 매달려 있었다.

"아따, 그노마, 근성 있네."

오덕이 뒤춤에서 뭔가를 꺼냈다. 홍두깨였다. 오덕은 홍두깨를 고쳐 들더니 다가갔다. 내려치려던 순간이었다.

"경찰 아저씨! 여기예요! 여기 싸움 났어요."

누군가 소리치는 것이었다. 이윽고 분주히 달려오는 발소리가 들렸다.

"오늘은 이쯤 하마. 근디 또 이 근처서 얼쭝대믄 그땐 뒤진다. 알 긋냐."

오덕이 경고하고는 졸개들과 함께 물러갔다.

골목에는 산산조각이 난 리어카와 피투성이 누리만이 남아 있었다.

간신히 정신을 차린 누리가 비틀비틀 일어서더니 리어카 파편을 줍기 시작했다. 리어카는 성한 곳이 없었다. 타이어는 펑크 나고 판자는 조각이 나 있었다.

"울면 안 돼. 할머니가 울지 말랬어."

하지만 흘러내리는 눈물을 막을 수는 없었다. 누리는 눈물을 훔치며 조각들을 소중하게 모았다. 그때 누군가 함께 파편을 줍는 것이었다.

"밥은 먹었니?"

근처에서 포장마차를 하는 한서 아저씨였다.

누리는 한서 아저씨의 포장마차를 '보물상자'라고 불렀다.

늘 맛있는 보물로 넘쳐난다고 해서 붙인 별명이었다. 아저씨의 포장마차는 후미진 곳에 있었지만 인기 만점이었다. 처음 찾은 사람은 아저씨를 보곤 대번에 발길을 돌렸다. 아저씨의 첫인상은 비호감 그 자체였다. 우락부락한 생김새도 한몫했지만 욕쟁이 할멈 뺨치게 입이 걸었다. 연배가 어려 보인다 싶으면 대번 말을 놨고 불쑥 대화에 끼어들어 잔소리를 늘어놨다. 심지어 맘에 안 들면 쫓아내기까지 했다. 하지만 음식 솜씨 하나는 일품이었다. 우동은 고명 하나 없었지만 감탄을 자아냈고 닭똥집은 살살 녹았다. 뭘 만들건 아저씨 손이 닿은 음식은 불평을 순식간에 잠재웠다. 뿐만 아니라 아저씨 포장마차에는 사람들을 불러 모으는 묘한 기운이 있었다. 그것은 실제로 풍기는 온기 같은 것이었는데 멀리서도 사람을 끌어들이는 기묘한 매력이 흘러나왔다. 사람들은 로렐라이 인어의 노래에 홀리듯 포장마차로 몰려들었다. 그렇다고 포장마차 장식이 특별한 것도 아니었다. 그건 어쩌면 아저씨가 풍기는 기운일지도 몰랐다. 겉으론 불친절해도 아저씨에게선 늘 푸근한 온기가 느껴졌다. 슬픔을 온전히 품은 깊은 온기가. 그래서 욕을 먹으면서도 아저씨 가게는 단골들로 문전성시를 이뤘다. 그리고 아저씨는 이 동네에서 유일하게 누리를 걱정하는 사람이었다.

"뭐하고 있어. 들어오지 않고."

포장마차 앞에서 머뭇거리는 누리를 보고 한서가 말했다. 하지만 누리는 여전히 망설였다.

"그깟 고물 리어카, 잊어버려. 거저 줘도 안 가져가겠구먼."

"고물 아니야! 할머니 꺼야."

누리가 버럭 소리쳤다.

"이놈이 죽을 걸 살려놨더니 어서 성깔이야! 일단 배를 채워야 염병을 하든지 할 거 아냐. 꼬라지를 보니 종일 굶었구먼."

누리는 김이 모락모락 나는 어묵을 힐끔거릴 뿐이었다.

"또 뭐야?"

"나쁜 놈들이 내 돈 뺏어갔어."

그제야 알겠다는 듯 한서가 이마를 쳤다. 누리는 절대 공짜로 얻어먹지 않았다.

"까다롭긴. 장사 끝난 다음에 설거지해. 쓰레기도 버리고. 됐어?"

그제야 누리가 포장마차로 들어섰다.

"뭐 먹을래?"

"저거!"

누리가 대뜸 우동을 가리켰다.

"다 죽던 놈 맞아?"

한서가 기다렸다는 듯 요리를 시작했다. 다시마로 육수를 낸 국물에 면을 넣고 프라이팬을 달궜다. 마늘과 모래집을 넣자 불이 붙으며 구수한 냄새가 퍼져 나갔다. 누리는 서커스를 구경 온 아이처럼 신기하게 바라보고 있었다.

"옜다. 먹어라."

김이 모락모락 나는 우동과 닭똥집, 그리고 큼지막한 계란말이였다. 보기만 해도 군침이 도는 한 상이었다. 누리는 참지 못하고 허겁지겁 먹기 시작했다. 한서는 그 모습을 흐뭇하게 바라보며 담배를 물었다. 한가한 골목에는 한서의 담배 연기와 누리의 젓가락 소리가 퍼져갔다.

"한 그릇 더!"

어느새 우동을 해치운 누리가 말했다.

"맡겨놨냐."

한서가 그럴 줄 알았다는 듯 미리 끓여놓은 우동을 보태주었다.

두 번째 그릇도 금세 바닥이 났다.

"김 사장 우동이 최고야."

누리가 불룩 나온 배를 주무르며 말했다.

"이 노무 새끼가, 아저씨한테 김 사장이 뭐야! 근데 너, 홍 사장한테는 영감이라면서 난 왜 김 사장이냐? 홍 사장이 더 부자인데."

그러자 누리가 당연하다는 듯 말했다.

"왜냐면 김 사장 차는 보물상자니까."

한서가 기가 막힌다는 듯 웃었다.

"넌 참 좋겠다. 우동 한 그릇이면 만사형통이니."

때마침 겨울비가 내리기 시작했다.

"할머니 비 맞겠다!"

누리가 헐레벌떡 일어나더니 부서진 리어카에 비닐을 덮기 시작했다. 그런 누리를 한서는 물끄러미 바라봤다. 누리는 비를 쫄딱 맞으면서 리어카에 비닐을 씌웠다. 비가 운치 있게 천막을 두드리고 있었다. 누리는 세상을 다 가진 듯한 얼굴로 쏟아지는 비를 보고 있었다.

"니가 올해 몇이지?"

누리가 손가락을 두 번 접었다 폈다.

"스물이라. 예전 같으면 장가가서 애도 낳았을 나인데."

비에 젖은 가로등이 측은하게 깜빡였다.

"너, 아저씨 가게에서 일해 보지 않을래? 월급은 못 줘도 삼시 세 끼 밥은 먹여줄 수 있어."

한서가 두 번째 담배를 물며 넌지시 물었다. 하지만 누리는 단호하게 고개를 저었다.

"그럼 계속 그 빌어먹을 빈 병이나 줍겠단 말이야? 맨날 얻어터지면서?"

누리가 입을 꼭 다문 채 밖을 응시했다. 그럴 때는 탱크도 녀석을 밀어낼 수 없었다.

"어린놈이 생각해서 말을 하면 알아먹는 시늉이라도 해야지. 맘대로 해."

한서는 화가 나서 담배를 빨아댔다.

"나 할 일이 있어."

누리가 대뜸 말했다.

"뭔 일?"

"내 반쪽을 찾아야 해."

"반쪽?"

"응. 내 사랑."

누리가 씩 웃으며 말했다. 그러자 한서가 콧방귀를 뀌었다.

"이놈아, 정신 차려. 니 주제에 무슨 사랑이야. 사랑은 아무나 하는 줄 알아? 그것도 있는 놈이나 하는 거야. 우리같이 개뿔도 없는 놈들은 하루하루 먹고살면 되는 거라고. 사랑은 얼어 죽을."

순간 누리가 자리를 박차고 일어났다.

"아냐! 분명 내 반쪽이 있어. 할머니가 그랬단 말이야. 이 세상 어딘가에 내 반쪽이 있다고. 내가 찾아오길 기다리고 있다고."

한서가 한숨을 내쉬었다.

"그건 니 할머니 바람이지. 세상일이 내 맘대로 되면 난 벌써 재벌 됐게? 니가 아직 세상을 몰라서 그러는데……."

"난 반쪽을 꼭 찾을 거야. 할머니한테 약속했어. 나 갈래."

포장마차를 박차고 나선 누리가 할머니의 리어카를 끌고 빗속으로 뛰어갔다.

"얌마. 설거지는 하고 가야지."

하지만 누리는 이미 사라지고 보이지 않았다.

문을 닫은 상가는 을씨년스러웠다.

지하 주차장은 악취와 쓰레기로 코를 움켜쥐게 했다. 하지만 누리는 제집 드나들듯이 편안하게 들어섰다. 그곳은 누리의 집이었다. 누리는 낙원상가 지하 주차장에서 몇 년째 살고 있었다. 지하 2층 주차장 구석 폐품 수거함 너머에서 폐박스와 낡은 담요를 덮고 생활하고 있었다. 비록 더러운 주차장이라고는 하지만 나름 갖출 건 갖추고 있었다. 작은 버너도 있었고 주운 랜턴도 버젓이 설치되어 있었다. 낡은 책장에는 책들도 몇 권 꽂혀 있었고 줄 끊어진 기타와 정체 모를 악보들도 구비되어 있었다. 그리고 함께 사는 친구도 있었다.

"잘 있었어, 누렁아?"

누리를 발견한 누렁이가 꼬리를 치며 달려왔다. 같이 지내는 유기견이었다. 녀석은 언제부턴가 누리의 보금자리에 터를 잡고 있었다. 그리고 외로운 누리에게 가족 같은 존재가 되었다.

"내가 좋은 거 가져왔지."

누리가 주머니에서 봉지 하나를 꺼내 펼쳤다. 계란말이 한 덩어리였다. 누렁이는 허겁지겁 계란말이를 먹었다.

"배고팠구나."

누리는 리어카를 세워두고 집으로 들어섰다. 소꿉장난처럼 폐박스로 지어진 집이었지만 유일하게 몸을 쉴 수 있는 소중한 공간이었다. 신발을 벗고 담요를 덮자 누렁이가 살갑게 다가왔다.

"오늘도 내 반쪽을 못 찾았어. 누렁아."

누리가 누운 채 천장을 바라봤다. 천장을 덮은 곰팡이 자국이 랜턴 불빛에 은하수처럼 반짝였다.

"내일은 꼭 찾을 수 있을 거야. 꼭."

그러자 누렁이가 알아들은 듯 누리의 얼굴을 핥았다. 누리는 피곤을 이기지 못하고 누렁이의 애교를 받으며 잠에 빠져들었다.

태경

신호가 바뀌었지만, 태경은 제자리에서 꼼짝 않았다.

그녀가 있던 곳은 종각 사거리였다. 그렇게 서 있은 지 어느덧 십여 분이 지났지만, 태경은 야구 모자를 눌러쓴 채 미동도 하지 않고 있었다. 이제 갓 스물을 넘긴 나이였지만 그녀의 눈은 산전수전 다겪은 창녀처럼 잿빛으로 가득했다. 또다시 신호가 바뀌었다.

태경이 손목시계를 살폈다. 미키마우스의 두 손이 정각 12시 5분을 가리켰다. 그러자 기다렸다는 듯 주변 빌딩에서 사람들이 쏟아져 나왔다. 점심시간이었다. 건널목은 순식간에 식사하려는 직장인들로 북적였다. 태경의 눈이 날카롭게 빛났다. 어린 사슴을 발견한 표범처럼. 태경은 귀에 이어폰을 꽂았다. 플레이 버튼을 누르자 음악이 흘러나왔다. 비발디의 사계 중 겨울이었다. 태경은 시베리아의 눈발처럼 쏟아지는 비발디의 선율을 들으며 인파 속에 서 있었다. 이윽고 보행자 신호가 들어왔다. 그러자 태경이 고조되는 바이 올린 트레몰로에 맞춰 건너기 시작했다. 건널목은 조류에 따라 군무를 펼치는 어군처럼 무리 지어 이동하는 직장인들로 넘쳐나고 있었다. 태경은 그 사이로 비집고 들어가더니 능숙하게 사람들의 주머니를 농락하는 것이었다. 그녀가 노리는 건 지갑이었다. 온몸이 실크로 이루어진 한 마리 잉어처럼 때로는 부드럽게, 때로는 날렵하게 지갑을 훔치고 있었다. 이윽고 태경은 능숙하게 마지막 지갑을 가로채며 반대편 인도에 도착했다. 그것은 클라이맥스와 어울려 멋진 도약으로 허공을 가르는 발레리나를 연상시켰다. 채 1분도 안 되는 시간이었지만 태경의 안주머니는 지갑들로 가득했다. 태경은 오랜 동료에게 인사를 하듯 반대편 신호등에 윙크하고는 골목으로 달려갔다. 그와 동시에 비발디도 무대를 떠났다.

뒷골목으로 숨어든 태경은 훔친 지갑을 살폈다. 아기 사진, 운전면허증, 교통카드, 그리고 만 칠천 원. 태경은 현금을 챙기더니 다음 지갑을 펼쳤다. 나머지를 모두 털었지만 십이만 원이 고작이었다.

"거지새끼들 주제에 양복은."

태경은 재수 없다는 듯 침을 뱉고는 자리를 떴다.

다음으로 향한 곳은 남대문 시장이었다. 그중에도 액세서리 상점가였다. 이맘때쯤 소매상들이 물건을 떼러 온다는 걸 태경은 잘 알고 있었다. 그들은 언제나 현금 다발을 두둑이 들고 있었다. 반짝이는 보석들 사이로 광채에 홀린 관광객들이 주머니를 털리고 있었다. 하지만 태경은 눈길도 주지 않고 먹잇감을 노렸다.

"아가씨, 피부가 백옥이네. 스물? 스물하나?"

상점 주인 하나가 낚싯대를 드리웠다.

"남자 친구, 못됐다. 이렇게 이쁜데 귀걸이도 없고. 하나 사달라고 해. 싸게 줄게."

여주인이 귀걸이를 들어 보였다. 태경이 귀걸이를 자신의 귀에 대보았다. 거울에 비친 태경은 보석보다 빛났다.

"딱이네. 당장 남자 친구 데려와."

여주인이 부추겼다. 그러자 태경이 씩 웃었다. 어린 사슴의 급소를 노리듯.

"난 남자 같은 거 관심 없는데. 여자라면 몰라도."

태경이 대뜸 여주인의 가슴을 움켜쥐었다.

갑작스러운 상황에 주인은 놀라서 꼼짝도 못 했다.

순간 태경이 귀걸이를 삼키는 것이었다. 꿀꺽.

"메리 크리스마스."

이 말을 남기고 태경은 바람처럼 인파 속으로 사라졌다.

정신을 차린 주인이 소리쳤지만 이미 태경은 보이지 않았다.

경비를 피해 숨어든 곳은 여자 화장실이었다. 변기실로 들어선 태경은 일단 문을 잠갔다. 태경을 쫓는 경비들로 밖은 어수선했다. 하지만 이내 잠잠해졌다.

"맛이 괜찮네."

태경이 배를 쓱 문지르더니 주머니에서 봉투 하나를 꺼냈다. 달아나는 동안 어느새 한 건 한 것이다. 봉투는 묵직했다.

"이 정도는 돼야 일할 맛이 나지."

안을 살펴본 태경의 입가에 미소가 떴다.

밖은 아직도 태경을 찾는 경비들의 움직임으로 부산했다. 이럴 때 잠잠해질 때까지 잠자코 있는 게 최선이었다. 태경은 변기 뚜껑을 내리고 그 위에 걸터앉았다. 음악을 듣고 싶었지만, 바깥 동태를 살펴야 하는 터라 귀를 열어놔야 했다. 부산한 바깥과는 달리 화장실은 조용했다. 오후 햇살이 나프탈렌 냄새를 뿌옇게 가르고 있었다. 태경은 처음으로 긴장을 풀고 눈을 감았다. 온몸에 힘을 빼고 변기에 기대자 살며시 잠이 찾아왔다. 주변이 몽롱해지며 소음이 사라지려던 순간이었다. 아랫배에 통증이 스며들었다.

"젠장. 왜 하필 지금이야."

생리가 시작되려 하고 있었다. 태경은 배를 움켜쥐었다. 통증은 주전자가 달궈지듯 점점 심해졌다. 태경은 생리통이 심했다. 누군가 아랫배를 칼로 가르듯 아팠다. 하지만 고통은 참을 수 있었다. 그녀가 참지 못하는 건 통증과 함께 찾아오는 악몽 같은 기억이었다.

"개새끼!"

태경은 혀를 깨물듯 욕을 뱉었다.

태경이 집을 뛰쳐나온 건 열여섯 살 때였다. 겉보기에 그녀의 집은 평범했다. 재혼이었지만 어머니와 양아버지는 금슬이 좋았고 부모님이 운영했던 정육점은 소문난 육질 덕에 손님이 붐볐다. 통반장이었던 양아버지는 표창을 받을 만큼 평판이 좋았고 어머니는 벙어리처럼 잔소리가 없었다. 어려서부터 특출했던 외모 덕에 시기하는 몇몇을 빼곤 학교생활도 그럭저럭이었다. 문제는 태경이 초경을 시작했던 중1 때 발생했다. 이전까지 자상한 아버지 역을 충실히 수행하던 양아버지가 손을 대기 시작한 것이다. 태경은 지금도 잊을 수 없다. 피 묻은 속옷을 빨고 있던 어린 태경을 발견한 양아버지의 표정을. 입가에는 기름진 성욕이 묻어 있었고 눈가에선 일그러진 욕망이 흘러내렸다. 초경이 시작된 그날 밤부터 양아버지는 매일 밤 태경 방에 들어왔다. 그리고 태경을 겁탈했다.

술을 마신 날이면 양아버지의 행동은 더욱 거칠어졌다. 속옷을 찢고 입을 틀어막은 채 역겨운 물건을 쑤셔 넣었다. 태경은 반항하려 했지만 굶주린 돼지 같은 양아버지를 이길 순 없었다. 양아버지에게서 풍기던 술 냄새와 고기 비린내를 떠올리면 지금도 구토가 나왔다. 더욱 이해할 수 없는 건 어머니의 행동이었다. 어머니는 그 사실을 알면서도 아무런 조처도 하지 않았다. 마치 잘 길든 양처럼 아버지의 말을 고분고분 따르는 것이었다. 그렇게 지옥 같은 날들이 이어졌다. 그러던 어느 날이었다. 또다시 반장에 선출된 양아버지는 한 손에 피가 뚝뚝 흐르는 양지머리 고기를 한 움큼 들고 돌아왔다. 만취한 채. 그리고 또다시 태경의 방 문을 여는 것이었다. 양아버지에게서는 여지없이 피비린내와 술 냄새가 진동했다. 그리고 자고 있던 태경의 몸을 더듬기 시작했다. 태경은 더 이상 참을 수가 없었다. 결국, 그녀는 볼펜을 집어 양아버지의 눈에 쑤셔 박았다. 그리고 피를 철철 흘리며 비명을 지르던 양아버지를 밀치고 뛰쳐나갔다. 그 후로 두 번 다시 돌아가지 않았다.

하지만 집 밖 세상은 녹록지 않았다. 가출한 소녀가 할 수 있는 일이라고는 고작해야 식당 잡일이나 편의점 아르바이트였다. 그나마도 가출한 게 들통나면 쫓겨나기 일쑤였다. 그렇게 오갈 데 없는 소녀에게 검은손이 뻗치는 건 당연한 일인지도 모른다. 변기에 파리가 꼬이듯 종두 놈이 나타난 것이다. 녀석의 첫인상은 나쁘지 않았다. 키 높이 구두에 싸구려 양복을 입었지만 서글서글했고 싼 티가 흘러넘쳤지만 자상한 구석이 있었다. 녀석은 이틀을 굶은 태경에게 순댓국을 사줬다. 허겁지겁 배를 채우는 태경에게 종두가 넌지시 낚싯대를 드리웠다.

"어때? 맛있지? 그래. 세상은 순댓국 같은 거야. 꼬라지는 엿 같아도 일단 한술 뜨면 숟가락을 멈출 수 없는 거지. 그런 게 진국이거든. 너 운 좋은 거야. 이 아저씨가 딱 순댓국 같은 사람이거든. 앞으로 매일 순댓국 먹고 싶지? 그럼 아저씨랑 같이 일해 볼래?"

순진했던 태경은 고개를 끄덕였고 그때부터 또 다른 지옥이 시작됐다. 놈은 포주였다. 가출한 미성년자들을 꼬드겨서 성매매 하고 있었다. 태경이 처음 상대한 남자는 양아버지뻘 되는 늙은이였다.

변변치 않은 거시기를 휘두르며 헉헉대던 늙은이 아래 깔린 채 태경은 깨달았다. 세상은 온통 역겨운 양아버지들로 가득 차 있다는 걸. 그리고 남자에 대한 증오가 시작됐다. 그때부터 생리통이 오면 역겨운 양아버지와 헉헉대던 늙은 남자들이 떠오르는 것이다.

"이 염병할 자궁. 언젠간 떼버릴 테다."

주머니를 뒤졌지만, 진통제는 없었다. 더 이상 버틸 수 없었다.

태경은 간신히 몸을 일으켰다. 비틀비틀 문을 열고 화장실을 나서려던 순간이었다.

"잡았다. 요 맹랑한 계집애."

경비가 태경의 멱살을 잡으며 소리쳤다.

"매번 쥐새끼처럼 달아나더니. 이번에는 어림없다."

그런데 태경이 당황하기는커녕 갑자기 경비의 냄새를 맡는 것이었다. 킁킁.

"뭐하는 거야?"

경비가 움찔하며 물었다.

"아저씨……. 아저씨한테서 고기 비린내가 나."

"뭐?"

순간 태경이 경비 눈에 후추 스프레이를 뿌렸다.

"악!"

경비가 눈을 부여잡은 채 주저앉자 태경은 기회를 놓치지 않고 계단으로 내달렸다. 그리고 초승달과 함께 찾아온 고통을 움켜쥔 채 건물을 빠져나갔다.

무교동의 밤이 깊어가고 있었다.

골목을 따라 늘어선 선술집에선 1차를 끝낸 취객들이 모자란 술을 채울 곳을 찾고 있었고 야근에 지친 직장인들이 집을 향해 피곤한 발을 움직이고 있었다. 그 와중에 태경은 올빼미처럼 두 눈을 부라리며 저녁거리를 찾고 있었다. 그녀가 둥지를 튼 곳은 모퉁이 편의점이었다. 여기에 진을 친 지 한 시간은 족히 지났지만, 껌 쪼가리 하나 사지 않았다. 카운터 알바생이 연신 큰기침을 해대며 눈치를 쳤지만, 태경은 꼼짝도 하지 않았다.

"저기, 여긴 카페가 아니거든요. 계속 그러고 계시면 제가 좀 곤란한데. 뭐라도 사셔야……."

결국, 알바생이 불편한 내색을 했다. 그러자 태경이 김밥 한 줄을 집더니 계산대에 내려놨다.

"됐지?"

알바생이 마지못해 바코드를 갖다 댔다.

편의점을 나선 태경은 방금 산 김밥을 우물거리며 지하철역으로 잰걸음을 옮겼다. 그녀가 향한 곳은 유료보관함이었다. 전용 보관함인 44번을 열자 낡은 보스턴백이 고개를 내밀었다. 태경은 가방을 둘러메곤 곧장 화장실로 향했다.

잠시 후 화장실에서 나온 태경은 완전히 변신해 있었다. 낡은 야상은 상큼한 교복으로 바뀌었고 도톰한 입술은 촉촉한 핑크였다. 치마는 속옷이 보일 정도로 짧았고 한 치수 작은 상의는 가뜩이나 풍만한 가슴을 더욱 도드라지게 했다. 야상을 벗어던진 태경은 갓 지평선을 뚫고 나온 태양처럼 싱그럽게 빛났다. 지하철역을 지나는 남자들 모두 그녀에게서 눈을 떼지 못했다. 태경은 걸리적거리는 시선을 물리치곤 도도하게 역을 빠져나갔다.

으슥한 밤길을 지나 걸음을 멈춘 곳은 유흥가로 이름을 날리던 북창동이었다. 욕망을 자극하는 휘황찬란한 네온사인 계곡 사이로 삐끼들이 취객을 유혹하고 있었다. 고급 술집들이 즐비했지만, 태경이 점찍은 자리는 따로 있었다. 이 일대 최고의 일식집이었다.

그곳은 연봉 높기로 유명한 보험회사 직원들이 회식을 자주 하기로 유명했다. 태경은 건너편 골목에 몸을 숨긴 채 시계를 살폈다.

어느덧 밤 9시였다. 첫 술을 마친 사람들이 2차를 위해 나설 시간이었다. 태경이 노리는 건 연말 보너스를 받아 주머니가 두둑한 보험사 직원이었다. 그중에도 과장급 이상의 나이 지긋한 남자였다. 이윽고 술집 문이 열리며 얼큰하게 취한 보험사 직원들이 나타났다. 그들은 연신 2차를 외치며 휘청대는 발걸음을 옮겼다. 이때를 노리던 삐끼들이 거머리처럼 달라붙었다. 태경은 담배 한 대를 물고 유심히 남자들을 살폈다. 몇 무리의 남자들이 흐느적대며 지나쳤다. 그중에는 태경을 발견하고 수작을 거는 이도 있었지만, 태경은 눈길도 주지 않았다. 필터까지 탄 꽁초를 버리고 두 대째 물려던 순간이었다. 조건을 충족하는 목표물이 나타났다. 희끗희끗한 머리에 좋은 양복을 입은 중년으로 얼핏 봐도 부장급이었다. 게다가 느끼한 눈매가 양아버지를 빼다 박았다. 남자는 일행과 헤어지고 집으로 향하고 있었다.

"슬슬 시작해볼까."

태경은 담배를 피우며 때를 기다렸다. 미끼를 물기 전 당겨도, 너무 늦게 당겨도 물고기가 달아난다. 이윽고 남자가 바로 앞을 지나려던 순간이었다.

"아빠. 어디 가?"

태경이 미끼를 던졌다. 아니나 다를까 남자가 발걸음을 멈추고 돌아봤다. 태경은 한쪽 다리를 들어 준비된 허벅지를 드러냈다. 두 번째 미끼였다. 네온 불빛에 드러난 태경의 속살은 눈이 부시도록 새하얬다. 남자는 태경의 허벅지에서 눈을 떼지 못했다. 제대로 미끼를 문 것이다. 낚싯대를 당길 차례였다.

"나 배고픈데. 밥 사줘. 아빠."

이번에는 풍만한 가슴을 도드라지게 내보이며 말했다. 남자는 땡볕 아래 아이스크림처럼 녹아내리고 있었다.

"뭐…… 먹고 싶은데?"

"뭐든 사줄 거야?"

태경이 바짝 가슴을 밀착하자 향수 냄새가 남자를 휘감았다. 비록 싸구려였지만 태경의 미모면 샤넬도 울고 갈 지경이었다.

"뭐든지!"

물고기가 제 발로 냄비 안으로 뛰어들었다.

남자는 로렐라이 요정에게 홀리듯 태경의 손에 이끌려 근처 모텔에 방을 얻었다. 방에 들어서자마자 남자는 태경에게 매달렸다. 엄마 젖을 보채는 아기처럼. 그러자 태경이 능숙하게 밀어냈다.

"계산부터 해야지, 오빠."

"얼마면 되니? 말해봐."

아이스크림은 이미 곤죽이 되어 있었다.

"세 장."

태경이 애교스럽게 손가락을 들어 보였다.

"알았어."

남자가 헐레벌떡 지갑을 찾았다.

"현금만 되는 거 알지, 오빠?"

"오늘 보너스 날이야. 걱정 마."

남자가 지갑에서 돈을 꺼내 건넸다. 태경이 기다렸다는 듯 돈을 가로챘다.

"이제 됐지? 나 좀 살려줘라."

남자가 돈을 세고 있던 태경에게 달려들었다.

"씻고 와야지. 오빠 매너남인 줄 알았는데."

"환장하겠네. 금방 올게."

남자가 뜯어내듯이 옷을 벗으며 욕실로 달려갔다. 뒤를 이어 샤워기에서 흘러나오는 물소리가 들렸다. 그러자 태경의 손이 능구렁이처럼 남자의 지갑 속으로 스며들었다. 예상대로 지갑은 두둑했다.

"내가 유용하게 써줄게."

태경은 현금을 모두 챙겼다. 그때 대충 물만 묻힌 남자가 욕실을 나서려 했다.

"이빨은?"

태경이 재빨리 지갑을 감추며 말했다.

"아, 이빨."

남자가 마지못해 다시 욕실로 돌아갔다. 그사이 태경은 핸드백에서 커터 칼을 꺼냈다. 그리고 남자의 바지를 난도질했다. 뒤를 이어 남자의 팬티에 불을 붙였다.

"역겨운 새끼들……."

태경은 불타는 팬티를 쓰레기통에 던져 넣고는 유유히 방을 나섰다.

"어디서 타는 냄새 안 나?"

이빨을 닦으며 남자가 소리쳤다.

"내 맘 타들어 가는 냄새야."

"다 닦았어. 쫌만 기다려."

남자가 헐레벌떡 물로 입을 헹궜다. 하지만 태경은 이미 사라진 후였다.

모텔을 빠져나온 태경은 시간을 확인했다. 10시. 아직 한탕 더 할 시간은 충분했다. 태경은 두 번째 진지로 발걸음을 옮겼다.

밤이 농익은 시간, 북창동은 먹잇감으로 넘쳐나고 있었다. 건드리기만 하면 냄비 안으로 뛰어들 대어들이 골목에서 펄떡대고 있었다. 태경은 담배를 물고는 느긋하게 다음 목표를 골랐다.

"아저씨, 와이셔츠 좀 빨아 입고 다니세요. 마누라가 가출했나. 뵹신아, 명품을 입으려면 깔 맞춤을 하든지."

태경이 먹잇감 품평회를 하고 있을 때였다.

저만치 태경을 향해 다가오는 심상찮은 그림자가 있었다.

그림자는 예사롭지 않은 기운을 풍기고 있었다. 안개처럼 소리 없이 접근하던 그림자는 어느새 태경 발치에 다다랐다. 하지만 태경은 전혀 낌새를 채지 못했다.

"옷발 좋은데. 진작 좀 그렇게 입지."

그림자가 나지막이 말했다. 태경은 소스라치게 놀라 돌아봤다. 그러자 그림자가 네온 불빛 아래 모습을 드러냈다. 작은 키에 옹골찬 눈매. 다부진 몸에 아귀를 떠올리는 인상. 포주 종두였다.

"기집애. 간두 커. 도망을 쳤으면 동네라도 바꾸는 게 예의 아니야? 어떻게 내 니와바리 안에서 장사를 해?"

녀석이 씩 웃자 금니가 반짝였다. 사색이 된 태경이 냅다 달렸다. 하지만 몇 걸음 가지도 못하고 머리채를 잡히고 말았다. 종두의 졸개들이 이미 퇴로를 막고 있었다. 졸개 중 한 명이 태경 얼굴에 제대로 한 방 먹였다. 태경은 맥없이 나가떨어졌다.

"야, 이 새꺄! 정신 있는 거야? 장사해야 되는데 얼굴을 치면 어떡해."

종두가 다정하게 태경의 얼굴을 살폈다.

"아이구, 그새 까칠해졌네. 케어 좀 받아야겠다. 이래 가지구 손님 받겠니."

그러자 태경이 종두에게 침을 뱉었다.

"그 돼지우리론 죽어도 안 갈 거야. 이 개새꺄!"

종두가 소매로 침을 닦아냈다.

"그럼 그동안 처먹은 순댓국을 뱉어내든가. 씨발 년아! 따라와."

종두가 태경의 머리채를 움켜쥐더니 개처럼 끌고 갔다. 미친 듯이 태경의 비명이 골목에 메아리쳤지만 관심을 두는 이는 아무도 없었다.

전설점

범상치 않은 일이 일어나기 전에는 반드시 징조가 나타난다.

그날 밤도 명징한 전조들이 연이어 일어나고 있었다. 검은색 쌍둥이 고양이가 거울에 비쳐 네 마리로 변신했고 바람을 잔뜩 머금은 구름이 대통령 얼굴 형상을 하고 있었으며 조짐을 읽은 까마귀들이 낙원상가 하늘에서 원을 그리며 돌고 있었다. 하지만 정작 징조의 임자는 까맣게 모른 채 철공소 앞을 서성이고 있었다.

"가망 없네. 차라리 새로 사는 게 낫겠네."

철공소 아저씨가 고개를 절레절레 저었다.

"새 거는 필요 없어. 고쳐줘."

누리가 철공소를 찾은 건 할머니의 리어카 때문이었다. 철공소 앞 도로는 조각난 파편들로 한가득이었다.

"바퀴랑 프레임은 그렇다 쳐도, 판자는 새 거로 바꿔야지. 이 지경으로 박살 난 걸 무슨 수로 고쳐."

"새 거는 필요 없어. 고쳐줘."

누리는 꿈쩍도 안 했다. 철공소 아저씨가 한숨을 쉬었다.

"이눔아, 우길 걸 우겨. 그나저나 돈은 있어?"

누리의 얼굴이 굳었다.

"뭐든 할게. 시켜만 줘."

"장난하나. 돈 가져온 다음에 얘기해."

하지만 누리는 물러서지 않았다.

"뭐든 할게. 우리 할머니만 고쳐줘."

"가, 인마! 연말이라 바빠 죽겠구먼."

아저씨는 귀찮다는 듯 돌아섰다. 철공소에선 다시 요란한 망치 소리가 이어졌다. 하지만 누리는 입구에 돌하르방처럼 서 있었다. 시침이 제자리를 도는 동안 손님이 여럿 다녀갔고 그림자가 길게 기울었다. 어느덧 노을이 낙원상가를 붉게 물들이고 있었다. 고된 일에 허기진 철공소 인부들이 요기를 위해 입구를 나섰다.

"아이구, 깜짝이야."

여태 버티고 있던 누리를 발견한 아저씨가 소스라치게 놀랐다.

"거참, 쇠심줄처럼 질긴 놈일세."

"할머니를 고쳐줘. 뭐든 할게."

누리의 간절함이 철공소에 흘러넘치고 있었다. 아저씨는 그제야 누리가 절대 포기하지 않을 거란 걸 깨달았다. 리어카를 고치기 전까진 매일 찾아올 게 분명했다.

"알았으니까 일단 돌아가. 먹지도 않은 밥 엎히겠다."

"정말이지? 고쳐주는 거지?"

누리 얼굴이 활짝 피어났다.

"그렇다니까. 지금은 바쁘니까 내일 다시 와."

"고마워. 정말 고마워."

누리는 기쁨을 주체 못 하고 아저씨를 와락 끌어안았다.

"대신 여기 있는 쓰레기 전부 치워. 앞으로 한 달 동안."

"걱정 마!"

누리는 발걸음도 경쾌하게 골목을 달렸다. 할머니를 다시 볼 생각을 하니 가슴이 벅찼다. 낡은 리어카 하나만으로도 행복해지는 아이. 누리는 그런 아이였다. 캐럴을 흥얼대던 누리의 발끝에 빈 병이 차였다. 리어카는 없었지만, 그냥 지나칠 누리가 아니었다.

"칠성사이다, 이십 원. 깨진 건 못 써."

빈 병을 한 아름 안고 일어서려는데 대로 저편에서 고함이 들렸다.

"이 영감탱이가 여기가 어디라고 숟가락을 디밀어. 당장 꺼지지 못해!"

길바닥에는 한 노인이 쓰러져 있고 주위에는 구경꾼들이 몰려 있었다. 누리는 걸음을 멈추고 어깨너머로 기웃했다. 빙 둘러싼 구경꾼들 가운데 사주쟁이 임 영감이 쓰러진 노인을 향해 욕지거리를 뱉고 있었다. 탑골공원 앞거리는 오래전부터 점집들이 노점을 열던 곳이었다. 임 영감은 그중에도 가장 오래된 터줏대감이었다.

"길바닥이니까 우스워 보여? 내가 이 자리에서만 십칠 년째야. 어서 굴러먹던 놈이 판을 깔아. 썩 꺼져! 혼쭐나기 전에."

그러자 노인이 비틀비틀 일어서는 것이었다. 노인은 척 보기에도 예사롭지 않은 풍모를 하고 있었다. 곱게 기른 백발은 허리까지 닿았고 구불구불한 수염은 가슴을 덮고 있었다. 깡마른 풍채에 누더기 한복을 입고 있었는데 조선 시대 유배자가 막 하산한 듯한 행색이었다.

"땅문서가 있는 것도 아니고 문패도 안 보이는데. 본시 길바닥 행상이라는 게 먼저 돗자리 펴는 놈이 임자거늘. 어찌 주인 행세신가."

노인은 봉변을 당하면서도 꼿꼿했다.

"이놈이 정신을 못 차리네. 오냐. 한번 해보자 이거지!"

임 영감이 팔을 걷어붙이더니 주먹을 휘두르기 시작했다. 반면 정체불명의 노인은 대적할 생각도 않고 날아오는 주먹을 고스란히 맞고 있었다. 그런데도 누구 하나 말리는 사람이 없었다. 노인의 얼굴이 피투성이로 변하기 직전이었다.

"꺄악!"

군중들 사이에서 괴성이 터져 나왔다. 비명은 고막이 터질 듯 쩌렁 울렸다. 사람들은 갑작스러운 고성에 귀를 틀어막았다. 싸우던 임 영감도 주먹질을 멈출 수밖에 없었다. 사람들이 비명의 주인을 돌아보려던 순간이었다.

"영감. 뛰어!"

누리가 쓰러진 노인을 일으키더니 냅다 어디론가 달리는 것이었다.

"저 덜떨어진 놈이."

임 영감은 어안이 벙벙해서 멀어져가는 두 사람을 바라볼 뿐이었다.

한참을 달리던 두 사람이 멈춘 곳은 덕수중학교 근처였다.

"얘야. 더는 못 가겠구나. 숨 좀 돌리자."

노인이 바닥에 주저앉아 가쁜 숨을 몰아쉬었다.

"거긴 임 영감 자리야. 영감이 잘못한 거야."

누리가 보따리를 돌려주며 말했다.

"이제 확실히 알겠구나. 얻어맞고 나니."

노인은 헉헉대며 숨을 고르고 있었다.

"여기는 주인 없으니까 장사해도 될 거야. 난 갈게."

누리가 돌아서려던 순간이었다.

"얘야. 기왕 도와준 거, 손 좀 더 빌리자."

"……"

누리가 돌아봤다. 그러자 노인이 보따리에서 큼지막한 노점 천막을 꺼냈다.

"천막 좀 쳐다오. 얻어맞고 났더니 서 있을 기운도 없구나."

"그러지 모."

누리가 흔쾌히 승낙했다.

천막을 완성하는 데 꽤 오랜 시간이 걸렸다. 누리가 쳐본 경험이 없기 때문이었다. 노인은 계단에 걸터앉아 곰방대를 빨며 미주알고주알 잔소리를 해댔다.

"이놈아. 기둥을 먼저 세우고 천막을 올려야지⋯⋯. 어허. 멍청한 놈 같으니. 여기서도 구멍이 보이는데 그걸 못 찾아⋯⋯. 서두르란 말이야. 해 떨어지것다⋯⋯."

노인은 손 하나 까딱 않고 참견을 해댔다. 하지만 누리는 짜증 한 번 안 내고 묵묵히 천막을 완성했다.

"이제 됐지? 그럼 나 갈게, 영감."

누리가 온전하게 선 노점 천막을 뒤로하고 돌아섰다. 노인은 성큼성큼 달려가던 누리를 묘한 눈빛으로 바라봤다.

"이놈아! 거기 서!"

노인이 버럭 소리를 질렀다.

"또 뭔데?"

누리가 돌아서며 물었다.

"날 고약한 늙은이로 만들 셈이냐. 이리 와!"

노인이 주섬주섬 보따리를 챙기더니 천막 안으로 들어갔다.

누리는 영문을 몰라 잠시 머뭇거렸다. 그러자 노인이 천막 밖으로 고개를 내밀며 소리쳤다.

"어서 들어오라고! 젊은 놈이 가는귀가 먹었나."

그제야 누리는 천막 안으로 들어섰다.

한 평도 안 되는 천막 안은 의외로 아늑했다. 노인은 어느새 바닥에 돗자리를 깔고 자개 밥상을 얹었다. 그 옆에는 낚시용 간이의자가 나란히 바라보고 있었다.

"뭘 멀뚱하니 있어? 거 앉아."

노인이 건너편 간이의자를 가리켰다. 누리는 마지못해 의자에 엉덩이를 걸쳤다.

"뭘 파는 거야, 영감?"

"이놈이 어따 대고 영감이야! 영봉 도사님이라고 불러."

노인이 곰방대로 꿀밤을 날리며 호통을 쳤다.

"도사? 영감이 도사야?"

누리가 이마를 문지르며 물었다.

"이놈이 그래도! 영봉 도사님!"

다시 꿀밤을 날리려 하자 누리가 움찔 피했다.

"영봉 도사님."

"그래야지."

노인은 그제야 인상을 풀고 밥상 위에 보따리를 쏟았다. 그러자 밥상 한가득 내용물이 쌓였다. 그것은 그야말로 잡동사니였는데 취향 따윈 아랑곳하지 않고 닥치는 대로 모은 것 같은 물건들이었다. 푸른빛 조약돌, 부두교에서 썼을 법한 목각인형, 반쯤 깨진 염주, 싸구려 옥반지 등 연관성이라곤 일도 찾아볼 수 없는 잡다한 것들이었다. 비록 허접스러운 것들이었지만 기묘한 아우라가 흘러나왔다.

"와! 이게 다 뭐야?"

누리가 눈이 휘둥그레져서 물었다.

"이건 내가 평생 세상을 여행하면서 모은 물건들이란다. 나는 젊어서 전 세계를 여행했단다. 저 멀리 아프리카에서부터 시베리아까지. 히말라야의 깊은 오지에서도 삼 년 넘게 살았지. 그렇게 여행을 하면서 취미로 물건을 모으기 시작했어. 처음에는 단순히 기념될 만한 걸 모았단다. 그러다가 재밌는 사실을 알게 됐지. 어떤 물건에는 전설이 스며 있다는 걸 말이다. 세상에 알려지지 않은 신비한 전설이었지. 그 후로 나는 흥미로운 전설이 묻어 있는 물건들을 모으기 시작했어. 그렇게 하나둘씩 전설을 모으다가 놀라운 사실을 깨닫게 됐단다. 모든 사람에게는 그 사람에게 맞는 전설이 있다는 것을."

"전설?"

"그래. 사람에게는 그 사람한테 맞는 전설이 존재한다. 그리고 그 전설에 맞는 운명을 살게 되어 있어. 자. 여기 있는 물건들을 잘 봐라. 이 물건들에는 각각 전설이 스며 있단다. 그리고 이 안에 너의 전설이 담긴 물건이 있다."

이제까지 쓸모없는 잡동사니로만 보이던 물건들에서 빛이 나오기 시작했다.

"네 이름이 뭐냐?"

노인에게서도 알 수 없는 기품이 흘러나오고 있었다.

"누리……."

누리가 홀린 듯 이름을 뱉었다. 어느새 천막 밖은 어둠이 내려 있었다.

"그래, 누리야. 오늘 나는 너를 만나기 위해 여기에 온 것 같구나. 네가 오늘 한 행동은 아주 훌륭했단다. 넌 요즘 보기 드문 선한 심성을 갖고 있어. 그래서 내가 너의 점을 봐주려 한다. 바로 전설점을."

"전설점……."

저 멀리 대륙으로부터 이름 모를 전설이 묻은 찬 바람이 두 사람의 천막을 감싸며 지나고 있었다.

"그래. 자, 이제 네 앞에 있는 물건 중 하나를 선택해라. 너의 전설이 묻어 있는 물건을 말이야."

"하나밖에 안 돼?"

"단 하나뿐이야."

누리가 어린애가 장난감을 고르듯 신나서 물건을 바라봤다. 드디어 고르려던 순간이었다.

"명심해. 한번 고르면 돌이킬 수 없어. 그 물건에 네 운명이 걸려 있다고 생각하고 신중히 골라야 한다."

노인이 마지막으로 경고를 했다. 하지만 누리는 이미 결정된 듯 덥석 하나를 집어 들었다.

"난 이게 맘에 들어."

누리가 선택한 물건을 노인에게 건네줬다. 그것은 지극히 평범한 뼛조각이었다. 특이한 빛깔도 아니었고, 모양이 독특한 것도 아니었다. 그야말로 어디서든 흔하게 찾을 수 있는 손톱만 한 크기의 뼛조각이었다. 그런데 조각을 건네받은 노인의 얼굴이 창백하게 굳는 것이었다.

"왜?"

누리가 천진난만하게 물었다. 그러자 노인이 잠시 뼛조각을 바라보다가 입을 열었다.

"네가 고른 건 '부치하난의 우물'이란 전설이다."

"부치하난? 그게 뭔데?"

누리가 의자를 바짝 당겼다.

"이제부터 내가 하는 말을 잘 들어라, 누리야. 이 이야기는 어디서도 들을 수 없고 내게도 다시 들을 수 없을 테니까."

노인은 고래가 잠수하기 진 호흡을 하듯 깊이 숨을 마시더니 이야기를 시작했다.

"아주 먼 옛날…… 낙타도 갈 수 없는 깊은 사막에 '츄위샤이'라는 부족이 살았단다……."

부치하난의 우물

저 멀리 사막을 훑고 온 모래바람에 실크 언덕이 일렁이고 있었다. 군데군데 태곳적 고래 뼈가 이빨처럼 드러나 있었고 그 사이를 도마뱀들이 발자국을 만들 뿐 지극히 고요했다. 하지만 자세히 들어보면 흩날리는 모래에 피비린내 섞인 비명이 묻어 있었다. 전투가 벌어진 장소는 '막퉁 우라단'이라 불리는 곳이었다.

몽낭족 말로 '악마의 송곳니'를 뜻했다. 사막 중에도 가장 거칠고 황량한 땅이었다. 그곳이 몽낭족의 피로 물들고 있었다. 이들을 공격한 부족은 그 유명한 '츄위샤이족'이었다. 츄위샤이는 잔인하기로 악명 높은 부족이었다. 이들에게는 저주받은 습성이 있었다.

츄위샤이는 인간을 사냥했다. 다른 부족을 쳐서 포로로 잡은 후 산 채로 가죽을 벗기고 인육을 먹었다. 여자와 아이도 이들에게는 식량에 불과했다. 남은 뼈로는 갑옷과 무기를 만들었다. 인골로 만드는 기술이 워낙 뛰어나 다른 무기로는 절대 뚫을 수 없었다. 한마디로 이들이 지나간 자리에는 뼈조차 남지 않았다.

때문에 츄위샤이가 나타났다는 소문이 돌면 다른 부족들은 공포에 떨며 달아나야 했다. 그것만이 유일한 살길이었다. 그런데 몽낭족이 습격을 당한 것이다.

전투는 처절했다. 몽낭족은 거동이 불편한 늙은이들마저 무기를 들고 나섰지만, 속수무책으로 당하고 있었다. 인골 갑옷으로 무장한 츄위샤이 전사들이 은빛 창을 휘두를 때마다 추풍낙엽처럼 쓰러졌다. 사방에 피가 튀고 비명이 낭자했다. 그중에도 가장 눈에 띄는 츄위샤이 전사가 있었다. '부치하난'. 그는 다른 전사에 비해 몸집이 두 배나 컸고 키는 8척에 가까웠다. 칼은 웬만한 장정만 했으며 갑옷 무게는 낙타 한 마리와 맞먹었다. 가장 인상적인 건 그의 외모였다. 그는 세 개의 두개골로 만들어진 투구를 쓰고 있었는데 보는 것만으로도 오금이 저렸다. 그 아래 장발을 늘어뜨린 얼굴은 피에 굶주린 곰 같았다. 안면은 누더기를 기운 것처럼 흉터가 가득했고 턱은 고목처럼 다부졌다. 온몸은 바위 같은 근육으로 이루어졌고 피부는 흑단처럼 검붉었다. 그런데 투구 속에 숨겨진 눈에는 알 수 없는 슬픔이 고여 있었다. 마치 눈물로 이루어진 호수처럼 처연한 깊이를 가진 눈동자였다. 그는 언제나 최선봉에 섰고 척추뼈를 갈아 만든 창을 휘두르며 적진을 돌파했다. 그가 지나간 자리에는 갈가리 찢긴 적의 시체가 융단처럼 깔렸다.

"절대 물러서지 마라. 우리가 무너지면 아내와 자식은 사지가 잘려 놈들의 식량이 된다. 시간을 벌어라."

몽낭족 족장이 소리쳤다. 족장은 솔선해서 낙타를 몰고 전장 한가운데로 달려갔다. 족장이 독려하자 몽낭족 병사들의 사기가 올랐다. 몽낭족은 훈련이 잘된 부족이었다. 목숨을 걸고 달려드는 몽낭족 병사를 상대하는 건 제아무리 츄위샤이라고 해도 만만치 않았다. 이대론 승부가 쉽게 나지 않을 게 분명했다. 그 모습을 저만치 언덕에서 '만다란투'가 지켜보고 있었다. 그는 츄위샤이를 이끄는 족장이자 '아흘라착'이었다. 아흘라착이란 신과 대화하는 사람이란 뜻으로 일종의 신관(神官)이었다. 만다란투는 다른 부족뿐만 아니라 동족 츄위샤이도 두려워했다. 그는 뼛속까지 교활하고 잔인한 인간이었다. 그는 같은 동족이라도 눈에서 벗어나면 가차 없이 죽인 후 식량으로 삼았다. 그리고 그에게는 마법의 힘이 있었다. 그는 동물과 대화할 수 있었고 사람의 마음을 조종했다. 그에게 마음을 빼앗긴 인간은 노예가 되어 그의 명령이라면 무엇이든 따랐다. 심장을 꺼내라면 스스로 심장을 도려냈다.

몽낭족의 족장을 유심히 보던 만다란투의 눈빛이 가늘게 찢어졌다. 그는 휘파람을 불어 심복을 불렀다. 그의 애완용 매였다. 휘파람 소리를 들은 매가 만다란투의 어깨에 내려앉았다. 그러자 만다란투가 매의 언어로 속삭였다. 명령을 들은 매는 곧장 선봉에 있던 부치하난에게 날아갔다.

끼르륵- 머리 위를 맴돌던 매가 울자 부치하난이 전투를 멈췄다.

매는 한 바퀴를 선회한 후 몽낭족 족장을 향해 쏜살같이 내리꽂혔다. 매의 공격을 받은 몽낭족 족장이 휘청했다. 신호였다. 부치하난은 낙타 머리를 돌리더니 몽낭족 족장을 향해 내달렸다. 그리고 한 치의 망설임도 없이 칼을 휘둘렀다. 슉- 바람 가르는 소리와 함께 몽낭족 족장의 머리가 허공을 날았다. 부치하난은 바닥에 뒹굴던 족장의 머리를 들더니 괴성을 질렀다. 크아악!

전장의 모든 전사가 그를 돌아봤다. 눈을 뜬 채 죽은 족장의 머리를 보자 몽낭족 병사들은 크게 동요했다. 그리고 하나둘 달아나는 것이었다. 이를 놓칠 츄위샤이 전사들이 아니었다. 곧장 추적을 시작했다. 선봉에는 부치하난이 있었다. 그가 낙타에 올라 채찍을 휘두르려던 순간이었다.

"넌 여기 남는다."

만다란투가 어느새 옆에 와 있었다.

"여긴 아무것도 없다."

부치하난이 고삐를 당기며 말했다. 동굴 속 곰의 울부짖음 같은 목소리.

"저 우물이 보이나?"

만다란투가 가리킨 곳에는 돌로 쌓은 우물이 있었다. 사막에 난 땀구멍처럼 작지만 깊은 우물.

"저 우물은 이 사막에 있는 유일한 우물이다. 우물을 지켜라. 그러면 사막은 우리 것이다."

부치하난이 낙타에서 내리더니 우물 앞에 칼을 꽂았다. 그러자 우물 주위에 높은 성벽이 선 것 같았다. 만다란투는 흡족한 듯 낙타를 재촉했다.

"열두 번째다."

부치하난이 나지막이 말했다.

"약속을 지켜라."

만다란투가 돌아봤다. 해골 투구 속 부치하난의 눈이 매섭게 노려보고 있었다.

"우물을 지켜라."

이 말을 남기고 만다란투는 사막 저편으로 사라졌다.

황량한 사막 한가운데 부치하난만이 홀로 남아 있었다. 그는 우물 앞에서 석상이 된 듯 멈춰 있었다. 휘몰아치는 모래바람도 그를 움직일 수 없었다. 하지만 그의 눈동자는 어느 때보다도 흔들리고 있었다.

부치하난이 목숨을 걸고 선봉에 서는 데는 이유가 있었다. 바로 기억 때문이었다. 그는 기억이 없었다. 누군가 뇌에 갈댓잎을 꽂고 빨아먹은 듯 아무것도 남아 있지 않았다. 어린 시절 추억은 물론이고 형제자매, 부모님에 관해서도 떠올릴 수 없었다. 유일한 기억은 의식이 돌아왔을 때 그에게 물을 건넨 사람이 만다란투라는 것뿐이었다. 당시 열 살도 안 된 어린아이였다. 그가 어디서 왔는지, 왜 만다란투가 살렸는지 아무도 알지 못했다. 그 후 만다란투는 부치하난을 아들처럼 키웠다. 물론 자비로운 아버지는 아니었다. 오히려 잔인한 주인에 가까웠다. 만다란투는 부치하난을 전사로 키우기 위해 사지로 내모는 것도 불사했다. 늑대 굴에 던져 넣기도 했고, 물 한 방울 없이 사막 한가운데 버려놓기도 했다. 하지만 부치하난은 매번 기적처럼 살아 돌아왔다. 그리고 스무 살이 되었을 때 부족 최고의 전사가 되었다. 부치하난은 사지에서 살아올 때마다 자신의 과거에 관해 물었지만, 만다란투는 침묵을 지킬 뿐이었다. 그러던 어느 날이었다. 부치하난이 첫 전투에 임할 때였다.

"이 사막에는 모두 열두 부족이 있다. 네가 열두 부족을 모두 굴복시키넌 그때, 네 기억을 돌려주겠다."

그 후 부치하난은 모든 전투에서 선봉에 섰고 열한 개 부족을 점령했다. 그리고 몽낭족이 마지막 열두 번째 부족이었다.

사막에 해가 지고 있었다. 모래바람도 서서히 잦아들었다. 지평선이 노을을 삼키자 쏟아질 듯한 별들이 하늘을 메웠다. 온 우주에 홀로 남아 있는 듯 무시무시한 고독이 몰려왔다. 하지만 부치하난은 익숙했다. 오히려 혼자 있는 시간을 즐겼다. 더는 전쟁도, 참혹한 시체도 없었다. 무서우리만치 고요한 평온이 주위를 감싸고 있었다. 그런 그의 마음을 메우는 유일한 질문이 있었다.

"나는 누구지……."

하지만 거대한 천체는 우물을 중심으로 우주의 시간에 따라 서서히 선회할 뿐이었다.

그곳은 나지막한 산 중턱에 있는 사막여우 동굴이었다.

한 사람이 간신히 들어갈 만큼 낮고 좁았지만, 모래바람을 피하기엔 충분했다. 그런데 안에서 신음이 흘러나오고 있었다. 여우 울음이 아니었다. 동굴에는 두 여인이 몸을 숨기고 있었다.

몽낭족 소녀 올라와 어머니였다. 어머니는 열병으로 사경을 헤매고 있었다. 때문에 츄위샤이족을 피해 이동하는 부족을 따라갈 수 없었다. 몸을 숨겨야 했던 올라는 어머니를 부축해 이 동굴에 숨어든 것이다. 하지만 어머니의 병세는 갈수록 악화되고 있었다.

변변한 약초도 없었고 열을 내리는 데 필요한 물조차 떨어지고 있었다. 이대로는 가망이 없었다.

"엄마, 힘내. 내가 어떻게든 물을 구해올게."

올라가 마지막 남은 물로 어머니의 입가를 축였다. 어머니는 가쁜 숨을 몰아쉬고 있었다. 물을 구하지 못하면 어머니는 물론이고, 그녀의 목숨도 위태로웠다. 올라는 낙타 가죽으로 만든 물통을 단단히 옆구리에 동여매고 동굴을 나섰다.

동굴을 나와 언덕을 오르자 지평선이 펼쳐졌다. 동이 트고 있었다.

새로운 빛이 사막의 어둠을 몰아내고 있었다. 눈부신 아침 햇살이 닿자 가려 있던 올라의 모습이 드러났다. 올라는 이제 막 열여섯 살이 된 아름다운 소녀였다. 윤기가 흐르는 검은 머리를 길게 늘어뜨리고 수선화를 연상시키는 새하얀 얼굴을 하고 있었다. 선한 눈매에는 늘 미소가 묻어 있었고 복숭앗빛 입술에선 노랫소리가 멈추지 않았다. 올라는 미인이 많기로 유명한 몽낭족 중에도 손꼽히는 미모를 지니고 있었다. 전쟁 덕분에 사흘 넘게 갈증에 시달렸지만, 그녀는 미소를 잃지 않고 있었다.

"신이시여. 저희 모녀를 굽어살피소서."

태양을 향해 기도하곤 산에서 내려갔다.

몇 개의 모래언덕을 넘자 우물이 나타났다. 우물은 초록 눈썹처럼 기다란 풀밭 위에 자리하고 있었다. 누런 사암을 쌓아 만들었는데 물을 뜰 수 있는 양동이와 도르래가 달려 있었다. 그 앞을 츄위샤이의 거인 전사가 지키고 있었다. 부치하난이었다.

"어쩌지."

난감했다. 우물이 유일하게 물을 구할 수 있는 곳이었다. 하지만 거인 전사는 움직일 기미가 없었다. 이대론 물은커녕 목숨마저 위태로웠다. 방법을 찾아야만 했다. 올라는 물통을 부둥켜안고 주위를 둘러봤다. 저만치 발굽 소리가 들렸다. 낙타였다. 전쟁 중에 주인을 잃고 부근을 서성이고 있었다. 실낱같은 희망이 반짝였다.

"신이시여. 감사합니다."

올라는 조심스럽게 낙타에게 다가갔다. 낙타는 그늘을 찾아 터벅터벅 이동하고 있었다.

"괜찮아. 해치지 않아."

낙타는 올라를 발견하자 주인을 만난 듯 멈춰 섰다. 올라는 살살 어르며 낙타 등에 올라탔다.

"착하지. 날 좀 도와줘."

올라는 웃옷을 벗어 안장에 묶었다. 그리고 낙타를 끌고 조심스럽게 우물로 다가갔다. 부치하난은 제자리에서 눈을 감은 채 칼을 움켜쥐고 있었다. 그 모습이 난공불락 요새 같았다. 실패할 경우 목숨을 잃을 수도 있었지만 달리 방법이 없었다. 올라는 크게 심호흡을 한 후 낙타 엉덩이를 냅다 후려쳤다. 그러자 낙타가 울부짖으며 달리기 시작했다. 갑작스러운 괴성에 부치하난은 칼을 빼 들고 둘러봤다. 저만치 낙타 한 마리가 달려가고 있었다. 낙타 등에는 사람 그림자가 타고 있었다. 몽낭족 의상이었다. 부치하난은 재빨리 자신의 낙타에 오르더니 뒤를 쫓았다. 올라는 그 모습을 바위 뒤에 몸을 숨긴 채 지켜보고 있었다. 이윽고 부치하난이 시야에서 사라지자 올라는 서둘러 우물로 달려갔다. 그리고 물을 긷기 시작했다. 물통 뚜껑을 열고 도르래에 달린 양동이를 우물 깊이 던졌다. 첨벙. 소리만으로도 시원한 물이 느껴졌다. 양동이 가득 물을 담고는 끌어 올리기 시작했다. 그때였다.

운명을 머금은 바람 한 줄기가 아침 햇살을 가르며 날아왔다. 바람은 정확히 올라를 향해 불어오더니 춤을 추듯 그녀의 몸을 휘감았다. 갑작스러운 바람에 올라의 머리와 옷깃이 휘날렸다. 그로 인해 올라는 양동이를 놓치고 말았다. 운명의 바람은 올라의 몸을 쓰다듬더니 소중한 인연이 서린 물건을 훔쳐 달아났다. 그것은 옷깃에 꽂혀 있던 꽃잎이었다. 다섯 개의 꽃잎 중 하나를 떼어낸 바람은 인연을 향해 내달렸다.

부치하난은 엉뚱한 곳을 향해 달리고 있었다. 이제 낙타를 거의 따라잡으려던 순간이었다. 운명의 바람이 부치하난의 코밑을 스치고 지나는 것이었다. 순간 부치하난은 고삐를 당겼다. 쫓던 낙타가 저만치 멀어지고 있었지만 상관하지 않았다. 운명의 바람은 알 수 없는 향기를 품고 있었다. 그리고 그 향기는 심연에 잠겨 있던 기억의 파편 한 조각을 소환하는 것이었다.

새로 태어난 새끼 낙타를 독려하며 환하게 웃는 한 여인.

여인의 얼굴이 떠오른 순간 흑요석보다 단단하던 심장에 비수가
꽂힌 듯 아팠다. 부치하난은 가슴을 움켜쥐며 작은 신음을 뱉었다.
이런 감정은 태어나 처음이었다. 가슴이 찢기듯 고통스럽고 심장이
녹아내리듯 사무쳤다.

"대체 이게 뭐지."

그것은 슬픔이었다. 이제껏 피비린내 나는 전투만 치러온 부치
하난에게 슬픔이란 감정은 존재하지 않았다. 그런데 바람에 묻어
있던 희미한 향기가 봉인된 감정을 깨운 것이다.

운명의 바람은 거기서 그치지 않았다. 멀어졌던 바람이 다시 돌
아왔다. 그리고 다시 한번 부치하난의 코를 어루만졌다. 부치하난
은 놓치지 않고 바람 속에 숨어 있던 파편을 움켜쥐었다.

보라색 꽃잎. 부치하난은 바람의 흔적을 따라 향기를 추적하기
시작했다. 그의 후각은 늑대만큼 발달하여 있었다. 그는 십 리 밖에
잠복한 적군을 냄새만으로 찾아낼 수 있었다.

부치하난은 미친 듯이 낙타에게 채찍을 가했다. 이윽고 향기의
근원지가 나타났다. 우물이었다. 하지만 우물가는 텅 비어 있었다.
부치하난은 낙타에서 내려 주위를 살폈다. 그의 코는 우두머리 늑
대보다 예리했고 눈은 검독수리보다 날카로웠다. 주위를 맴돌던 부
치하난의 발걸음이 멈췄다. 그는 천천히 우물로 다가갔다. 시원한
바람이 우물 바닥에서부터 회오리치며 불어왔다. 바람에는 진한 향

기가 스며 있었다. 부치하난은 우물 안을 살폈다. 어스름한 여인의 그림자가 우물 벽에 매달려 있었다. 올라였다. 그녀는 숨을 죽인 채 우물 속에 숨어 있었다. 부치하난은 대뜸 올라의 멱살을 잡더니 끌어올렸다. 고목처럼 억센 부치하난의 팔뚝에 여린 올라가 대롱대롱 매달려 있었다.

"물을 훔치는 자, 죽는다."

부치하난이 거대한 칼을 빼 들었다.

"어머니가 아파요. 물이 필요해요. 제발."

올라가 울부짖었지만 부치하난은 꿈쩍 않았다. 그는 무자비하게 칼을 치켜들더니 내리치려 했다. 그런데 어쩐 일인지 마지막 순간 칼을 멈추는 것이었다. 모든 걸 포기하고 있던 올라의 옷깃에서 뭔가가 떨어져 칼날 위에 내려앉았다. 꽃이었다.

부치하난은 넋 나간 듯 칼등 위에 있던 보라색 꽃을 소중히 집었다. 그리고 조심스럽게 냄새를 맡았다. 그러자 또다시 여인의 얼굴이 심장 한가운데를 가르며 지나는 것이었다. 부치하난은 꽃을 움켜쥔 채 바닥에 주저앉았다.

"이봐요. 괜찮아요?"

올라가 조심스럽게 물었다. 그러자 부치하난이 고개를 들며 물었다.

"이게 뭐냐?"

그의 손에는 보라색 꽃이 들려 있었다.

"얼레지 꽃⋯⋯."

"얼레지⋯⋯."

부치하난이 잃어버린 이름이라도 찾는 듯 되뇌었다.

"그 꽃이 있는 곳을 알아요. 보고 싶어요?"

올라가 묻자 부치하난이 돌아봤다.

올라가 데려간 곳은 우물로부터 한참 떨어진 암석 계곡이었다.

그곳은 '무르다항'이라고 불리는 곳이었는데 몽냥족 말로 '신의 젖가슴'이라는 뜻이었다. 계곡은 사막 한가운데 뜬금없이 튀어나와 있었는데 이름처럼 두 개의 봉우리가 봉긋이 솟아 있었다. 고지에는 운무를 먹이 삼아 자생하는 식물들이 자라고 있었다.

부치하난은 올라를 앞에 태우고 계곡 사이를 달리고 있었다.

"저기예요."

올라가 소리치자 부치하난이 계곡 입구에 낙타를 멈췄다.

"여기부턴 걸어가야 해요."

올라가 앞장서 계곡을 오르기 시작했다.

부치하난은 묵묵히 뒤를 따랐다. 계곡은 오를수록 가팔라졌다.

지친 올라가 이끼에 미끄러지고 가파른 경사에 넘어졌지만 부치하난은 도와주지 않았다. 두 사람은 말없이 계곡을 올랐다. 이윽고 정상에 다다르려던 순간이었다. 산머리에서 불어오는 바람이 부치하난의 코를 자극했다. 바람은 진한 추억의 향기로 가득했다. 부치하난이 미친 듯이 달리기 시작했다. 드디어 정상에 도달하자 부치하난의 입에서 작은 신음이 흘러나왔다. 꼭대기는 넓은 평지였는데 보라색 꽃들이 융단처럼 깔려 있었다. 얼레지 꽃밭이었다. 부치하난은 수만 리를 되돌아온 연어처럼 꽃밭에 이끌려갔다. 진한 얼레지 꽃향기가 그의 허파를 파고들었다. 그리고 봉인된 부적을 뜯어버리곤 기억의 창고를 열었다.

"어머니……."

향기에 묻어 있던 기억의 파편은 바로 어머니였다. 부치하난의 눈에서 둑이 무너진 것처럼 눈물이 쏟아졌다. 그는 꽃밭에 얼굴을 묻은 채 오열했다.

"당신이 누군지 알아요."

조용히 바라보던 올라가 입을 열었다.

"부치하난. 사람들은 당신을 지옥에서 온 마귀라고 불렀어요. 그런데 지금 당신은……."

순간 부치하난이 돌아봤다.

"가라. 두 번 다시 돌아오지 마라. 다음엔 사지를 찢어버린다."

어느새 부치하난은 잔인한 전사로 돌아와 있었다. 그는 당장이라도 죽일 듯 노려봤다. 하지만 어쩐 일인지 올라는 조금도 두렵지 않았다. 오히려 측은했다.

"당신, 눈물을 처음 흘리죠. 난 알 수 있어요. 당신은 마귀가 아니에요. 오히려……."

그러자 부치하난이 칼을 꺼내 들더니 올라의 목을 겨눴다. 칼에 묻은 수많은 적의 피비린내가 고스란히 풍겨왔다.

"가란 말이야!"

부치하난의 고함이 계곡에 울려 퍼졌다. 어느새 해가 지고 있었다. 올라는 떠나야만 했다. 어머니가 기다리고 있었다. 그녀는 자신의 물통을 챙겨 동굴로 돌아갔다. 다행히 어머니는 살아 있었다.

"엄마. 물 가져왔어요. 시원한 물이에요."

올라는 가져온 물을 어머니에게 먹였다. 그제야 어머니의 가쁜 숨이 잦아들었다. 올라는 어머니 옆에 몸을 뉘었다. 피곤이 몰려왔다. 하지만 어쩐 일인지 잠이 오지 않았다. 그녀의 뇌리에는 얼레지 꽃밭에서 오열하던 거대한 전사의 모습으로 가득 차 있었다.

올라가 다시 나타난 건 천체가 한 바퀴 반을 돌고 난 후였다.

부치하난은 우물 앞에 가부좌를 틀고 앉아 있었다. 한 손에는 커다란 인골 칼을 움켜쥔 채. 모래바람에 온몸이 석상처럼 변했지만, 꼼짝도 하지 않았다. 그의 머릿속은 온통 어머니의 얼굴로 가득 차 있었다. 그런데 저만치서 얼레지 꽃향기가 가까워지고 있었다.

올라였다. 그녀는 결의에 찬 얼굴로 한 치의 흐트러짐 없이 부치하난을 향해 걸어왔다. 부치하난이 부스스 일어났다. 그리고 칼을 움켜쥔 채 다가갔다. 그는 주저하지 않고 칼을 날렸다. 하지만 올라는 눈도 깜짝 않고 그의 눈을 응시하고 있었다. 그녀를 죽이는 건 갈대 자르기보다 쉬웠다. 하지만 마지막 순간 칼을 멈출 수밖에 없었다. 자신도 이해할 수 없는 일이었다.

"다시 나타나면 죽인다고 했다."

부치하난이 말했다.

"어차피 죽은 목숨이에요."

두 사람 사이를 모래바람이 지나고 있었다.

"가라."

부치하난이 말했다. 그러자 올라가 뭔가를 던졌다. 꽃다발이었다. 메마른 흙먼지 위에서 싱그러운 얼레지 꽃이 흔들리고 있었다. 그와 함께 부치하난의 눈동자도 흔들리고 있었다.

"당신, 기억을 잃었죠?"

올라가 물었다.

"당신은 기억을 잃었어요. 그런데 얼레지 꽃을 보는 순간 기억이 돌아온 거예요. 그래서 운 거예요. 그렇죠?"

"가란 말이야!"

부치하난의 고함이 사막을 가르며 퍼져갔다. 하지만 올라는 미동도 하지 않고 부치하난을 바라봤다.

"들은 적이 있어요. 당신들의 족장, 만다란투는 기억을 빼앗아 조종한다고. 기억을 빼앗긴 사람은 만다란투의 노예가 된다고. 당신도 그중 하나예요."

으아악! 순간 괴성과 함께 날카로운 칼날이 허공을 갈랐다. 우물 주위를 돌던 천체가 멈췄다. 죽음 같은 정적이 그 사이를 메웠다.

잠시 후 올라의 치렁치렁하던 머리가 잘리며 바람에 흩날렸다. 그리고 그녀의 뺨에 난 작은 상처에서 피가 흘러내렸다. 하지만 올라는 눈도 깜빡이지 않았다.

"당신에게 제안하겠어요. 기억을 찾는 걸 도와드릴게요. 대신 물을 주세요. 만약 열흘이 지나도 기억을 찾지 못하면 그땐 저를 죽여도 좋아요."

끝도 없이 펼쳐진 사막에 두 사람은 망부석이 된 듯 서로를 바라보고 있었다.

다음 날부터 올라는 매일 아침 부치하난을 찾아왔다.

그녀는 물통에 물을 채운 후 부치하난과 함께 계곡 정상의 얼레지 꽃밭으로 향했다. 두 사람은 꽃밭 한가운데 앉아 이야기했다.

"기억은 사소한 물건들에 묻어 있어요. 얼레지 꽃, 낙타의 갈기, 호박벌 같은. 먼지를 털어낸다고 생각해봐요. 그럼 색이 더 선명해질 거예요. 자, 그 여인은 누구죠?"

올라가 자상하게 물었다.

"어머니……."

부치하난이 대답했다. 그는 눈을 감은 채 기억을 더듬고 있었다.

"어머니는 뭘 하고 계시죠?"

"낙타가 태어났어…… 새끼 낙타를 안고 있어…… 눈물을 흘려…… 슬픈 게 아니야…… 기뻐하고 있어…….."

"또 뭘 하고 있죠?"

부치하난은 기억을 찾기 위해 안간힘을 썼다. 하지만 그 이상은 떠오르지 않았다. 으아악! 부치하난은 분을 참지 못하고 옆에 있던 바위를 내리쳤다. 바위는 순식간에 두 동강이 났다. 주위의 꽃들이 모두 놀라 파르르 떨고 있었다. 그런 부치하난을 올라는 부드럽게 바라봤다.

"저도 비슷한 기억이 있어요. 아마 제가 다섯 살 때였을 거예요. 우리 집 낙타가 새끼를 낳으려 했어요. 막 동이 트려던 무렵이었어요. 어머니가 저를 깨우시는 거예요. 올라야, 일어나. 소중한 순간이야. 꼭 봐야만 해. 그리고 제 손을 잡고 낙타 무리로 갔어요. 무리 중제일 나이 많은 암낙타였어요. 지금도 이름을 기억해요. 락수르. 봄이라는 뜻이에요. 락수르가 아기를 낳고 있었어요. 고운 모래 위에서 신음하고 있었어요. 그때 어머니가 락수르의 배를 어루만지며 노래를 하시는 거예요."

아기야~ 두려워 마라~ 사막의 어둠은 곧 지나간단다~ 그러면 신이 불어준 시원한 바람과 함께 아침이 온단다~ 아기야 두려워 마라~

"그러자 락수르가 아기를 낳은 거예요. 수선화처럼 하얀 새끼 낙타를."

올라가 이야기를 하자 부치하난의 가쁜 호흡이 잦아들었다. 부치하난은 올라를 바라봤다. 올라의 얼굴에는 환한 미소가 떠 있었다.

"지금도 기억해요……."

올라의 눈앞엔 방금 태어난 새끼 낙타가 선했다. 부치하난도 새끼 낙타를 떠올릴 수 있었다. 그러자 순간 말없이 바라만 보던 기억 속의 어머니가 말을 하는 것이었다.

'울밤매……'

68

부치하난이 무의식적으로 되뇌었다.

"뭐라고 했죠?"

올라가 물었다.

"어머니가 그랬어. 울밤매……."

"그건 부란족의 말인데."

"부란족……?"

"네. 부란족 말로 친구란 뜻이에요."

"친구."

부치하난이 읊조렸다.

"어쩌면 당신은 츄위샤이족이 아닐지도 몰라요. 어쩌면 부란족
의 아들일지도 몰라요."

얼레지 꽃밭에 시원한 바람이 불고 있었다.

며칠 후 올라 어머니의 병이 호전되자 부치하난과 올라는 우물
가를 떠나 어디론가 향했다. 그들이 발을 디딘 곳은 사막에서 가장
깊은 지역으로 츄위샤이족조차 꺼렸다. 거의 매일 모래폭풍이 휘몰
아치고 있었다.

"반나절 정도만 더 가면 될 거예요. 족장님 말로 낙타 걸음으로
이틀 거리라고 했거든요."

세찬 폭풍에 올라는 눈조차 제대로 뜰 수 없었다. 하지만 부치하
난은 움직이는 바위처럼 폭풍을 견디며 묵묵히 낙타를 몰았다. 두
사람이 향한 곳은 부란족 마을이었다. 부치하난의 기억을 깨울 단

서를 찾기 위해서였다.

"부란족에 대해 말해라."

부치하난이 말했다.

"부란족은 고래의 후손이에요."

"고래?"

사막에서 평생을 보낸 부치하난은 고래를 알지 못했다.

"바다에 사는 동물이에요. 몸은 산만큼이나 크고 한번 물을 들이켜면 일 년은 버틸 수 있을 만큼 엄청나대요. 그리고 세상의 비밀을 모두 알고 있대요. 심지어 신의 비밀마저도. 백 년도 넘게 사는데 고래의 눈을 본 사람은 정신을 잃게 된대요. 너무나 깊고 신비로워서."

낙타 발이 모래 속에 푹푹 빠지고 있었다.

"아주 먼 옛날 이 사막은 바다였대요. 거대한 고래들이 지배하는 바다. 그들이 다스리던 바다는 평화로웠대요. 그래서 모든 동물이 신보다 고래를 따랐대요. 질투와 허영으로 가득 찬 신과는 달리 고래는 공평하고 현명했거든요. 이를 못마땅하게 여긴 신은 어느 날 바다를 없애버리고 물 한 방울 나지 않는 사막으로 만들었대요. 덕분에 동물들은 고래 곁을 떠나 먼바다로 사라졌죠. 사막에 버려진 고래는 팔다리가 생기고 인간이 되었대요. 그리고 사막을 떠돌면서 물을 찾기 시작했대요. 마치 고향을 그리듯 물을 찾아 헤맸대요. 그들이 바로 부란족이에요. 시간이 지나자 부란족에게 특별한 능력이 생겼대요. 제아무리 메마른 곳에서도 물을 찾아내는 능력이었죠.

그들의 피는 본능적으로 물이 있는 곳을 알 수 있을 뿐만 아니라 모든 사물에서 물을 뽑아낼 수 있었대요. 심지어 사막의 바위에서도 물을 끌어낼 수 있었대요. 그들은 그 능력을 이용해 사막을 돌아다니며 우물을 만들었대요. 덕분에 수많은 우물이 생겼어요. 어떤 우물은 물이 넘쳐 강처럼 흘렀대요. 부란족은 우물을 누구나 쓸 수 있도록 베풀었대요. 덕분에 모든 부족이 부족함 없이 물을 얻을 수 있었죠. 그러던 어느 날 한 부족이 나타났어요. 그 부족은 다른 부족을 공격하고 우물을 독점했어요. 바로 츄위샤이족이에요. 츄위샤이족은 우물을 만드는 부란족이 눈엣가시 같았어요. 사막에서는 물을 지배하는 자가 사막을 지배하니까요. 그래서 부란족을 공격했어요. 그리고 한 명도 남기지 않고 모두 죽였어요. 갓난아기마저도. 그 후로 사막에서 우물이 사라지기 시작했어요. 그리고 결국 단 하나만 남게 됐죠."

어느새 해가 뉘엿뉘엿 지고 있었다.

"그럼 내 어머니도……."

부치하난의 목소리가 작게 떨렸다.

"아마도."

사막 수평선으로 걸어가는 부치하난의 뒷모습이 슬퍼 보였다.

두 사람은 쉬지 않고 사막을 가로질렀지만, 마을은 나타날 기미가 보이지 않았다. 이틀간 한 번도 쉬지 못한 낙타는 기진맥진해 있었다. 올라 역시 타는 듯한 햇빛과 폭풍을 지나온 터라 실신하기 직전이었다. 하지만 부치하난은 멈추지 않았다. 올라는 갈증을 참지 못하고 물통을 꺼냈다. 남아 있는 물은 얼마 되지 않았다. 부치하난이 올라의 팔을 움켜잡았다.

"갈증에 익숙해져라. 아님, 사막에 잡아먹힌다."

올라는 어쩔 수 없이 갈증을 견뎌야만 했다.

밤이 되자 모래바람은 멈췄지만, 살을 에는 듯한 추위가 닥쳤다.

얇은 겉옷만을 입고 있던 올라는 사시나무 떨듯 떨었다. 하지만 부치하난은 흔들림이 없었다. 마치 온몸에 신경이 남아 있지 않은 듯 묵묵히 갈 뿐이었다. 그렇게 얼마나 흘렀을까. 부치하난이 멈춰 섰다. 올라가 지친 고개를 들자 눈앞에 장관이 펼쳐졌다. 그것은 죽은 고래의 내장을 연상시키는 깊은 계곡이었다. 계곡을 가로질러 거대한 뼈들이 서까래처럼 허공을 받치고 있었고, 고대의 바닷물이 만든 동굴들이 숨구멍처럼 사방에 뚫려 있었다. 고래 피부를 닮은 검은 계곡 아래에는 새하얀 모래가 구불구불 이어져 있었고 그 위에 폐허가 된 한 마을이 있었다. 심연의 고래 무덤을 연상시키는 마을.

"부란눅타…… 부란의 심장……."

올라가 홀린 듯 조용히 읊조렸다.

부치하난은 달빛 아래 펼쳐진 신비로운 폐허를 한동안 바라봤다.

그 모습이 회유하는 무리로 돌아온 범고래 같았다. 부치하난은 계곡을 내려갔다. 올라도 뒤를 따랐다. 한달음에 도착한 마을은 수십 채의 벌집을 연상시켰다. 진흙을 붙여 만든 집들은 꽈리 모양이었는데 여기저기 동그란 창이 나 있었다. 그리고 하나같이 고래의 뼈로 만들어진 입구가 있었다. 그런 집들이 계곡면을 따라 옹기종기 모여 있었다. 부치하난은 그중 한 집으로 다가갔다. 그런데 입구를 지탱하던 고래 뼈에 뭔가가 음각으로 적혀 있었다. 기둥에 쌓여 있던 모래를 훑어내자 온전히 모습을 드러냈다.

"이건 부란족의 문자예요. 하지만 오래전에 부란족과 함께 사라져서 아무도 읽을 수 없어요."

올라가 말했다. 날카로운 뼈다귀를 이어 만든 듯한 상형문자 위로 계곡의 달빛이 스며들었다. 순간 어머니의 목소리가 들리는 것이었다.

'아들아. 이 말을 기억해라.'

어머니는 큼지막한 뼈 위에 손가락으로 글을 썼다. 그러자 놀랍게도 뼛속에 스며 있던 물방울이 흘러나오며 글자가 되는 것이었다. 어머니는 글을 쓰며 주문을 읊조렸다.

'물을 나누는 자는 생명을 얻을지나, 물을 거두는 자는 지옥을 보게 될 것이다. 자, 따라 해봐.'

그러자 어린 부치하난의 입을 거쳐 온몸이 흉터로 변한 현재의 부치하난이 말하는 것이었다.

"물을 나누는 자…… 생명을 얻을지나…… 거두는 자…… 지옥을 보게 될 것이다……."

"당신…… 저 문자를 읽을 수 있군요. 역시 당신은 부란족의 아들이 틀림없어요."

올라가 놀라서 말했다.

그 순간 기억의 저장고가 열리며 파편들이 수면 위로 솟구치기 시작했다. 가장 먼저 떠오른 건 어머니의 의상이었다. 어머니는 바다를 떠올리는 푸른 옷을 입고 있었다. 가슴에는 고래를 본떠 만든 문양이 수놓아져 있었고 심연을 연상시키는 검푸른 천을 어깨에 두르고 있었다.

"어머니는…… '챠이르'셨어…… 물과 가장 가까운 사람……."

부치하난은 어느새 마을 중앙 우물에 도착했다. 그곳은 고래의 등에 나 있는 숨구멍과 흡사했는데 각기 다른 형태의 사암을 얼기설기 엮어 만들었다. 그 위에는 뼈를 이어 만든 도르래가 달려 있었고 우물 바닥까지 물통이 드리워져 있었다. 우물은 푸석한 모래만이 가득할 뿐 바짝 말라 있었다.

하지만 부치하난의 눈에는 과거 일렁이던 맑은 물이 넘쳐나고 있었다. 물은 서서히 차오르더니 이윽고 분수처럼 하늘로 솟구쳐 올랐다. 그 한가운데 어머니가 있었다.

어머니는 부란족의 족장이자 제사장인 '챠이르'였다. 부란족 중에도 물을 찾는 능력이 가장 뛰어난 사람이 챠이르에 선출됐다.

부란족은 대부분 물을 찾을 수 있었다. 그들은 심한 가뭄에도 새벽이슬을 모을 수 있었고 본능적으로 수맥을 찾을 수 있었다. 하지만 챠이르의 능력은 특별했다. 챠이르는 메마른 바위에서 물을 뽑아낼 수 있고 수십 길 아래 흐르는 지하수를 지면 위로 끌어올릴 수 있었다. 심지어 살아 있는 생명체로부터 물을 뽑아낼 수도 있었다.

한마디로 물을 자유자재로 조종하는 사람이었다.

하지만 챠이르에게는 치명적인 저주가 내려져 있었다. 능력을 사용할수록 수명이 단축되는 것이다. 어머니는 챠이르 중에도 가장 뛰어난 능력을 갖고 있었다. 어머니는 열두 살에 챠이르에 올랐다.

당시 사막에는 이제껏 없었던 극심한 가뭄이 이어지고 있었다. 십 년 동안 단 한 번도 비가 내린 적이 없었다. 어디에도 물 한 방울 찾을 수 없었다. 동물들은 말라 죽었고 부족들은 뿔뿔이 흩어졌다.

그때 어머니는 놀라운 능력으로 우물을 찾아냈다. 사막에 유일하게 흐르던 지하수였다. 어머니는 그 물을 사막의 다른 부족들과 함께 나눴다.

부치하난은 몽유병자처럼 기억의 미로를 따라 마을을 걷고 있었다.

"어머니가 챠이르에 오르던 날, 십 년 만에 비가 왔어…… 사막에 꽃이 피고 열매가 열렸어…… 사막이 생긴 후 처음으로…….''

그의 발길이 닿을 때마다 망각의 기둥이 쓰러지고 있었다.

부스럭. 부치하난은 발끝에 밟힌 옹기 파편을 주워들었다. 작은 조각에 스며 있던 기억은 피로 물들어 있었다.

"달아나…….''

부치하난의 입가가 파르르 떨렸다.

츄위샤이족이 쳐들어온 건 새벽이었다. 달도 뜨지 않은 밤이었다. 그들은 그림자처럼 다가와 사방에 피를 흩뿌렸다. 계곡 여기저기 비명이 울려 퍼졌고 낙타 발굽 소리가 가득했다. 칼을 휘두를 때마다 새하얀 모래는 붉게 물들었고 우물은 핏빛으로 변해갔다. 츄위샤이족은 여자와 어린아이마저도 잔인하게 살육했다. 집과 축사는 모조리 불태웠고, 우물엔 독을 풀었다. 그들은 부란족을 몰살할 계획이었다. 단 한 명을 제외하고. 그들이 칼을 휘두르면서도 찾는 이는 바로 챠이르였다. 챠이르의 능력을 독점하려는 것이었다. 하지만 어머니는 어린 부치하난을 안은 채 계곡의 비밀통로로 달아나고 있었다. 유사시를 대비해 만들어둔 통로였다.

계곡에서 울려 퍼지는 비명을 뒤로한 채 어머니는 죽을힘을 다해 달렸다. 간신히 계곡을 빠져나오자 끝없는 사막이 펼쳐졌다.

"이제 너 혼자 가야 한다, 아들아."

어머니는 어린 부치하난을 끌어안은 채 울먹였다.

"같이 가요, 어머니."

부치하난이 매달렸다. 하지만 어머니는 슬픈 미소를 지으며 고개를 저었다.

"엄마는 우리 부족과 함께 있어야 해. 시작도 끝도. 챠이르니까. 그게 엄마의 운명인 거야. 하지만 넌 살아야 한다. 무슨 일이 있어도 살아야 해. 알았지?"

부치하난은 눈물범벅인 채로 고개를 끄덕였다. 그때 통로 저편에서 인기척이 들렸다. 츄위샤이족이었다. 그들이 통로를 발견하고 뒤쫓고 있었다. 어머니는 다급히 손을 가슴에 대고 마지막 능력을 사용했다.

"물을 나누는 자······ 생명을 얻을지나······ 거두는 자······ 지옥을 보게 될 것이다······."

주문을 외우자 어머니의 심장에 흐르던 피가 물이 되어 손에 모였다. 어머니는 고통스러웠지만 내색하지 않았다. 곱게 모은 어머니의 손에는 한 모금의 물이 고여 있었다.

"이걸 마시렴, 아들아. 엄마의 마지막 선물이야."

어린 부치하난은 영문도 모른 채 어머니 심장의 물을 마셨다. 어머니의 온기가 고스란히 그의 몸속으로 스며들었다.

"이제 엄마는 가야 해. 명심해라, 아들아. 무슨 일이 있어도 살아남아야 해. 그리고 자랑스러운 부란족이었다는 걸 기억해."

이 말을 남기고 어머니는 다시 통로로 돌아갔다. 사막 한복판에 홀로 남은 어린 눈물이 흐느낌과 함께 모래로 스며들고 있었다.

부치하난의 손에 들려 있던 옹기 조각이 가루가 되어 바람에 날아갔다.

"지금도 당신 몸에는 어머니의 피가 흐르고 있겠군요. 그런 당신이 어떻게 츄위샤이족이 된 거죠?"

올라가 물었다.

"만다란투가 나를 구했다. 그리고 나를 키웠다."

부치하난은 분노에 떨고 있었다.

"기억을 잃어버린 당신은 만다란투의 명령에 복종하게 된 거군요. 어머니를 죽인 원수의 아들이 되어······."

부치하난의 괴성이 계곡을 할퀴고 밤하늘을 짓이겼다. 어둠을 씹어 삼키듯 처절한 소리였다. 뒤를 이어 날이 시퍼런 침묵이 이어졌다.

"돌아간다."

기억을 되찾은 부치하난이 발길을 돌렸다. 칼을 움켜쥔 그의 주먹이 어느 때보다 비장했다.

돌아가는 길은 더욱 험난했다. 해가 뜨자 기다렸다는 듯 모래폭풍이 휘몰아쳤다. 한 치 앞도 보이지 않을 정도로 짙은 폭풍이었다. 남은 물이라고는 한 모금이 채 되지 않았다. 우물까지는 이틀은 더 가야 했다. 두 사람은 한계에 다다르고 있었다.

그때였다. 낙타가 몸부림을 치며 울부짖기 시작했다. 진정시키려 했지만 소용없었다. 낙타는 미친 듯이 발버둥을 쳤다. 덕분에 두 사람은 튕겨 나갔다.

"모래 지옥!"

저만치 사막 한가운데 생긴 유사(流沙) 소용돌이가 주변을 닥치는 대로 집어삼키고 있었다. 부치하난은 올라의 손을 잡고 달아났다.

유사는 안간힘을 쓰는 낙타를 먹잇감처럼 빨아들이고 있었다. 부치하난이 달려가 고삐를 쥐고 끌어당겼지만 헛수고였다. 결국, 낙타는 처절한 울음소리와 함께 모래 속으로 사라졌다.

"이제 어쩌죠? 어떻게 돌아가요?"

올라가 소리쳤다.

"걷는다."

부치하난은 빨려 들어가는 낙타의 발굽을 응시하고 있었다.

"물통도 잃어버렸다고요. 우린 죽게 될 거예요."

"죽을 운명이면 죽으면 된다. 살 운명이면 물통 없이도 산다."

부치하난은 터벅터벅 사막 깊은 곳으로 걸어 들어갔다.

혹독한 전장에서 살아왔던 부치하난은 끄떡없었지만 올라는 극한에 달해 있었다. 그렇게 얼마를 걸었을까. 결국, 올라는 쓰러지고 말았다. 부치하난이 돌아와 올라를 살폈다. 심한 갈증과 피로로 의식이 혼미했다. 이대로는 목숨이 위태로웠다. 물이 필요했다. 하지만 어디에도 물을 구할 곳은 없었다.

"어머니…… 저 여깄어요…… 어머니……."

올라가 무의식중에 중얼댔다. 비록 갈증에 입술이 부르텄지만 올라는 어머니를 닮았다. 부치하난은 어머니를 떠올렸다.

어머니는 이제 갓 피어난 얼레지 꽃 한 송이를 들고 있었다.

"우리 부란족의 피는 태어날 때부터 물을 느낄 수 있단다. 네 피가 이끄는 대로 따라봐. 너의 피와 꽃 속의 물이 닿았을 때 서로 흐르는 걸 느껴야 해. 그 물을 너의 피를 통해서 불러내는 거야. 이렇게……."

어머니가 부드럽게 꽃을 감싸자 어느새 꽃의 수분이 어머니의 손에 모여 있었다. 물을 빼앗긴 꽃은 푸석하게 말라버렸다.

"하지만 생명으로부터 물을 빼앗는 건 신중해야 돼. 우리와 같은 신의 피조물이니까. 자, 이제 너도 해봐."

어머니가 또 다른 얼레지 꽃을 어린 부치하난에게 건넸다. 어린 부치하난이 눈을 감고 집중했다. 그리고 어머니를 따라 꽃으로부터 물을 뽑아내려 애를 썼다. 하지만 꽃은 그대로였다.

"왜 저는 안 되죠?"

어린 부치하난이 물었다.

"엄마도 처음에는 안 됐단다. 하지만 계속 연습하면 분명 될 거야. 넌 내 아들이니까."

어머니가 환하게 웃으며 얼레지 꽃을 머리에 꽂아주었다.

부치하난은 올라를 안은 채 황량한 사막 한가운데 있었다. 점처럼 작은 두 사람을 거대한 모래바람이 뒤덮고 있었다.

'어머니……'

부치하난은 눈을 감고 자신의 심장에 손을 댔다. 그리고 주문을 외웠다. 오래전 어머니가 외웠던 주문을.

"물을 나누는 자…… 생명을 얻을지나…… 물을 가두는 자…… 지옥을 보게 될 것이다……."

그러자 부치하난의 심장을 흐르던 피가 혈관을 지나, 피부를 거쳐 손에 모이기 시작했다. 그것은 엄청난 고통을 동반하는 일이었다. 심장을 도려내듯 괴로웠다. 하지만 그는 고통에 익숙했다.

부치하난은 어머니를 떠올리며 주문을 반복했다. 어머니를 닮은 올라를 위해. 잠시 후 그의 손에 물 한 모금이 고여 있었다. 부치하난은 심장에서 나온 물을 조심스럽게 올라 입가에 부었다. 얼마 안 되는 양이었지만 효과가 있었다. 올라가 깨어나는 것이었다.

그녀는 반사적으로 입가를 어루만졌다. 부치하난의 체온이 고스란히 담긴 물.

"물이 어디서……."

부치하난은 가슴을 움켜쥔 채 숨을 몰아쉬고 있었다. 올라는 할 말을 잃은 채 바라봤다.

"왜 나를 살려준 거죠?"

그러자 부치하난이 말했다.

"부란족은 생명을 주는 부족이다. 그리고 난 부란족이다."

부치하난이 일어나더니 등을 내밀었다.

"하지만……."

부치하난은 미동도 않고 등을 내민 채 기다렸다. 올라는 어쩔 수 없이 업혔다. 그러자 부치하난이 움직이기 시작했다. 그는 낙타처럼 일정한 속도로 사막을 가로질렀다. 부치하난의 등판은 낙타만큼 널찍했고 군불을 땐 것처럼 따뜻했다. 하지만 온통 흉터로 덮여 있었다. 올라는 조심스럽게 만져보았다. 돌처럼 단단하게 굳은 흉터.

"당신도 수없이 죽을 고비를 넘겼군요."

어느덧 사막 저편에 푸른 달이 휘영청 떠 있었다.

"그리고 단단해진 거예요. 이 흉터처럼."

부치하난은 말이 없었지만 올라는 느낄 수 있었다. 넓은 등판에 별처럼 뿌려져 있던 흉터마다 스며 있는 고난과 좌절들을. 그리고 이제는 바위같이 굳어버린 상흔 저편에 숨겨진 온기를.

올라는 처음으로 부치하난에게 온전히 몸을 맡겼다.

며칠 만에 돌아온 우물가는 변해 있었다. 우물을 감싸고 있던 풀들은 누렇게 고사했고 우물 안에서 불어오던 시원한 바람도 사라지고 없었다. 부치하난은 우물을 살폈다. 바닥을 채우고 있던 물은 말라버리고 모래만이 가득했다.

"마지막 우물이 죽었어요. 이제 이 사막은 죽은 거예요."

올라가 말했다. 부치하난은 복잡한 감정을 움켜쥔 채 메마른 우물을 응시하고 있었다.

"당신이라면 할 수 있을지도 몰라요. 아니, 당신만이 할 수 있어요. 마지막 부란족이잖아요."

올라의 목소리가 떨리고 있었다.

"우물을 살려줘요. 부치하난."

올라가 매달렸지만 부치하난은 아무 말도 할 수 없었다. 그는 부란족의 후손이었지만 츄위샤이에 의해 키워졌다. 생명을 주는 부족이었지만 지금까지 수많은 생명을 빼앗았다. 그가 할 수 있는 건 자신의 심장의 피를 조금 나눠주는 정도였다.

그때였다. 하늘에서 기척이 느껴졌다. 부치하난은 재빨리 올라를 낙타 그림자 속에 숨겼다. 그리고 하늘을 살폈다.

매였다. 만다란투의 매가 돌아온 것이다. 매는 원을 그리며 우물 상공을 선회하고 있었다. 부치하난을 감시하듯.

"지금 당장 네 어머니와 떠나라. 만다란투가 돌아오고 있다. 서둘러!"

부치하난이 올라를 낙타에 태우면서 소리쳤다.

"당신은 어쩔 건데요?"

올라가 물었다.

"같이 떠나요. 어차피 당신은 츄위샤이족이 아니잖아요."

"난 할 일이 있다. 어서 가!"

부치하난이 낙타 엉덩이를 후려쳤다. 낙타가 멀어져갔다. 하지만 올라는 부치하난에게서 눈을 떼지 못했다. 온몸이 흉터로 가득한 전사는 어느새 그녀의 마음 한구석을 온전히 차지하고 있었다. 그리고 그의 심장의 피가 그녀의 혈관에 흐르고 있었다. 작은 범고래처럼.

밤이 됐지만, 만다란투는 나타나지 않았다. 상공을 맴돌던 매 역시 어느 순간 사라지고 없었다. 칠흑 같은 어둠과 정적만이 우물가를 메우고 있었다. 갈증과 피곤에 지쳐 있었지만 부치하난은 잠을 이룰 수 없었다. 돌아온 기억은 슬픔과 그리움 그리고 복수심으로 가득 차 있었다. 만다란투는 그의 부족과 어머니를 죽인 원수였다.

심지어 기억마저 빼앗고 이용한 악마였다. 부치하난은 목숨을 걸고 복수를 다짐했다. 그것이 유일하게 남은 소명이었다. 그는 지평선을 노려보며 만다란투가 나타나길 기다리고 있었다. 하지만 정작 나타난 건 올라였다. 올라가 다급하게 낙타를 몰고 달려오고 있었다. 그녀는 몸을 주체 못 하고 낙타 등에서 떨어지고 말았다.

"왜 돌아온 거냐? 떠나라고 했잖아!"

부치하난이 부축하며 물었다.

"어머니가 죽어가요. 어머니를 살려주세요. 제발!"

올라는 눈물로 범벅이 되어 매달렸다.

부치하난은 어쩔 수 없이 올라와 함께 낙타에 올랐다. 그리고 어머니가 있는 여우 동굴로 향했다.

허름한 동굴은 입구부터 죽음의 향기로 가득했다. 전장에서 수많은 죽음을 목격했던 부치하난에겐 익숙한 냄새였다.

올라의 어머니는 마른 짚자리 위에 누워 있었는데 당장이라도 끊어질 듯이 가쁜 숨을 몰아쉬고 있었다. 올라는 어머니의 손을 잡은 채 흐느꼈다.

"엄마! 죽으면 안 돼. 날 두고 가지 마. 엄마······."

부치하난은 조용히 바라봤다. 올라의 어머니는 수척했지만, 인자한 얼굴을 하고 있었다. 모든 어머니는 비슷했다. 마르지 않는 우물처럼 자애로웠다. 신이 있다면 어머니를 닮길 바랐다. 부치하난도 오래전 기억 저편에서 어머니를 떠나보낸 적이 있었다. 그 슬픔이 얼마나 깊은지 잘 알고 있었다. 부치하난은 처음으로 무기력함을 느꼈다. 그는 사신이었다. 언제나 맘만 먹으면 누구에게나 죽음을 선사할 수 있었다. 하지만 생명을 되살리는 건 이제껏 해본 적이 없었다. 그 순간 기억 저편에서 누군가 손을 뻗어왔다.

"이 세상 최고의 명약은 살아 있는 생명의 물이야. 특히 새벽이

슬을 먹고 자란 얼레지 꽃은 훌륭한 약이란다."

어머니였다. 챠이르는 제사장이자 병을 고치는 의녀이기도 했다.

부치하난은 조용히 동굴을 빠져나왔다. 그리고 한달음에 얼레지 꽃밭으로 향했다. 숨이 턱에 차서 도착한 꽃밭에는 한발 먼저 새벽이 당도해 있었다. 붉은 여명이 인사를 건네듯 꽃망울을 깨우고 있었다. 부치하난은 잠이 덜 깬 꽃들을 헤치고 한가운데로 향했다. 그리고 무릎을 꿇었다. 기도를 하듯.

"어머니가 죽어가고 있다. 또다시 어머니를 잃고 싶지 않다. 너희 생명…… 소중히 쓰겠다."

부치하난은 꽃밭에 손바닥을 펼쳤다. 그리고 온 신경을 집중하며 주문을 외웠다.

"물을 나누는 자…… 생명을 얻을지나…… 물을 거두는 자…… 지옥을 보게 될 것이다……."

잠시 후 꽃밭에 작은 바람이 일기 시작했다. 바람은 점차 회오리가 되더니 꽃밭을 휘감았다. 그러자 작은 물방울이 맺히는 것이었다. 물방울은 반딧불처럼 떠오르더니 부치하난의 손바닥으로 모여들었다. 물방울은 생의 마지막을 불태우듯 빛을 품더니 이윽고 커다란 빛 덩어리로 변했다. 별의 심장을 이식한 듯 찬란한 빛이었다. 어머니가 말했던 생명의 물이었다. 부치하난은 한 방울도 흘리지 않고 소중히 물통에 담았다. 이제 이 물을 올라 어머니에게 먹이기만 하면 되는 것이다. 부치하난은 물통을 들고 조심스럽게 일어섰다. 꽃밭을 빠져나가려던 순간이었다. 저편에서 불길이 솟았다. 누군가의 분노가 점화한 듯 맹렬한 화염이었다. 불길은 삽시간에 꽃밭을 삼키더니 부치하난을 포위했다. 창을 든 적군처럼 원형 대열을 이루며. 부치하난은 꼼짝없이 갇히고 말았다. 그런데 불길 너머에 음습한 그림자가 일렁였다.

"네놈은 내 명령을 어겼다. 부치하난."

만다란투였다. 그가 어둠을 동맹 삼아 소리 없이 도착한 것이다.

"우물을 지키라 했거늘 적에게 물을 나눠주고, 그것도 모자라 우물을 죽게 했다."

그의 입가에는 소름이 돋을 만큼 차가운 서릿발이 맺혀 있었다. 그에 반해 부치하난의 내면에서는 억눌렸던 분노가 용암처럼 솟구치고 있었다.

"그 입 다물어라! 뱀처럼 교활한 놈!"

부치하난의 울분이 계곡에 퍼져 나갔다.

"네놈이 성신이 나갔구나. 감히 내게!"

"네놈이 뺏어간 기억을 되찾았다."

부치하난이 나지막이 받아쳤다.

"난 츄위샤이가 아니라 부란족이다. 넌 내 아버지가 아니라 내 부족과 어머니를 죽인 원수다. 이제 그 대가를 치르게 해주겠다."

부치하난이 칼을 빼 들었다. 그의 눈에서 용암이 흘러넘치고 있었다.

"어리석은 놈. 네 기억은 잘못됐다."

86

"무슨 소리냐?"

"우리가 원래부터 츄위샤이였다고 생각하느냐?"

만다란투가 손짓을 하자 날개를 펴듯 츄위샤이 전사들이 나타났다. 모두 열한 명이었는데 지옥의 문을 열고 도착한 마귀 같았다. 츄위샤이의 정예 병사들. 그런데 그들 손에 누군가 잡혀 있었다. 올라와 그녀의 어머니였다. 두 사람은 양손이 포박된 채 내동댕이쳐졌다.

"그 사람들을 놔줘! 당장."

부치하난이 소리쳤다.

"잘 봐라, 부란족의 아들아."

만다란투가 올라 어머니의 멱살을 잡더니 들어 올렸다. 어머니는 뿌리 뽑힌 연꽃처럼 허공에서 하늘거렸다. 숨쉬기도 벅찬 모습이었다.

"어머니를 놔줘! 이 교활한 놈!"

올라가 악다구니를 쳤지만 소용없었다. 전사는 올무처럼 숨통을 더욱 옥죌 뿐이었다. 만다란투는 의미심장한 미소를 짓더니 어머니의 가슴에 손바닥을 댔다. 그리고 익숙한 주문을 외우는 것이었다.

"물을 나누는 자…… 생명을 얻을지나…… 물을 거두는 자…… 지옥을 보게 될 것이다……."

순간 올라 어머니가 온몸을 비틀며 고통스러워하는 것이었다. 만다란투는 멈추지 않고 주문을 읊었다. 그러자 잠시 후 어머니의 심장에 흐르던 피가 물이 되어 만다란투의 손바닥에 모이는 것이었다. 물은 정확히 심장만 한 크기가 되더니 손바닥에서 박동 쳤다.

"네놈이 어떻게……."

부치하난의 입술이 떨렸다.

"왜냐면 나 역시 부란족이기 때문이지."

"그럴 리 없어……."

"사실이다. 우리는 본시 부란족이었다. 물을 찾고 물을 나눠주는 고래의 후손이지. 우리는 자비로운 부족이었다. 바다의 고래처럼. 메마른 사막에서 물을 찾고, 물이 필요한 사람들에게 나눠줬다. 같은 부족이건 아니건. 하지만 우리는 배신을 당했다. 고래가 신에게 버림을 받았듯이. 다른 부족들은 우리 능력을 부러워했다. 물을 지배하는 건 사막을 지배하는 것이었으니까. 부러움은 곧 질투로 변했고 두려움으로 이어졌지. 결국, 교활한 부족 하나가 우리의 뒤통수를 쳤다. 한밤중에. 바로 몽낭족이다."

"아니야. 우리를 습격한 건 너희들, 츄위샤이족이었어!"

"그렇지 않다. 우리를 습격한 건 몽낭족이었다. 놈들은 우리를 몰살시키고 우물을 지배하려 했다. 하지만 우리 중 일부가 간신히 목숨을 건졌다. 바로 우리들이지. 우리는 사막을 떠돌며 깨달았다. 인간을 믿어선 안 된다는 걸. 그들에게 자비 따위 베풀어선 안 된다는 걸. 그리고 우리는 결심했다. 인간들을 없애기로. 그 후 우리는 부족들을 몰살하기 시작했다. 그들의 살을 먹고 피를 마셨다. 그날 밤을 기억하며. 그러자 놈들이 우리를 이렇게 부르기 시작했지. 츄위샤이. 지옥의 사자들."

말을 마치자 만다란투는 어머니의 심장에서 나온 물을 한입에 삼켰다. 그와 동시에 어머니는 숨을 거뒀다.

"엄마!"

올라가 오열했지만 다가갈 수 없었다. 츄위샤이 전사는 올라를 움켜쥔 채 놓아주지 않았다. 올라의 절규가 계곡을 메웠다.

"이제 알겠느냐. 우리가 부란족이자 츄위샤이다. 고래의 후손이자 지옥의 전사다."

꽃밭은 어느새 시커먼 재로 변해 있었다. 하늘 가득 먹구름이 몰려오고 있었다. 잿빛 구름은 으르렁대는 번개를 품고 있었다.

쾨르릉. 만다란투가 신호를 하자 츄위샤이 전사가 올라를 던졌다.

"네 어머니를 죽인 자는 우리가 아니라 바로 네가 살린 저 계집의 부족이다. 자, 그 계집 심장의 피를 빨아라. 그게 네 어머니를 위한 복수다."

부치하난의 칼끝이 요동치고 있었다. 어머니의 주검을 부둥켜안은 올라의 눈에선 선홍색 눈물이 흐르고 있었다. 그리고 그 눈물은 핏빛 강이 되어 오래된 불길을 갈랐다. 그 너머에 부치하난의 어머니가 서 있었다.

부치하난의 어머니는 비밀통로를 지나 마을로 돌아왔다. 마을은 온통 불길에 휩싸여 있었다. 사방에 부란족의 시체와 비명이 즐비했다.

"무슨 일이 있어도 챠이르를 찾아라. 그녀는 털끝도 건드려선 안 된다."

몽낭족 족장이 칼을 휘두르며 소리쳤다. 그때 불길을 뚫고 당당하게 다가오는 이가 있었다. 부치하난의 어머니였다. 어머니는 울부짖는 낙타 앞에 버티고 섰다. 그 모습을 어린 부치하난이 바위 뒤에 숨어서 지켜보고 있었다.

"부란족의 챠이르. 목숨만은 살려줄 테니 무릎을 꿇어라."

몽낭족 족장이 칼을 치켜들었다.

"네놈들이 어떻게 우리 마을을 찾았느냐? 부란눅타는 오직 부란족만이 찾을 수 있거늘."

어머니가 물었다. 부란눅타는 고래의 무덤 위에 지어진 도시로 사막의 가장 깊은 곳에 위치하고 있었다. 주위를 둘러싼 모래 산들은 바람에 의해 항상 모습을 바꿔 지도에도 표시할 수 없는 곳이었다. 하지만 부란족들은 사막 아래 숨겨진 지하수로를 볼 수 있었다. 부란눅타는 사막의 지하수로가 모이는 중앙에 위치하고 있었기 때문에 부란족만이 찾을 수 있었다.

"우리에게 부란족이 있거든."

몽낭족 족장이 만면에 미소를 띠며 말했다. 그러자 몽낭족 전사 중 한 명이 앞으로 나왔다. 그는 망토 후드를 뒤집어쓰고 있었는데 몽낭족 전사 복장이 아니었다. 남자는 어머니 앞에 서더니 천천히 후드를 벗었다.

"만다란투? 네가 왜?"

남자를 알아본 어머니가 믿을 수 없다는 듯 물었다.

만다란투는 어머니의 수제자였다. 어머니의 뒤를 이어 챠이르가 될 인물이었다. 비록 고아 출신이었지만 어려서부터 뛰어난 재능을 가지고 있었다. 대부분 열 살이 넘어서야 재능이 발현되는데 만다란투는 여섯 살 어린 나이에 우물을 만들어 부족 사람들을 놀라게 했다. 머리도 영리해 제자들 중 가장 빨리 문자와 주문을 깨쳤다. 어머니는 그런 만다란투를 아꼈다. 아들처럼 여기면서 늘 곁에 두었다. 그런 만다란투가 부족을 배신하고 몽낭족을 도와 군대를 끌고 온 것이다.

"왜 이런 짓을 벌인 거냐, 제자여!"

그러자 만다란투가 대답했다.

"챠이르님. 우리에겐 무한한 힘이 있습니다. 우리는 생명과도 같은 물을 움직이는 힘이 있습니다. 그럼에도 불구하고 하찮은 무덤에 갇혀 짐승 같은 생활을 해왔습니다. 전 더 이상 짐승같이 살고 싶지 않습니다. 이 힘을 이용해 세상을 지배하고 싶습니다."

만다란투의 눈에는 끝 모를 욕망이 끓어넘치고 있었다.

어머니는 회한으로 가득한 한숨을 내쉬었다.

오래전부터 걱정했던 일이 벌어진 것이다. 만다란투는 뛰어난 능력을 타고났지만 꿈틀거리는 욕망으로 가득 차 있었다.

하지만 수련과 지도를 통해 욕망을 잠재울 수 있다고 생각했다. 그러나 결국 만다란투는 욕망을 이기지 못하고 일을 벌이고 만 것이다.

"챠이르님. 당신은 사막에서 가장 강한 힘을 지닌 분입니다. 당신과 제가 힘을 합하면 사막을 넘어서 세상을 지배할 수 있습니다. 몽냥족은 저희를 도와 세상을 지배하는 데 함께하기로 했습니다. 챠이르님도 저희와 뜻을 함께하시지요. 이 지긋지긋한 골짜기를 벗어나 세상으로 나가지 않겠습니까?"

만다란투가 손을 내밀며 말했다.

하지만 어머니는 그 손을 잡지 않았다.

"결국 네가 선택한 건 탐욕이로구나. 그 많은 시간을 함께 수련했거늘, 모든 게 헛수고였구나. 피를 나눈 부족을 버리고 멸망을 몰고 왔구나."

어머니는 탄식했다. 스스로를 자책하고 잔인한 운명을 원망했다.

"마지막으로 묻겠습니다. 챠이르님, 저희와 뜻을 함께하시겠습니까?"

만다란투는 차가운 눈빛을 담아 최후의 통첩을 보냈다.

그러자 어머니가 모든 걸 체념한 듯 읊조렸다.

"물을 나누는 자 생명을 얻을지나 물을 거두는 자 지옥을 보게 될 것이다."

어머니는 마지막 결심을 하곤 만다란투를 응시했다.

"너는 어리석다. 제자여. 그 어리석음 때문에 수많은 동족이 목숨을 잃었다. 이 모든 것이 내 잘못이다. 너를 올바르게 인도하지 못했으니까. 고로 우리는 함께 대가를 치르게 될 것이다."

어머니의 목소리는 서슬이 퍼렜다.

"안타깝군요. 챠이르님, 당신은 결국 죽음을 택하셨습니다."

만다란투가 등을 지고 돌아섰다.

그러자 몽냥족 전사들이 칼을 빼 들고 다가왔다.

순간 어머니가 자신의 가슴에 양손을 모았다.

"내 말을 명심해라, 만다란투. 이 순간부터 네가 갖게 될 물은 이 물이 마지막일 것이다. 두 번 다시 네 능력을 사용할 수 없게 될 것이다."

말을 마치자마자 어머니는 주문을 읊조렸다. 그러자 잠시 후 어머니 몸에서 물이 빠져나오기 시작했다. 물은 심장뿐 아니라 온몸에서 흘러나왔다. 이번은 심장만 한 크기가 아니었다. 몸속의 모든 피가 흘러나오고 있었다. 물은 어머니의 형상을 갖춰갔다. 그와 함께 어머니의 몸이 하얀 모래로 바뀌는 것이었다. 만다란투는 넋을 잃은 채 바라볼 뿐이었다.

"만약 네가 죄를 뉘우치고 심장의 피로 사죄를 한다면 그때 비로소 다시 물을 얻게 될 것이다."

어머니는 말을 마치자 하얀 먼지가 되어 하늘로 날아갔다.

부치하난의 칼끝은 여전히 흔들리고 있었다. 어머니 주검 앞에서 오열하는 올라의 모습 위로 어린 자신이 투영되고 있었다.

"네놈이 어머니를 죽음으로 몰았구나. 우리 동족을 죽음으로 몰았어!"

부치하난의 칼날이 만다란투를 향하고 있었다.

"결국 모든 게 기억났군."

이미 예상했다는 듯 만다란투는 미소를 지었다.

"네놈이 배신했어. 네놈의 욕심 때문에 우리 부족이 멸망한 거야!"

"네 어머니는 어리석었다. 그때 나와 손을 잡았더라면 우리 부족은 지금쯤 세상을 지배하고 있을 거야. 그런데 모든 걸 버리고 스스로 재가 됐다. 내 능력마저도 빼앗아 버렸지. 내가 할 수 있는 건 고작 이 정도뿐이야. 덕분에 난 남은 부족들과 십여 년을 사막을 떠돌아다녀야 했다."

부치하난은 두 손으로 경건히 칼을 움켜쥐었다. 다섯 자가 넘는 거대한 칼에는 분노를 넘어선 결연한 의지가 담겨 있었다.

"어머니를 대신해 십 년 전 죗값을 치러주마."

부치하난의 낮은 목소리가 인골 칼과 함께 모래바람을 가르고 있었다.

"어리석은 놈. 네놈도 결국 네 어미처럼 하찮은 연민 때문에 등에 칼이 꽂히는구나. 저승 가는 길 외롭지 않게 이 계집도 함께 보내주마."

만다란투가 눈짓을 하자 전사 중 한 명이 칼을 치켜들었다.

올라의 목을 내리치려던 순간이었다. 캉! 부치하난의 칼이 막아섰다. 뒤이어 거대한 칼이 허공을 가르자 한 덩치 하는 전사가 어린애처럼 날아갔다. 부치하난은 칼을 움켜쥔 채 올라 앞에 버티고 섰다.

"부란족은 네 어미와 함께 죽었다. 너도 죽어라."

만다란투가 신호를 보내자 츄위샤이 전사들이 둥그렇게 포위하더니 낙타를 탄 채 돌기 시작했다. 그들은 저마다 인간의 등뼈로 만든 창을 들고 있었는데 인골 갑옷과 어울려 저승사자 같았다. 부치하난은 잔뜩 웅크린 채 그들의 일거수일투족을 살폈다. 전사들 사이에는 여느 때처럼 죽음의 강이 태연히 흐르고 있었다. 가까워진 번개가 머리 위에서 번쩍였다. 콰르릉. 전사 한 명이 천둥과 동시에 부치하난에게 창을 날렸다. 벼락같이 빠른 공격이었다. 하지만 부치하난은 그보다 빨랐다. 부치하난은 반사적으로 창을 퉁겨내고 정확히 전사의 급소를 노렸다. 전사는 신음조차 못 내고 꼬꾸라졌다. 그러나 전사의 죽음은 미끼일 뿐이었다. 빈틈을 노려 반대편 전사가 부치하난의 다리에 창을 꽂았다.

헉! 부치하난은 휘청했다. 창이 관통한 허벅지에서 피가 흘렀다. 하지만 그 정도로 쓰러질 부치하난이 아니었다. 이제 아홉 명이 된 전사들은 다시 원을 그리며 돌기 시작했다. 부치하난도 공격 자세를 갖췄다. 원을 그리는 전사들과 부치하난 사이에는 팽팽한 긴장감이 흘렀다. 이번에는 어디선가 독수리의 울음소리가 들렸다. 끼룩.

마치 천지가 이들의 대결을 지켜보고 있는 듯. 동시에 또 다른 전사가 부치하난에게 달려들었다. 번쩍이는 뇌우가 두 전사의 칼날에 반사되고 있었다. 기합 소리와 칼 부딪치는 소리가 한동안 이어졌다. 전장에서 잔뼈가 굵은 두 전사는 호각지세였다.

하지만 부치하난은 최고의 전사였다. 마지막 순간 전사의 칼을 쳐내더니 단번에 목을 갈랐다. 전사의 목이 허공을 날았다. 그 순간 또 다른 전사가 부치하난의 팔에 창을 꽂았다. 부치하난의 비명과 함께 팔뚝에서 피가 뿜어 나왔다. 하지만 고통을 추스를 시간은 허락되지 않았다. 그는 다시 자세를 잡고 공격을 대비했다.

여덟 명으로 줄어든 전사들은 전열을 가다듬고 원을 그렸다. 이것이 그들의 전술이었다. 한 명이 목숨을 희생하는 사이 빈틈을 노려 공격하는 것. 그것만이 최고의 전사 부치하난을 이길 수 있는 유일한 방법이었다. 그렇게 전사들이 희생하는 사이 부치하난의 몸에 창이 꽂혔다. 왼쪽 어깨, 오른쪽 종아리, 그리고 아랫배. 어느새 부치하난의 몸에 다섯 개의 창이 꽂혀 있었다. 상처에서는 피가 뿜어져 나오고 있었다.

"제발, 그만해요! 차라리 날 죽여요!"

올라가 울부짖었지만, 전사들은 멈추지 않았다. 여섯 번째, 일곱 번째 창이 차례로 꽂혔다. 이번엔 오른팔과 오른쪽 어깨였다. 온몸을 관통한 창으로부터 피가 쏟아지고 있었다. 제아무리 부치하난이라도 버텨내기 힘들었다. 얼굴은 창백했고 다리는 비틀렸다. 그 모습을 만다란투가 차갑게 지켜보고 있었다.

"이렇게 되면서까지 저 계집을 지키려는 이유가 뭐냐?"

만다란투가 물었다. 그러자 부치하난이 고개를 들었다.

"나도 이게 무슨 감정인지 모르겠다. 하지만 저 아이를 지키는 게 기쁘다. 목숨을 바쳐서라도 지키고 싶다. 넌 죽었다 깨어나도 이런 감정…… 느낄 수 없을 거다. 왜냐면…… 넌 지옥에 있으니까."

부치하난의 입가에 묘한 미소가 떠 있었다. 이제껏 누구도 부치하난의 미소를 본 적이 없었다.

"숨통을 끊어라!"

만다란투의 고함이 계곡에 울려 퍼졌다. 순간 가장 큰 전사가 창을 치켜들었다. 전사의 그림자는 부치하난을 가리고도 남을 만큼 거대했다. 전사는 정확히 부치하난의 심장을 향해 창을 던졌다. 인골 창이 사막의 바람을 가르며 날아갔다.

"안 돼!"

그때 올라가 전사의 손을 뿌리치고 몸을 날렸다. 영원 같은 찰나의 순간 심장을 관통하는 소리가 계곡에 울려 퍼졌다. 그런데 창이 관통한 심장은 하나가 아니었다. 마지막 순간 올라는 몸을 날려 부치하난을 끌어안았다. 그리고 창은 정확히 둘의 심장을 관통했다. 서로를 안은 두 사람의 가슴이 붉은 선혈로 물들고 있었다. 올라는 남은 힘을 끌어모아 부치하난의 얼굴을 쓰다듬었다.

"그 감정은 사랑이라는 거예요……."

올라가 힘겹게 말했다. 그녀의 얼굴에는 편안한 미소가 떠 있었다.

"사랑……."

"그래요…… 사랑……."

올라의 심장에서 흘러나온 피가 창을 타고 부치하난의 심장으로 흘러들어 갔다. 이제 비로소 두 사람은 하나가 되었다.

"사랑해요…… 부치하난……."

부치하난이 환한 미소로 답했다. 둘은 영혼이 섞이듯 서로를 끌어안은 채 숨을 거뒀다. 서로의 심장이 연결된 채.

그때였다. 하늘에서 작고 하얀 물체가 내리기 시작했다. 그것은 깃털처럼 가볍고 얼음처럼 차가웠다. 눈이었다. 사막에는 이제껏 한 번도 눈이 내린 적이 없었다. 츄위샤이 전사들은 시간이 정지된 듯 멈춰서 사막을 하얗게 덮는 눈을 바라봤다. 눈발은 시간이 지날수록 점점 거세졌다. 그리고 부치하난과 올라의 주검을 위로하듯 따뜻하게 덮어주는 것이었다. 마치 둘의 사랑을 축복하듯.

* * *

천막 밖에는 겨울바람이 휘파람을 불며 지나고 있었다. 마치 전설 속의 두 연인을 기리듯. 누리는 넋을 잃고 이야기에 빠져 있었다.

"눈 덮인 부치하난과 올라는 하얀 얼음으로 변했지. 보석처럼 영롱한 빛을 내면서 말이야. 제아무리 사악한 만다란투도 둘의 사랑을 갈라놓을 수 없었어. 그렇게 하나가 된 두 사람은 다음 날 아침 햇살에 녹아서 사막의 모래 속으로 사라졌어. 그리고 그 자리에 우물이 생겨났지. 그 우물에선 지금까지도 맑은 물이 솟아나고 있단다. 사람들은 그 우물을 '부치하난의 우물'이라고 불렀어."

긴 이야기를 마친 노인은 잠시 숨을 골랐다. 깊은 잠수를 마치고 수면 위로 올라온 고래처럼.

"지금 네가 고른 그 뼈는 부치하난의 우물에서 주워온 거란다."

"부치하난의 우물……."

누리가 뼛조각을 소중히 어루만졌다.

"잘 들어라, 누리야. 너의 운명은 부치하난과 연결되어 있단다.

너에겐 운명을 지키는 강한 힘이 있고 타인에게 아낌없이 나눠주는 자애로움이 있단다. 하지만 아주 외로운 팔자야. 사막 한가운데 있는 우물처럼. 그런데 단 한 명, 네 인생의 동반자가 있다. 바로 올라야."

노인에게서 기묘한 후광이 흘러나오고 있었다.

"명심해라. 너희 둘을 만나게 해준 건 바람이야. 너희를 연결해준 건 얼레지 꽃이야. 너희의 사랑을 맺어준 건 심장의 물이야. 그리고 너희 사랑을 완성해준 건 두 심장을 관통하는 창이야."

"바람…… 얼레지 꽃…… 심장의 물…… 관통한 창."

누리가 반복해서 중얼댔다.

"그리고 또 하나. 네 운명이 반드시 부치하난과 같을 필요는 없다. 너의 의지에 의해 바뀔 수도 있어. 알겠느냐."

누리가 고개를 끄덕였다.

"가라. 어딘가에서 올라가 너의 손길을 간절히 기다리고 있단다. 가서 그녀를 찾아. 어서!"

노인이 소리치자 누리가 벌떡 일어났다.

"알았어. 올라를 찾을게!"

천막을 박차고 나서는 누리의 손에는 뼛조각 하나가 쥐여 있었다. 그 작은 뼛조각에 누리의 운명을 바꿀 엄청난 전설이 서려 있었다.

만남

영국 왕실이 애용하는 최고급 승용차는 명불허전이었다.

파르테논 신전 기둥을 떠올리는 라디에이터 그릴은 유난히 번쩍였고 그 위에 천사 엠블럼은 당장이라도 천국으로 비상할 것만 같았다. 차체를 휘감는 은색 곡선은 여신의 몸을 닮았으며 유려한 코치 도어는 여왕을 태우기에 부족함이 없었다. 하지만 엔진 속 은밀한 곳에는 세상을 타락시킬 사악한 물건이 숨어 있었다.

수억 원을 호가하는 롤스로이스가 도착한 곳은 인사동 뒷골목의 허름한 창고였다. 창고 문이 닫히자 시동이 꺼지면서 사십 대 남자가 내렸다. 남자는 19세기 말 상해에서 방금 도착한 듯 흰색 스트라이프 양복에 검은 중절모를 쓰고 있었는데 군살 하나 없이 날렵했다. 그는 남성성을 자랑하듯 어깨를 으쓱이며 긴 여행에 굳은 근육을 풀었다.

"I hope you've enjoyed your trip. Brother Xia Yu(먼 길에 고생

하셨습니다. 하우 형님)."

무열이 능숙한 영어로 인사를 건넸다. 그는 종로 일대를 장악한 무지개파의 명실공히 이인자였다. 가방끈이 긴 덕에 조직 내에서 브레인으로 통했고 영어에 능통했다. 별명만큼이나 외모도 남달랐 다. 언제나 5성급 호텔 맞춤 양복을 입었고 하루도 빠짐없이 출근 전 강남의 미장원에 들렀다. 거기에 말끝마다 간간이 섞는 영어까 지. 얼핏 외국계 금융회사의 펀드매니저를 떠올렸다.

하지만 지적인 인상 너머에는 악명 높은 잔인함이 웅크리고 있 었다. 무열은 일인자가 되기 위해서라면 종로 길바닥을 피로 물들 이고도 남을 인간이었다.

"Long time no see. Brother Muyul. Nice suit(오랜만이야. 무열 아우. 신수가 훤하구먼)."

중절모 남자가 담배를 물며 대답했다. 그는 홍콩 삼합회의 중간 보스로 '하우(夏雨)'라고 불렸다.

"How about our assets? Everything okay(물건은 이상 없겠지 요)?"

무열이 불을 붙여주며 물었다.

"See it for yourself(직접 확인해 보시게)."

하우가 대답하자 무열이 졸개들에게 눈짓했다. 그러자 대기하고 있던 정비공이 롤스로이스로 다가갔다.

"니 목숨보다 비싼 차야. 조금이라도 실수하는 날엔⋯⋯ You fucked. Got it?"

정비공이 보닛을 열고 안을 살피려는데 무열이 날카롭게 뱉었다.

"예. 알겠습니다."

정비공이 식은땀을 흘리며 떼어낸 건 롤스로이스의 라디에이터였다. 그는 라디에이터 아래에 깨끗한 양동이를 준비하더니 설치된 캡을 열었다. 그러자 냉각수가 쏟아졌다. 정비공은 마지막 한 방울까지 흘리지 않고 받아내더니 무열에게 가져왔다. 냉각수는 우유처럼 하얀 액체였다. 무열은 손가락으로 신중히 내용물을 맛보았다.

"총 얼마입니까?"

무열이 영어로 물었다.

"총 26리터. 증류하면 정확히 3.2킬로그램이 나올 거야."

"3.2킬로, 확실합니까?"

"1그램도 안 빠지는 3.2킬로지. 이런 차가 총 여덟 대야. 합하면 25.6킬로그램이지. 차 값 빼고 78억 원어치야. 준비는 됐겠지?"

하우의 입에서 진한 담배 연기가 흘러나왔다. 그가 롤스로이스에 숨겨온 것은 마약이었다. 밀수하기 위해 마약을 증류수에 녹인 후 롤스로이스의 라디에이터에 숨겨 세관을 통과한 것이다. 제아무리 뛰어난 탐지견이라도 밀폐된 라디에이터 냉각수에 숨겨진 마약을 발견할 수 없었다.

"대금은 말씀하신 물건으로 준비해뒀습니다."

"물건은 어딨지?"

하우가 물었다.

"90억짜리를 들고 다니겠습니까. 가시죠. 기다리시는 시간 동안 즐겁게 해드릴 여흥도 준비해뒀습니다."

하우는 만족한 얼굴로 무열을 따랐다.

"니들은 나머지 물건도 차질 없이 작업해. 한 방울도 흘려선 안
돼. 니들 모가지가 걸렸다고 생각하고 신중히 처리해."

무열이 졸개들에게 단단히 일렀다.

"알겠습니다, 형님."

졸개들이 일제히 소리쳤다.

무열이 창고를 나서려던 순간이었다. 철썩하는 물소리가 들렸
다. 무열이 걸음을 멈추고 돌아봤다. 양동이의 냉각수가 넘쳐 바닥
에 흐르고 있었다. 정비공의 얼굴이 사색이 되어 굳어 있었다. 긴장
한 나머지 냉각수를 흘리고 만 것이다.

"형님 모시고 올라가 있어."

무열이 지시하자 졸개들이 하우를 데리고 창고를 떠났다. 그러
자 무열이 정비공에게 다가갔다. 그는 겨울비 맞은 하룻강아지처럼
떨고 있었다.

"일어탁수라는 말 들어봤냐?"

무열이 물었다.

"죄송합니다, 형님. 제가 어떻게든……."

정비공이 쏟은 냉각수를 주워 담으려고 안간힘을 썼다. 하지만
소용없는 짓이었다. 어느새 광이 번쩍번쩍 나는 무열의 명품 구두
가 눈앞에 버티고 있었다.

"거창해 보이지만 미꾸라지 한 마리가 물을 흐려놓는다는 뜻이

야. 니가 지금 어떤 물을 흐려놓은 건지 아냐? 홍콩 삼합회랑 우리 무지개파가 지난 오 년간 쌓은 신뢰가 니가 흘린 그 물 때문에 날아 갈 판이야."

"죽을죄를 지었습니다. 형님, 사……살려주십시오."

정비공이 무릎을 꿇고 사정했다.

"죽을죄를 지었으면 죽어야지. 그게 정의 아니야? 우리나라는 죄를 지어도 너무 관대한 게 문제야. 정치인, 재벌, 힘 있는 새끼들 은 죽을죄를 지어도 무조건 사면이야. 그래서 정의사회가 구현되겠 어? 안 그러냐?"

"맞습니다!"

무열이 묻자 도열해 있던 졸개들이 합창했다.

"니가 흘린 냉각수가 몇 그램이냐?"

무열이 바닥의 냉각수를 보며 물었다. 정비공은 대답도 못 한 채 바들바들 떨고 있었다.

"얼추 오백 그램은 돼 보이네. 오백 그램이면 고기 몇 근이지?"

무열이 졸개에게 물었다.

"한 근 정도 됩니다, 형님."

"한 근이라. 어디를 뗄래?"

그러자 정비공이 사색이 되어 바라봤다.

"살려주십시오. 제발. 어떻게든 갚겠습니다, 형님."

"어디를 뗄 거냐고!"

무열의 고함이 창고에 울려 퍼졌다. 그제야 정비공은 포기하고 고개를 숙였다.

"엉덩이요."

"엉덩이로 하겠단다."

무열이 지시하자 졸개 중 하나가 허리춤에서 회칼을 꺼내 들었다. 그리고 잠시 후 창고에 비명이 울려 퍼졌다.

태경이 갇혀 있던 곳은 설 수도, 누울 수도 없는 쪽방이었다.

장물을 숨길 목적으로 만든 다락방으로 한 평이 채 안 됐다.

포주인 종두는 가끔 말 안 듣는 애들을 이 방에 가두었다. 태경은 밤새도록 좁은 방에서 쭈그리고 있었다. 허리가 쑤시고 다리가 저렸지만, 찍소리도 내지 않았다. 그녀의 머릿속은 온통 달아날 계획으로 가득 차 있었다. 태경은 속옷 속에 숨겨두었던 뭔가를 조심스럽게 꺼냈다.

천국의 섬 피지로 오세요. 당신의 꿈이 현실로 이루어집니다.

그것은 꼬깃꼬깃한 여행 팸플릿이었다. 사진에는 아름다운 옥색 바다가 펼쳐져 있었고 그림 같은 리조트가 야자수 사이에 자리 잡고 있었다. 그 아래 연인들이 새하얀 해변에서 햇살을 즐기고 있었다. 한마디로 천국의 풍경이었다.

"반드시 간다. 목숨을 걸어서라도 반드시 이 지긋지긋한 땅을 뜬다……."

태경이 어금니가 으스러지도록 깨물었다. 그녀가 하찮은 팸플릿을 보물처럼 여기는 데는 사연이 있었다. 죽음에서 그녀를 구해낸 작은 희망. 그 희망을 위해 살아 있다고 해도 과언이 아니었다. 그때 밖에서 인기척이 들렸다.

"기집애는?"

종두였다.

"죽었는지 찍소리도 내지 않습니다, 형님."

입구를 지키고 있던 부하가 대답했다.

"열어봐."

문 따는 소리가 들리더니 종두가 고개를 내밀었다. 태경은 부리나케 팸플릿을 숨겼다.

"반성 좀 했냐?"

종두가 물었지만, 태경은 대답하지 않았다.

"일 들어왔어. 나와."

하지만 태경은 웅크린 채 꼼짝도 하지 않았다. 그러자 종두가 머리채를 휘어잡았다.

"꼭 두 마디 하게 만들지. 쇠심줄 같은 년."

종두는 태경을 개처럼 끌어냈다. 그리고 곧장 사무실로 끌고 갔다.

사무실은 낙원동 뒷골목 건물 2층에 있었다. 안에는 종두의 부하들이 화투패를 돌리고 있었고 경리가 경박하게 껌을 씹으며 손톱을 다듬고 있었다.

"너 운 좋은 줄 알아. 이번에는 제대로 버릇 고치려고 맘 단단히 먹었거덩. 근데 껀수가 왕거니야."

다른 여자애들이 들어왔다. 모두 태경과 비슷한 처지의 가출 소녀들이었다.

"다들 똑바로 들어. 이번 손님은 술 취한 어중이떠중이가 아니야. 무지개파 넘버 투야. 중국에서 귀한 손님 오셨으니까 제대로 모시란다. 성심과 성의를 다해라."

종두는 잔뜩 흥분해 있었다.

"네……."

여자들이 적당히 대답했다.

"똑바로 대답 안 해? 얻어터져야 정신 차리지!"

그제야 여자들이 큰 소리로 대답했다.

"특히 태경이 너. 이번에도 헛짓거리 했다가는 뒤진다. 알았어?"

태경이 마지못해 고개를 끄덕였지만, 그녀의 마음은 이미 창문 너머로 달아나고 있었다.

무열은 조심스럽게 가방 하나를 테이블 중앙에 놓았다.

알루미늄으로 된 가방은 자물쇠로 단단히 잠겨 있었다. 반대편에 있던 삼합회 하우가 바짝 다가앉았다. 무열이 자물쇠의 네 자리 숫자를 맞추자 가방이 열리며 내용물이 고개를 내밀었다.

"이게 말로만 듣던 '여신의 눈물'이군."

가방 속에 있던 것은 주먹만 한 물방울 다이아몬드였다. 다이아는 어두운 조명 속에서도 푸른빛을 내뿜으며 존재감을 드러내고 있었다.

"48캐럿으로 시가 800만 달러입니다. 한화로 90억 원이죠. 세관 통과하시기 편하게 전용기 안에 미리 숨겨두겠습니다. 물론 형님 입회하에요."

하우는 다이아에서 눈을 떼지 못했다.

"처음 보는군. 이렇게 큰 다이아는."

하우가 광채에 혼을 빼앗긴 듯 다이아몬드를 향해 손을 뻗었다. 그러자 무열이 가방을 닫았다.

"아직 절차가 안 끝났습니다. 물건이 정확히 25.6킬로를 찍으면 바로 넘겨드리겠습니다."

다이아몬드가 사라지자 하우는 정신을 차렸다.

"그사이 여흥이나 즐기시죠. 애들 들어오라고 해."

무열이 소리쳤다.

"네, 형님. 들여보내겠습니다."

복도에서 대기 중이던 종두가 대답했다.

그들이 있던 곳은 인사동 인근의 룸살롱이었다. 무지개파에서 운영하는 곳으로 종두와 거래를 하고 있었다. 복도에는 여자들이 일렬로 늘어서 있었다. 그중에는 태경도 보였다.

"잘 모셔라. 특별한 손님이니까. 특히 태경이 너. 똑바로 해."

종두가 단단히 이른 후 여자들을 방으로 들여보냈다.

열 명은 족히 들어갈 만한 방에는 무열과 하우 단둘뿐이었다. 여자들이 늘어서자 종두가 뒤따라 들어왔다.

"기체후 일향 만강하셨습니까, 형님?"

종두가 허리를 절반으로 접으며 인사했다.

"넌 그게 무슨 말인지 알고 쓰냐?"

무열이 피식 웃었다.

"완전 대빵한테 인사할 때 쓰는 거라 알고 있습니다. 형님."

"됐고. 진도 나가자."

"옙. 인사드려라. 왼쪽부터."

종두가 지시하자 여자들이 한 명씩 앞으로 나와 자기소개를 했다.

"하우 형님. 맘에 드시는 애가 있으면 바로 앉히시면 됩니다."

하우는 여자들을 유심히 살폈다. 하지만 답은 이미 정해져 있었다. 무리 중 태경은 압도적이었다. 하우는 처음 들어왔을 때부터 태경에게서 눈을 떼지 못하고 있었다. 무열도 이미 눈치채고 있었다.

"거기 너. 이름이 뭐지?"

무열이 태경에게 물었다.

"뭐라고 부르고 싶은데?"

태경이 싸늘하게 대답했다.

"이 기집애가 어따 대구! 죄송합니다, 형님. 얘가 아직 세상 물정을 몰라서요."

종두가 굽실 사과했다.

"가시가 있어야 장미지. 그래야 꺾을 맛도 나고. 너! 형님 옆에 앉아. 나는 거기 둘."

태경이 마지못해 하우 옆에 자리를 잡았다. 그러자 하우가 능글

맞은 미소로 물었다.

"What's your name? Babe(이름이 뭐냐)?"

"뭐라는 거야?"

태경이 퉁겨내듯 말했다.

"Her name is…… rose(개 이름은 장미입니다)."

무열이 대신 대답했다. 그 역시 태경에게서 눈을 떼지 못했다.

"Rose. Damn beautiful(장미라. 예쁘군)."

"자, 파트너도 정했으니 제대로 놀아봐!"

무열이 잔을 들자 모두 건배를 외쳤다.

술잔이 몇 바퀴 돌자 취기 오른 무열과 하우는 여자들과 흥청거렸다. 밴드를 불러 노래를 부르기도 하고 묘기를 부리듯 폭탄주도 제조했다. 그사이 여자들은 테이블 위에 올라가 농염한 춤을 추며 흥을 돋웠다. 쌓이는 술병만큼 분위기가 달아오르는 동안에도 태경은 꼼짝 않았다. 술에 취한 하우가 몸을 더듬고 입술을 디밀었지만, 목석처럼 움직이지 않았다. 반응이 없자 흥이 깨진 하우는 영어로 욕을 뱉고는 다른 여자 품에 안겼다. 그런데 그 와중에 태경의 시선을 끄는 것이 있었다. 바로 테이블 중앙에 놓인 가방이었다. 알루미늄 가방은 어두운 조명 아래서도 묘한 아우라를 뿜고 있었다. 마치 지구 중심을 가리키는 푸코의 진자처럼. 태경은 지축으로 빨려 들어가듯 가방을 응시하고 있었다.

"이게 뭔지 궁금하나?"

무열이 다가왔다. 태경이 처음으로 무열을 바라봤다.

"키스해주면 알려주지."

태경은 잠시 망설였다. 탐탁잖은 스킨십과 호기심의 무게를 재며. 결국, 추는 호기심으로 기울었다. 태경은 볼에 가벼운 키스를 해줬다.

"제대로 해야지. 열려라, 참깨."

무열이 가방을 가리키며 말했다. 그러자 태경이 눈 딱 감고 무열의 입술에 키스를 했다. 무열은 그제야 만족한 듯 가방을 끌어왔다.

"보여주긴 하겠다만 이걸 보는 순간, 네 인생이 불행해질 텐데. 괜찮겠냐?"

무열이 씩 웃었다. 그가 웃을 때마다 주위에 이름 모를 벌레들이 모여드는 것 같았다.

"더 불행해질 게 있다고 생각해?"

태경이 손목을 가로지른 흉터를 보여줬다. 몇 년 전 자살을 시도했던 흔적이었다.

"어린 게 갈 데까지 갔구나."

무열이 자물쇠 번호를 맞췄다. 그리고 천천히 가방을 열었다. 가방 안으로부터 푸른빛이 새 나왔다. 마치 별을 담아놓은 것처럼 찬란한 빛이었다. 그와 함께 태경의 얼굴이 서서히 굳어갔다. 이윽고 다이아몬드가 모습을 드러내자 태경의 입에서 작은 신음이 흘러나왔다.

"세상에."

태경은 홀린 듯 다이아로 손을 뻗었다. 다이아에 손끝이 닿으려던 순간이었다. 무열이 가방을 닫는 것이었다.

"내가 말했지. 이걸 보는 순간 불행해질 거라고. 왜냐면 넌 영원히 가질 수 없는 물건이니까. 이생에도, 다음 생에도."

태경은 다이아에서 눈을 떼지 못했다.

"이게 뭐야?"

"여신의 눈물. 48캐럿. 세상에 하나뿐이지."

"48캐럿? 그럼 얼마야?"

"니 목숨보다 비싸지."

"비싸서 얼마?"

"90억."

"90억! 나 화장실 갔다 올게."

태경은 헐레벌떡 화장실로 향했다.

화장실은 비어 있었다. 태경은 문을 잠그고 찬물을 연신 얼굴에 끼얹었다.

"90억……."

번쩍이던 다이아몬드가 눈에 선했다. 태경은 변기에 걸터앉아 숨을 몰아쉬었다. 그 돈이면 이 지긋지긋한 밑바닥 인생을 송두리째 바꾸고도 남았다. 태경은 속옷 속에 숨겨뒀던 팸플릿을 꺼냈다. 꼬깃꼬깃한 종이에는 피지의 멋진 바다가 펼쳐져 있었다.

"저걸 어떻게든 손에 넣어야 해. 무슨 수를 써서라도."

방법을 찾아야만 했다. 이번이 두 번 다시 오지 않을 기회라는 걸 본능적으로 알 수 있었다. 문을 열고 복도를 살폈다. 서너 명의 덩

112

치들이 양쪽에서 지키고 있었다. 정문과 뒷문에도 무열의 졸개들이 무리 지어 보초를 서고 있었다.

"정면 돌파는 힘들어."

순간 번뜩이는 아이디어가 그녀의 뇌리를 스쳤다. 태경은 화장실 창문을 열고 밖을 살폈다. 2층 창문틀 아래 간신히 발을 디딜 만한 요철이 튀어나와 있었다. 요철은 옆 건물 바로 앞까지 이어져 있었다. 단 1퍼센트라도 시도할 가치는 충분했다. 엿 같은 인생을 끝장낼 수만 있다면 지옥이라도 상관없었다. 태경은 팸플릿을 도로 넣고 서둘러 방으로 돌아갔다. 무열은 거나하게 취한 하우와 노래를 부르고 있었다. 태경은 무열 앞에 당당히 섰다.

"뭐야?"

무열이 멈칫했다. 그러자 태경이 웃옷 단추를 풀더니 가슴을 내밀었다. 무열은 탐스러운 가슴에서 눈을 떼지 못했다. 그가 가슴을 만지려던 순간이었다. 태경이 도로 옷을 여미는 것이었다.

"날 갖고 싶어? 그럼 조건이 있어."

"어차피 넌 내 거야."

"내 말은, 제대로, 잊지 못할 밤을 만들어 줄게."

태경이 무열의 손을 잡더니 가슴에 가져갔다.

"계속해봐."

"이 방에 있는 동안 저걸 볼 수 있게 해줘. 오빠 말대로 내가 언제 저런 걸 구경해보겠어. 실컷 보고 싶어."

"볼수록 네 인생이 불행해질 텐데."

무열이 가슴을 만지며 말했다.

"말했을 텐데. 더 떨어질 데가 없다고."

태경이 무열의 손을 뿌리쳤다. 그러자 무열이 한동안 태경을 바라봤다. 그러고는 결심한 듯 가방을 여는 것이었다. 방은 다시 다이아몬드의 푸른빛으로 가득 찼다.

"실컷 봐라. 대신 오늘 끝까지 가는 거야. 알았어?"

태경이 고개를 끄덕였다. 그러자 하우가 다가왔다.

"뭐하는 거야, 동생! 이게 얼마짜린데 애들 앞에서."

"걱정 마십시오, 형님. 건물 전체를 제 부하들이 철통같이 지키고 있습니다. 개미 한 마리 못 빠져나갑니다. 재밌게 노시지요."

하지만 하우는 미심쩍은 표정을 풀지 못했다.

다시 돌아온 태경은 이제까지와는 달랐다. 신들린 듯 술을 마시고 노래를 불렀다. 무열을 유혹하기 위해 속옷을 내보이며 춤을 추기도 했다. 하지만 완전히 정신줄을 놓지는 않았다. 그 와중에도 무열을 취하게 만들기 위해 계속 술을 권했고 다이아몬드를 호시탐탐 노렸다. 그런 태경을 놓칠 무열이 아니었다.

"정신 차려, 이년아. 저걸 건드리는 순간 니 목숨은 골로 가는 거야."

그러자 태경이 보란 듯이 다이아몬드를 집는 것이었다. 너무나 순식간에 벌어진 일이라 무열도 막을 수 없었다. 태경은 두 번 다시 놓지 않으려는 듯 다이아를 움켜쥐었다.

"건드렸다. 어쩔래."

114

무열이 어이없다는 듯 바라봤다.

"제자리에 갖다 놔. 뒤지기 전에."

무열이 사시미 칼을 태경의 목에 겨눴다. 방 안에 싸늘한 정적이 흘렀다. 모두 멈춰서 두 사람을 바라보고 있었다. 그렇게 몇 초간 시간도 숨소리를 아꼈다.

"이까짓 거 줘도 안 가져. 나중에 더 큰 거로 살 거야."

태경이 술 취한 듯 흐늘거리며 다이아몬드를 도로 가방에 돌려 놨다.

"미친년. 백 년을 몸을 팔아봐라. 살 수 있나."

태경이 의미심장하게 씩 웃었다. 그제야 방 안에 시간이 다시 흐르기 시작했다.

"나 오줌 쌀래."

태경이 비틀거리며 화장실로 향했다. 무열은 태경의 뒷모습을 뚫어져라 바라봤다.

"대찬 년이네."

무열은 다이아몬드를 확인하고는 가방을 닫았다. 자물쇠를 잠그려던 순간이었다. 뭔가 이상했다. 무열은 도로 가방을 열고 다이아몬드를 확인했다. 그런데 다이아몬드에서 물 한 방울이 흘러내리는 것이었다. 무열은 부리나케 다이아몬드를 집어 들었다.

"이 씨발 년이!"

무열이 다이아몬드를 벽에 집어 던졌다. 그러자 다이아몬드가 산산조각이 나는 것이었다. 그것은 얼음 조각이었다. 태경은 어느새 다이아몬드를 바꿔칠 얼음을 준비했던 것이다.

"저년 잡아! 당장!"

무열이 미친 듯이 달려가며 소리쳤다.

바람은 적당했다. 서늘한 바람이 하늘을 향해 펼친 손가락 사이를 간질이며 빠져나갔다. 날이 어두운 덕에 종로의 수많은 불빛이 유난히 반짝였다. 누리가 있던 곳은 낙원상가 옥상이었다.

당장 부서질 듯 녹슨 난간에 기대어 일생일대의 거사를 준비하고 있었다. 올라를 만나기 위한 의식이었다. 누리는 기도하듯 눈을 감았다. 그리고 공들여 접은 종이비행기를 꺼내 들었다. 포장지를 접어 만든 비행기는 날렵했다. 누리는 종이비행기에 자신의 보물을 정성스럽게 붙였다. 부치하난의 전설이 깃든 뼛조각이었다.

올라를 위한 세심한 배려도 잊지 않았다. 뼛조각에 작은 구멍을 뚫은 후 노끈을 연결해 목걸이로 만든 것이다.

"기다려, 올라. 곧 만나러 갈게."

누리가 마법을 불어넣듯 뼛조각에 속삭이고는 던질 자세를 취했다. 때마침 시원한 바람이 건물 사이를 뚫고 불어왔다. 이것이 누리가 생각해낸 올라를 찾는 방법이었다. 부치하난과 올라를 만나게 해준 매개체가 바람이었던 것이다.

"올라에게 전해줘!"

누리가 바람을 향해 큰 소리로 외치고 있는 힘껏 종이비행기를 던졌다. 종이비행기는 바람을 타고 하늘 높이 날아올랐다. 그리고 곧장 거미줄처럼 복잡한 골목을 향해 날아갔다. 모래알 같은 인연들 속에서 기다리고 있을 올라를 향해.

태경은 건물 2층 외벽에 위태롭게 매달려 있었다.

발아래에는 한 무리의 덩치들이 혈안이 되어 태경을 찾고 있었다.

"무슨 일이 있어도 그 계집을 찾아야 해. 못 찾으면 전부 뒈질 줄 알아!"

잔뜩 흥분한 무열이 고래고래 소리를 질렀다. 덩치들은 건물 주위를 이 잡듯이 뒤지고 있었다. 하지만 한 치 앞에 있으리라고는 꿈에도 생각지 못했다. 태경은 숨을 죽인 채 건물 모서리로 발을 옮겼다. 한 발…… 두 발…… 눈이 시뻘게서 찾고 있는 조폭들 머리 위를 지나자니 엄동설한에도 속옷이 흥건했다. 간신히 모서리에 도착한 태경은 건너편 건물 2층으로 있는 힘껏 몸을 날렸다. 휘청하며 미끄러졌지만 빗물 배수관을 붙잡아 겨우 매달릴 수 있었다. 손바닥 가득 피가 잡혔지만, 신경 쓸 겨를이 없었다. 태경은 조심스럽게 배수관을 타고 골목으로 내려왔다. 다행히 조폭들은 태경을 발견하지 못했다. 태경은 까치발을 한 채 살금살금 뒷걸음을 치다가 냅다 뒷골목으로 달렸다. 구불구불한 골목을 숨이 턱에 차도록 내달았다. 조폭들의 인기척이 들릴 때면 몸을 숨기기도 하고 반대편 골목으로 몸을 날리기도 하며 가까스로 따돌렸다. 그렇게 한참을 달리던 태경은 한적한 공터에 멈춰 섰다. 심장이 터질 것처럼 박동 치고 있었다. 한 걸음도 더는 움직일 수 없었다. 그 와중에 태경은 품 안에 숨겨뒀던 다이아몬드를 확인했다. 허름한 뒷골목에서도 다이아몬드는 찬란한 빛을 잃지 않고 있었다.

"넌 내 거야. 목숨과도 안 바꿀 거야."

태경은 늦둥이 자식처럼 소중히 입을 맞추고는 도로 품 안에 넣었다. 그때였다. 하늘에서 뭔가가 다가오고 있었다. 종이비행기였다. 휘영청 뜬 달을 배경으로 곧장 태경을 향해 날아오는 것이었다.

마치 달의 신이 보낸 전령처럼 운명의 기운을 잔뜩 품은 채. 그리고 사뿐히 태경의 발치에 착륙했다. 오래전 목숨을 구해준 천국의 팸플릿처럼. 태경은 홀린 듯 종이비행기를 집어 들었다. 그런데 비행기에는 기묘한 승객이 탑승하고 있었다. 티켓도 없이 올라탄 손님은 다이아몬드보다도 강렬한 아우라를 뿜고 있었다. 누리의 목걸이였다.

"넌 어디서 왔니?"

태경은 종이비행기가 날아온 하늘을 바라봤다.

크리스마스 기운을 받아 성스럽게 빛나는 푸른 달이 뛰어내릴 듯 내려 보고 있었다. 태경은 주저하지 않고 목에 걸었다. 목걸이는 하늘이 보내준 행운의 증표가 분명했다. 그때 골목에서 인기척이 빠르게 다가왔다.

"이 근처가 분명해. 골목을 이 잡듯이 뒤져. 멀리 못 갔어."

독이 바짝 오른 무열은 당장에라도 폭발할 것 같았다. 지체할 시간이 없었다. 태경은 목걸이를 건 채 반대편 골목으로 미친 듯이 달렸다.

종이비행기가 사라질 때까지 지켜보던 누리는 곧바로 뒤를 쫓았다. 비행기는 리어카를 맡긴 철공소 쪽으로 궤적을 그렸다. 어둠이 내려앉은 뒷골목을 휘영청 뜬 달이 할머니처럼 환하게 지켜보고 있었다.

"할머니. 쫌 있으면 내 반쪽을 만날 거야. 이름이 올라야. 분명 달님처럼 예쁘고 할머니처럼 좋은 사람일 거야. 만나면 제일 먼저 소개해줄게."

철공소가 위치한 골목으로 돌아서던 순간이었다.

반대편에서 누군가 빠르게 달려왔다. 워낙 빠른 속도라 미처 피할 겨를이 없었다. 덕분에 누리는 상대방과 정면으로 부딪쳤다. 충격에 두 사람은 각자 반대편으로 퉁겨져 날아갔다. 순간 시간이 엿가락처럼 늘어지며 모든 물체가 느리게 지나치는 것이었다. 골목을 지나는 오토바이 배달원, 전깃줄 위로 솟구치는 까마귀 떼, 순댓국 골목에서 피어오르는 수증기. 마치 신이 귀띔해 주듯 슬로모션처럼 움직이고 있었다. 만물이 저마다 연을 찾는 와중에 누리의 시선을 붙잡는 물체가 있었다. 전설의 뼛조각이었다. 노끈에 묶인 뼛조각이 달빛을 퉁겨내며 추파를 던지는 것이었다. 순간 시간이 온전히 흐르며 현실을 일깨워주는 통증이 몰려왔다.

"눈은 장식이냐? 똑바로 보고 다녀! 인마!"

카랑카랑한 여자 목소리에 누리는 정신이 번쩍 들었다. 태경이었다. 그녀의 목에 걸린 뼛조각이 바람에 흔들리고 있었다. 마치 부치하난을 부르듯 고대의 향기를 풍기며.

"올라!"

누리가 주문처럼 중얼댔다.

"뭐?"

태경이 어이없다는 듯 바라봤다. 그때였다.

"이쪽으로 간 걸 봤답니다."

"그럼 빨리 쫓지, 뭐해, 새꺄!"

무열과 졸개들이었다. 어느새 옆 골목까지 바짝 쫓아와 있었다. 그제야 정신을 차린 태경이 서둘러 반대편으로 달렸다. 누리는 뒤통수를 얻어맞은 듯 멍하니 바라볼 뿐이었다. 이윽고 무열의 무리가 뛰어 들어왔다. 무열이 낭패라는 듯 텅 빈 골목을 이리저리 살폈다.

"얌마. 여기 계집애 하나 오지 않았냐?"

무열이 누리를 발견하고 물었다.

"올라……."

넋이 나간 누리가 중얼댔다.

"여자애 봤냐고? 븅신아."

그때 나머지 졸개들이 뒤쫓아 왔다.

"형님. 인사동 쪽은 없습니다."

졸개 중 한 명이 말했다.

"샅샅이 뒤졌어?"

"이 잡듯이 뒤졌는데 없습니다."

"그럼 여기밖에 없어. 흩어져서 찾아봐! 반드시 그 계집을 잡아야 해. 아님, 우린 전부 죽은 목숨이야."

무열이 소리치자 졸개들이 골목으로 흩어졌다. 그 모습을 지켜
보던 누리가 벌떡 일어났다. 그리고 태경이 사라진 골목을 응시하
며 말했다.

"올라가 위험해!"

누리가 태경의 뒤를 쫓기 시작했다.

돛대

실타래처럼 엉킨 골목은 반드시 탈출해야 하는 일종의 감옥이었다. 하지만 밑바닥 미생들이 쳐놓은 거미줄은 먹잇감을 쉽사리 놓아주지 않았다.

"제기랄!"

십여 분을 달려 도착한 곳은 막다른 골목이었다. 태경은 부리나케 돌아섰지만, 사방에서 놈들이 옥죄어오고 있었다. 문들은 그녀의 태생을 거부하듯 굳게 잠겨 있었고 창문은 죄다 철창으로 막혀있었다. 저만치 2층 창문 하나가 숨구멍처럼 열려 있었다. 태경은 마지막 희망을 움켜쥐려 안간힘을 썼지만 어림없었다. 녹슨 창틀이 가소롭다는 듯 삐걱댈 뿐이었다.

"이쪽에서 그 계집 냄새가 진동해."

무열이 코앞까지 쫓아왔다. 외통수였다.

"차라리 죽어버릴 테다!"

태경은 몸부림을 쳤다. 손톱이 부러져라 벽을 긁어댔지만, 피투성이가 될 뿐이었다. 희망은 애초부터 그녀 편이 아니었다. 그때였다.

"이쪽이야."

동굴 속 서광 같은 목소리. 태경은 주위를 둘러봤다. 하지만 아무도 없었다.

"이쪽이라니까."

소리는 귀퉁이에 쌓여 있던 쓰레기 더미 너머에서 들려왔다. 태경은 재빨리 쓰레기를 치웠다. 그러자 담벼락 밑에 뚫린 개구멍이 나타났다. 그 너머에서 누군가 고개를 내밀고 있었다. 누리였다.

"빨랑! 나쁜 놈들이 오고 있어."

망설일 겨를이 없었다. 태경은 개구멍으로 몸을 밀어 넣었다. 구멍은 가녀린 태경도 간신히 빠져나갈 만큼 좁았다.

"미꾸라지 같은 년. 어디로 튄 거야!"

무열의 고함이 텅 빈 골목에 울려 퍼졌다. 간발의 차이였다. 태경은 건너편 벽에 몸을 바짝 밀착시킨 채 동태를 살폈다.

"보통 계집이 아닌데요."

졸개 한 명이 중얼댔다.

"그걸 말이라고 해, 새꺄! 제대로 뒤지긴 했어?"

무열이 정강이를 걷어차며 소리쳤다.

"이 잡듯이 뒤졌습니다."

졸개가 가까스로 고통을 참으며 대답했다.

"이제 어쩌죠? 큰형님이 아시는 날엔."

"아가리 닥쳐, 새꺄!"

무열은 독이 바짝 올라 있었다.

"형님이 알 일 없어. 무슨 수를 써서라도 잡는다. 아님 니들 모가지를 낙원상가 옥상에 매달 거야. 알아들어!"

"넵!"

사색이 된 졸개들이 동시에 외쳤다.

"일단 포주 새끼부터 조진다. 그놈이라면 뭘 알겠지. 따라와!"

무열이 졸개들을 이끌고 사라졌다.

그제야 태경은 안도의 한숨을 쉬었다. 전대미문의 태풍이 휩쓸고 지나간 기분이었다. 하지만 안심하긴 일렀다. 최대한 빨리 이곳을 떠야만 했다. 태경은 서둘러 발걸음을 옮겼다. 그런 태경을 누리가 뚫어져라 바라보고 있었다. 유니콘을 실제로 마주친 소년 같은 얼굴을 한 채.

"누군진 모르지만 고맙다. 덕분에 살았어."

부담스러운 시선을 밀치며 태경이 말했다.

"고마워. 갈게. 잘 살아."

태경이 머쓱하게 자리를 뜨려던 순간이었다.

"널 기다렸어. 아주 오래……."

"뭐?"

"널 기다렸다고. 올라."

"저기…… 뭔가 오해가 있는 모양인데. 난 올라가 아니야. 너 오늘 첨 보거든."

그때 누리가 대뜸 뭔가를 내밀었다.

"이게 뭐야?"

"마셔. 넌 목이 말라."

생수병이었다. 누리는 태경을 올라의 환생이라고 확신했다. 그리고 전설 속 올라는 물을 찾아 우물로 왔던 것이다.

태경은 뜬금없는 생수병이 황당했지만 무심코 받았다. 정신없이 뛰어다녔던 터라 목이 말랐다. 물은 남극 빙산처럼 시원했다. 입에서 자연스레 감탄사가 흘러나왔다.

"잘 마셨어. 또 고마워. 이제 진짜 갈게."

태경은 남은 생수를 돌려주곤 골목을 빠져나갔다.

대로 인파 속으로 파고든 태경은 곧장 짐을 보관하던 지하철 보관함으로 향했다. 가방에는 태경의 전 재산이 들어 있었다. 보관함은 무사한 것 같았다. 태경은 조심스레 보관함으로 다가가려 했다. 그런데 인파 속에 수상한 시선이 숨어 있었다. 시선은 사방에 흩어져 있었는데 보관함으로 모이고 있었다. 종두의 졸개들이었다. 종두는 태경이 달아난 걸 눈치채자마자 길목에 부하들을 매복시켜둔 것이다.

"귀신은 뭐하나 몰라."

태경은 서둘러 발길을 돌렸다. 아깝지만 도리가 없었다.

이제 태경을 쫓는 무리는 하나가 아니었다. 무지개파와 포주 종두, 둘이었다. 산 넘어 산이었다. 두 무리의 어깨 수십 명이 태경을 추격하고 있었다. 하지만 이대로 물러설 태경이 아니었다. 막다른 벼랑이 조금 더 깊어진 것뿐이다. 어차피 떨어지면 죽기는 매한가지였다. 태경은 다시 인파에 몸을 묻었다. 하지만 제아무리 어군이 많은 해류라도 발광 어류는 눈에 띄기 마련이다. 태경은 쇼윈도에 비친 자신을 바라봤다. 허벅지가 드러난 교복 치마에 붉은 립스틱, 거기에 터질 듯한 가슴까지. 태경은 곧장 편의점으로 들어갔다. 그리고 대뜸 알바생에게 물었다.

"가위 있으면 좀 빌리자."

"네?"

알바생이 황당한 얼굴로 되물었다.

"금방 쓰고 줄게. 급해서 그래."

종업원은 얼떨결에 주섬주섬 가위를 건네줬다.

"화장실이 어디지?"

태경은 화장실에 들어서자 문을 잠갔다. 그리고 거울 앞에 섰다. 이제 갓 스물이 된 태경은 꽃처럼 아름다웠다. 검고 치렁치렁한 생머리는 아이돌도 울고 갈 지경이었다. 마지막 인사를 하듯 이리저리 비춰보던 태경은 사정없이 가위를 들이댔다.

설컹. 냉정한 가위 소리와 함께 긴 머리가 후드득 떨어졌다. 태경은 멈추지 않았다. 연신 차가운 가위가 비단 같은 머리카락을 무자비하게 가로질렀다. 화장실 바닥에 태경의 머리카락이 시체처럼 널브러졌다. 이윽고 가위질을 멈춘 태경은 거울을 바라봤다. 태경의 머리는 남자처럼 짧았다. 귀는 훤히 드러났고 눈꼬리를 우아하게 지나던 웨이브는 군대처럼 일렬로 정리되어 있었다. 얼핏 봐선 못 알아볼 만큼 낯선 모습. 하지만 짧은 머리도 상당히 잘 어울렸다. 남자 교복을 차려입으면 지하철에서 여학생에게 대시를 받을 지경이었다. 태경은 삐져나온 머리를 다듬더니 가위를 내려놨다.

"다음엔 너."

교복이 바람에 펄럭였다.

태경이 향한 곳은 백화점이었다. 명동 한복판에 자리한 백화점 입구에는 큼지막한 크리스마스트리가 장식되었고 캐럴이 울려 퍼졌다. 폐점이 얼마 안 남았는데도 입구는 북적였다. 이틀 후면 크리스마스였다. 백화점을 나서는 사람들은 양손에 선물 가방을 든 채 행복한 미소를 짓고 있었다. 마치 세상 크리스마스를 모두 전세 낸 듯. 태경이 백화점을 찾은 건 이번이 처음이었다. 몇 번이고 앞을 지났지만 들어설 용기가 나지 않았다. 이곳은 자신 같은 밑바닥 인생을 거부할 것만 같았다. 용기를 내서 들어선다고 해도 이물질을 삼킨 듯 도로 뱉어낼 것만 같았다. 그런 태경이 백화점 안으로 발을 디딘 것이다. 품속에는 세상에 하나밖에 없는 보물이 들어 있었다. 다이아몬드는 옷에 가려 보이지 않았지만 묘한 자신감을 불어넣고 있었다. 태경은 당당히 입구를 지나 명품관으로 향했다. 그녀가 발을 멈춘 곳은 샤넬 매장 앞이었다. 명품 브랜드 중앙에 자리 잡은 샤넬은 신생아도 반할 만큼 멋진 물건들로 가득했다. 그중 매장 한가운데 전시된 핸드백이 태경의 눈을 사로잡았다. 샤넬 로고 선명한 살구색 숄더백. 손바닥만 한 크기의 백은 미약이라도 발라놓은 것처럼 뇌쇄적이었다. 태경은 홀린 듯 백에 끌려갔다. 태경을 발견한 종업원이 다가왔다.

"이거 얼마죠?"

태경이 물었다. 그러자 종업원이 미간을 찌푸린 채 태경의 옷차림을 스캔했다.

"아주 비싸요."

얇은 꿈을 산산조각 내는 말투.

"90억도 모자라?"

태경의 반격에 종업원은 멈칫했다.

그때였다. 삼십 대 여인이 매장으로 들어왔다. 딛는 걸음마다 레드카펫이라도 깔린 듯 도도한 자태의 여인은 샤넬로 도배하고 있었다.

"오셨어요, 사모님. 왜 이렇게 오랜만이세요."

매니저가 버선발로 달려왔다.

"김 실장. 신상 나왔다며."

여인은 자기 집 안방처럼 매장을 누볐다. 매니저는 여인을 곧장 살구색 숄더백으로 안내했다.

"따끈따끈합니다. 이번 달에 나왔어요."

"오, 잘빠졌네. 디자이너 바뀌었다더니 샤방이야."

여인이 제 것인 양 숄더백을 대뜸 집으려 했다. 그러자 태경이 기다렸다는 듯 숄더백을 가로챘다.

"실례."

여인이 어이없다는 듯 태경을 바라봤다.

"아직 결정 못 했거든."

"저기, 학생. 이 물건, 손님이 예약한 거야. 나중에 성공하거든 다시 와."

매니저가 말했다.

"성공해도 여기선 안 사."

태경은 핸드백을 툭 던지고는 매장을 나섰다. 하지만 태경은 빈손이 아니었다. 그녀의 손에는 어느새 단골 여인의 플래티넘 카드가 들려 있었다. 태경은 곧장 카드를 들고 옆 매장으로 향했다. 이번에도 불편한 기색이 역력한 종업원이 다가왔다. 그러자 태경이 카드를 코앞에 들이밀었다.

"이거 전부 줘요. 사이즈는 말 안 해도 알죠?"

태경이 쇼윈도에 전시된 옷을 가리키며 말했다.

"알겠습니다."

종업원이 부리나케 사이즈를 찾기 시작했다.

그사이 태경은 다른 옷을 뒤적거리고 있었다.

그때였다. 누군가 태경의 손을 덥석 잡는 것이었다. 깜짝 놀란 태경이 움찔 물러서며 숨겨둔 과도를 꺼내 들었다.

"올라는 훔치지 않아."

누리였다.

"니가 왜 여깄어?"

태경이 소리쳤다.

"할머니가 그랬어. 남의 걸 훔치는 사람은 마음이 가난한 사람이라고. 올라는 마음이 부자야. 훔치지 않아."

"너 지금 날 미행한 거야? 너 스토커야?"

태경이 황당하다는 듯 소리쳤다.

갑작스레 벌어진 소란에 시선이 모여들었다. 매장 종업원뿐만 아니라 지나던 손님들까지 두 사람을 바라봤다. 어느새 저만치 경비원이 달려오고 있었다. 태경은 서둘러 과도를 숨겼다.

"따라와."

태경은 누리를 끌고 백화점을 나섰다. 태경이 향한 곳은 뒤편 주차장이었다.

"너, 뭐 하는 놈이야?"

태경이 누리를 밀치며 소리쳤다. 두 사람 너머로 고급 승용차들이 주차장을 빠져나가고 있었다.

"누리."

누리가 천진난만한 미소를 보태며 대답했다.

"근데 그건 울 할머니가 지어준 이름이고 원래 이름은…… 부치하난."

"뭐?"

"부-치-하-난. 멋진 이름이지?"

누리가 자랑하듯 말했다.

"니 이름 따위 관심 없고, 왜 따라다니냐고. 원하는 게 뭐야?"

"원하는 거? 그런 거 없는데. 니가 올라니까 도와주려는 거야. 넌 내 도움이 필요하니까."

누리는 진지했다. 태경이 대뜸 멱살을 잡았다.

"내 말 잘 들어, 또라이 새꺄. 내가 지금 무지 바쁘거든. 그러니까 그만 따라와라. 한 번만 더 따라오면 그땐 확! 저승 택시 타는 거야. 알았어?"

태경이 누리를 밀치더니 주차장을 빠져나갔다.

누리 덕에 쇼핑을 망친 태경은 다른 장소를 물색해야 했다. 쇼핑에 적절한 장소는 우선 사람들로 북적여야 한다. 그리고 시선을 분산시킬 볼거리가 풍부해야 한다. 태경이 고심 끝에 고른 곳은 맥도날드였다. 언제나 그렇듯 매장은 손님들로 붐볐다. 카운터에는 주문 줄이 길게 늘어서 있었고 좌석은 배고픈 손님으로 가득했다. 대부분 젊은 층인 덕에 분위기도 왁자지껄했다. 최적의 장소였다. 태경은 방생된 물고기처럼 손님 사이를 누비며 쇼핑을 시작했다.

햄버거에 정신이 팔린 손님의 패딩을 슬쩍하고 모자를 제 것처럼 쓰고 지나갔다. 주인이 자리를 비운 햄버거와 감자튀김도 잊지 않고 챙겼다. 채 5분도 되지 않아 태경은 쇼핑을 마쳤다.

훔친 모자와 패딩을 두르자 태경은 완벽하게 희석될 수 있었다. 거기에 새로운 헤어스타일까지. 자세히 보지 않고는 제아무리 부모라도 알아볼 수 없었다. 만족한 태경은 곧바로 맥도날드를 나섰다. 그런 고군분투에도 예리하게 태경을 알아보는 시선이 있었다. 누리였다. 누리는 일정한 거리를 두고 뒤따르고 있었다.

이를 놓칠 태경이 아니었다. 태경은 재빨리 골목 뒤에 숨었다. 누리가 놓칠세라 뒤따라 들어갔다. 모퉁이를 도는 순간이었다. 태경이 번개처럼 누리의 가슴팍을 걷어찼다. 불의의 일격에 누리는 바닥에 나뒹굴었다.

"말이 말 같지 않아! 따라오지 말랬지."

태경이 누리의 멱살을 움켜쥐며 소리쳤다. 눈에서 서릿발이 매섭게 몰아쳤다.

"너 저능아야? 한국말 못 알아들어?"

태경이 무심코 뱉은 화살은 정통으로 관통했다. 누리의 심장에 글썽글썽 서글픔이 맺혔다.

"할머니가 그랬어. 좀 모자라도 괜찮다고. 어린애로 사는 게 더 좋은 거라고."

누리의 눈물에는 사람을 움직이는 묘한 진심이 묻어 있었다. 이제껏 아귀의 정글에서 생존했던 태경에겐 낯선 감정이었다. 마치 처음으로 눈물을 흘린 부처하난처럼. 그리고 낯선 감정은 두려움을 불러낸다. 태경은 움찔 물러났다.

"마지막으로 경고한다. 따라오지 마. 이번에도 따라오면 그땐……."

태경이 허리춤에서 과도를 꺼내 겨눴다.

"너 죽고 나 죽는 거야."

이 말을 남기고 태경은 자리를 떴다.

"젠장. 재수 없으려니까 별 거지 같은 게."

태경은 거추장스러운 혹을 떼어내기 위해 빠르게 인파 속을 헤집고 달렸다. 밤이 깊어지고 있었다. 태경은 주위를 경계하며 계획을 세웠다. 목표는 확고했다. 최대한 빠른 시간 내에 천국의 땅으로 뜨는 것이다. 그러기 위해선 돈이 필요했다. 하지만 그녀는 무일푼이었다. 그동안 힘겹게 모은 전 재산은 보관함에 있었다. 그나마도 천국행 티켓을 사기엔 턱없이 부족했고 종두 무리가 지키고 있었다. 방법은 하나뿐이었다. 다이아몬드를 파는 것이다. 하지만 90억짜리 다이아몬드를 선뜻 매입할 중개상은 몇 되지 않을 것이다. 그리고 그런 굉장한 중개상을 태경이 알 턱이 없었다. 도움이 필요했다. 일종의 거간꾼이 필요했다. 태경은 빠르게 걸으며 적당한 인물을 찾았다. 어린 나이였지만 태경은 여러 부류의 사람을 알고 있었다. 빼어난 미모 덕에 단골이 많았다. 대부분 양아버지뻘로 순댓국집 사장에서부터 중소기업 회장까지 다양했다. 하지만 보석을 중개할 만한 인물은 떠오르지 않았다. 그러던 중 불현듯 뇌리를 스치는 얼굴이 있었다.

"돗대!"

오래전 짧지만 진하게 스쳐간 인연. 돗대는 그의 별명이었다.

"그 인간이라면 방법이 있을지도 몰라."

돗대는 유능한 거간꾼이었다. 그가 팔 수 없는 물건은 없었다. 중고차에서부터 르누아르의 명화까지 못 파는 게 없었다. 소문에 의하면 구소련의 잠수함을 인도에 팔았다는 일화도 있었다. 그만큼 수완이 좋고 인맥이 넓었다. 하지만 뛰어난 재주만큼 악소문도 많았다. 돗대는 거간꾼보다 사기꾼으로 유명했다. 그와 거래한 사람 중 사기 한번 당하지 않은 이가 없었다. 그 때문에 단단히 벼르는 사람도 많았다. 그와 거래를 하려면 위험을 감수해야만 했다.

일종의 도박이었다. 하지만 지금은 그런 걸 따질 여유가 없었다. 태경은 공중전화를 찾았다. 길 건너편에 공중전화 부스가 보였다. 태경은 신호도 무시한 채 차도를 가로질렀다. 차가 급정거하며 경적을 울렸지만, 신경 쓰지 않았다.

전화 부스는 이미 사용 중이었다. 중년 여인이 시답잖은 수다를 떨고 있었다. 태경은 대뜸 여인을 끌어내더니 전화를 끊었다.

"이게 무슨 짓이야! 머리에 피도 안 마른 게! 어서 배운 버르장머리야!"

여인은 수다만큼 입심도 셌다.

"닥치고 꺼져! 이 씨발 년아, 계속 나불대면 혓바닥을 뽑아서 똥구멍에 쑤셔 박아줄 테니!"

태경의 대찬 반격에 여인은 말문이 막혔다. 태경은 개의치 않고 다이얼을 눌렀다. 태경은 훌륭한 기억력을 갖고 있었다. 한번 들은 전화번호는 절대 잊지 않았다. 게다가 돗대의 번호는 다른 번호와 달랐다. 부의 상징이자 외제 차만큼 귀한 핸드폰 번호였다. 열 자리 숫자를 누르자 신호가 갔다.

ㅡ 이 번호는 없는 번호이오니 다시 확인하고 걸어주십시오.

돗대 대신 자동응답 안내원이 전화를 받았다. 태경은 다시 한번 꼼꼼히 다이얼을 눌렀다. 하지만 같은 멘트가 나올 뿐이었다.

"제기랄!"

번호가 바뀐 모양이었다. 달리 연락할 통로가 없었다.

하지만 돗대는 유일하게 다이아몬드를 처리할 수 있는 사람이었다. 방법을 찾아야만 했다. 그때 한 여인이 떠올랐다. 오래전 돗대를 진심으로 사랑했던 여인. 수경 언니. 수경은 한때 태경과 한솥밥을 먹은 적이 있었다. 태경보다 무려 열네 살이나 많았는데 창녀촌과 술집을 전전하다가 종두 밑으로 들어왔던 것이다. 수경은 밑바닥에서 굴렀지만, 천성이 밝고 선했다. 덕분에 적잖은 나이에도 단골이 있었다. 돗대도 그중 하나였다. 수경은 돗대의 화려한 언변과 외모에 한눈에 마음을 빼앗겼다. 사랑에 눈이 먼 수경은 주위의 만류에도 불구하고 돗대에게 모든 걸 바쳤다. 몸과 마음뿐만 아니라 그간 힘겹게 모은 돈마저 맡긴 것이다. 결과는 지루할 정도로 뻔했다. 모든 걸 날리고 파국을 맞았지만, 수경은 돗대를 잊지 못했다. 핏속에 문신된 기구한 팔자를 지울 수 없는 듯.

지금은 퇴기가 되어 부천 외곽의 허름한 술집에서 일하고 있었다. 수경이라면 돗대의 최근 연락처를 알지도 몰랐다. 태경은 수경의 전화번호를 눌렀다. 신호가 갔다.

"고래 등입니다."

젊은 여자였다.

"수경 언니 있어요?"

"누구신데요?"

"낙원동 막내라고 하면 알 거예요."

수화기 너머로 여자가 수경을 부르는 소리가 들렸다. 그리고 이윽고.

"여보세요?"

이미 얼큰하게 술이 오른 목소리.

"언니. 나 태경이."

"니가 웬일이냐? 전화 한 통 없던 기집애가."

"지금 급해서 그런데, 돗대 어딨어? 전화번호 끊겼더라."

"돗대? 그 새긴 왜?"

"설명하자면 길어. 언니는 그 인간 연락처 알 거 같아서."

수화기 저편에서 한숨 소리가 이어졌다. 그간 모를 사연이 찐득하니 묻어 있었다. 안 들어도 구구절절한.

"연락처 같은 소리 하구 있네. 그 새끼, 사고 쳤다가 제대로 걸려서 쪽박 차고 길바닥에 나앉았어. 내 그럴 줄 알았지. 뭔 일인지 모르지만, 그 새끼 근처에 얼쩡대지 마라. 똥 묻는다."

"그래도 연락할 방법이 있을 거 아냐. 지금 급하단 말이야!"

태경이 다급하게 소리쳤다. 또다시 이어지는 한숨.

"마지막으로 본 게 황학동 구제시장이었어. 거기서 무슨 사업을 한다던데. 사업은 염병. 아직 있을진 장담 못 해."

"고마워, 언니. 술 좀 작작 마셔. 가뜩이나 몸도 안 좋은데."

"니 걱정이나 해, 이년아. 빨리 종두 새끼 정리하고 새 인생 찾아. 하루라도 젊을 때. 금방 늙는다."

"안 그래도 그러려고. 나중에 또 전화할게."

태경은 전화를 끊고 황학동으로 향했다. 가슴에 비수처럼 품은 다이아몬드를 움켜쥔 채.

관왕을 모신 사당 뒷골목은 타임머신을 타고 모여든 잡동사니로 넘쳐났다. 임금이 드나들던 도로는 평민들로 넘쳐났고 도로변 노점상에는 도깨비방망이마저도 팔 것처럼 요상한 물건들로 가득했다. 사람들은 늦은 시각에도 쓸 만한 중고품을 건지려고 상점을 기웃거리고 있었다. 그 와중에 입심 좋은 장사치 하나가 후미진 모퉁이에서 귀 얇은 늙은이들을 꼬드기고 있었다.

"이것이 뭣이냐! 저 멀리 버마! 그중에도 사람 손이 안 닿는 맹그로브 숲. 그 맹그로브 숲에서도 시퍼런 벼락을 맞고 뒤진 고목에서만 산다는 귀하디귀한 나방. 바로 그 귀신 나방의 수액으로 만든 만병통치약이다 이 말이여. 버마 국왕이신 바수르 왕께서 매일 아침 이걸 드신 덕에 자식이 무려 스물네 명이여. 그렇다면 귀신 나방이라는 버러지가 뭔디 그놈 수액이 고로코롬 좋냐. 어르신들, 쪼까 어려운 말 좀 쓸랑게 귀 바짝 대고 잘 들으셔."

장사치는 수완 좋게 모여든 노인들을 쥐락펴락했다.

"파툼 칼큘라티오 호롤로기움!"

듣도 보도 못한 말에 가뜩이나 깊은 노인네들 주름이 더욱 짙어졌다.

"이것이 뭔 말이냐. 라틴어라고 들어보셨소? 양놈들 호랑이 담배 피던 시절 말인디 번역을 하자믄 이런 말이여. 시간을 되돌리는 호르몬이다 이거여. 저 멀리 미국의 FDA가 공식적으로 인증한 호르몬인디, 한마디로 이 병 안에 어르신들 회춘하게 만드는 호르몬이 어마무시하게 들어 있다 이런 말이여. 자, 한 번만 잡숴봐! 마누라 궁뎅이 보길 돌같이 하던 영감님, 담날 아침 칠첩반상 올라와! 두 번만 잡쉬봐! 2층 계단이 백두산 같던 어르신, 백두산이 내 집 뒷마당이여. 세 번만 잡쉬봐! 스무 살 영계가 영감님 탱탱한 궁뎅이에 반해서 따라온다 이 말이여!"

노인들이 장사치의 너스레에 박장대소를 터트렸다.

"그럼 이 위대한 약이 얼마냐! 단돈 만 원 한 장! 소주 한 잔 눈 딱 감으면 스무 살짜리 영계가 줄줄이 따라와!"

장사치의 언변에 혹한 노인들이 지갑을 꺼내 들고 있었다. 그때였다. 노인들을 비집고 태경이 등장했다. 태경은 맡겨 놓은 양 대뜸 약병 하나를 집더니 뚜껑을 땄다.

"호르몬은 얼어 죽을! 할아버지. 이거 활명수에 물 탄 거예요. 저 사기꾼 말 들을 시간에 할머니 수발이나 드세요."

태경이 산통을 깨자 줄줄이 자리를 떴다.

"잠깐! 이거 활명수 아니에요. 진짜 호르몬이라니까. FDA가 인증했다고!"

장사치가 매달렸지만 이미 노인들은 쏟아진 콩 모양으로 흩어진 후였다.

"천하의 돗대께서 이 뭔 꼬라진가? 서울 토박이라더니 사투리 구수하드만."

홀로 남은 태경이 매섭게 노려봤다.

"장사 망치니까 속이 후련하냐?"

돗대가 물건을 주섬주섬 챙기며 투덜댔다.

비록 가짜 약을 팔고 있었지만 돗대는 허우대가 멀쩡했다. 사십대 중반이었는데 잘생긴 외모에 몸매도 날렵했다. 기름 발라 넘긴 머리도 예사롭지 않았다. 척 봐도 예전에 한가락 한 외모였다. 하지만 옷은 죄다 시장 패션이었고 차고 있던 시계도 조잡한 짝퉁이었다.

"몸 팔아 모은 돈 해 처먹고도 잠이 오냐? 염병할 새꺄!"

태경이 다짜고짜 멱살을 잡으며 소리쳤다.

"해먹긴 누가 해먹어! 투자야! 엄연히!"

"투자 같은 소리 하고 있네. 니 덕에 수경 언니 길거리에 나앉게 생겼어! 이 엿 같은 놈아."

"갚으면 될 거 아냐!"

돗대가 밀치며 소리쳤다.

"가짜 약이나 파는 주제에 무슨 수로!"

"다 방법이 있어. 내가 이대로 끝날 거 같아? 나 돗대 김창수야. 한때 잠수함도 팔았던 대한민국 최고 브로커야! 어따 대구."

돗대는 약병을 쓸어 담더니 자리를 떴다. 그런데 달아나는 뒷모습이 한쪽 다리를 심하게 절고 있었다. 태경은 절룩거리는 돗대를 유심히 바라봤다.

"나한테 방법이 있다면 어쩔 건데."

돗대가 멈췄다.

"방법?"

"엿 같은 인생을 한 방에 역전할 방법."

태경이 씩 웃으며 말했다.

"너 같은 계집애가 무슨 수로. 지나가는 개가 웃겠다. 수경이한테 전해. 투자한 돈은 반드시 갚겠다고."

돗대가 다시 절룩대며 어디론가 향했다. 태경이 그 뒤를 쫓았다.

돗대가 향한 곳은 시장통 국밥집이었다.

허름한 국밥집에는 둥그런 드럼통 테이블이 대충 놓여 있었고 장사를 마친 상인들이 소주잔에 하루의 노고를 풀고 있었다. 돗대는 난로 옆에 자리를 잡았다.

"아줌마. 여기 국밥 하나랑 소주 한 병. 김치 좀 넉넉히 주고."

온종일 찬 바닥에서 바짝 언 돗대는 연신 난롯가에서 몸을 비볐다.

"아줌마. 여기 국밥 하나 추가!"

어느새 나타난 태경이 동석했다.

"거지 똥구멍에서 콩나물을 빼먹어라."

돗대가 손을 비비며 투덜댔다.

"하나 물어보자."

"또 뭐?"

아주머니가 양은 쟁반에 국밥 두 그릇을 내왔다.

"정말 잠수함을 팔았어?"

"쓸데없는 소리 말고 그거나 먹고 꺼져."

돗대는 허기진 배를 채웠다.

"중요해서 그래. 정말 잠수함을 팔았냐고?"

돗대가 숟가락을 멈추고 쳐다봤다. 그러더니 가방에서 뭔가를 찾았다. 한참을 뒤적거리던 돗대는 두툼한 사진첩 하나를 집어 들었다. 그리고 사진 한 장을 건넸다. 사진은 빛이 바랠 정도로 낡았는데 두 남자가 악수하는 모습이었다. 한 명은 금테 안경에 양복을 갖춰 입은 젊은 시절 돗대였고, 또 다른 한 명은 전통의상을 입은 인도인이었다. 그런데 두 사람 배경에 거대한 잠수함이 떠 있었다. 잠수함에는 구소련 국기가 선명하게 붙어 있었다.

"말도 안 돼."

돗대가 대꾸도 하지 않고 사진을 회수했다. 태경은 잠시 우걱우걱 국밥을 씹는 돗대를 바라봤다. 회심의 베팅 전 행운점을 치듯. 그리고 입을 열었다.

"나한테 다이아몬드가 하나 있어."

돗대의 숟가락이 또 멈췄다.

"엄청 큰 다이아몬드."

돗대가 숟가락을 내려놨다.

"얼마나 큰데?"

"한…… 48캐럿 정도."

돗대가 웃음을 터트렸다. 하도 떠나가라 웃어서 국밥집 사람들이 모두 돌아봤다.

"니가 허벌창이 되더니 정신줄 놨구나. 너 같은 창녀가 무슨 수로 48캐럿짜리 다이아를 구해. 차라리 이건희가 니 기둥서방이라 그래라. 미친년. 누굴 호구로 아나."

순간 태경이 품에 있던 다이아몬드를 꺼내더니 테이블에 내려났다. 다이아몬드가 유성이 떨어진 듯 광채를 뿜었다. 비아냥대던 돗대가 숟가락을 떨어뜨렸다. 돗대는 마법에 걸린 듯이 다이아몬드에 이끌려갔다. 떨리는 손으로 다이아몬드를 집으려는 순간이었다. 태경이 도로 집어넣는 것이었다. 그리고 천연덕스럽게 국밥을 먹었다.

"좀 싱겁네."

"너 그거 어디서 났냐?"

"어디서 났어."

"너 그게 뭔지 아냐?"

"존나 큰 다이아지. 뭐긴 뭐야."

태경이 후루룩 국물을 마셨다.

"여신의 눈물."

태경이 고개를 들었다.

"오빠가 어떻게 알아?"

"나 대한민국 최고 브로커 돗대 김창수야. 세상에 하나뿐인 다이아를 모르겠냐? 그거 원래 홍콩 갑부 월터 량이 마누라 주려고 구입한 건데 왜 니가 갖고 있어? 어디서 났냐고?"

돗대가 태경의 팔을 붙잡으며 다그쳤다.

"훔쳤다. 왜?"

태경이 뿌리치며 대답했다.

"누구한테."

"무지개파 무열이한테."

142

"니가 죽으려고 환장을 했구나. 너 무지개파가 어떤 애들인지 몰라? 잡히면 인생 종 치는 거야."

그러자 태경이 양 손목을 펼쳐 보였다. 깊숙한 자해 흉터가 고스란히 드러났다.

"내가 그딴 새끼들 무서워할 거 같아? 어차피 여기가 지옥이야. 죽는 거 따위 안 두려워. 마지막으로 한 번만 묻는다. 이거 팔 수 있어, 없어? 팔아만 주면 절반 딱 떼줄게."

태경의 갑작스러운 제안에 돗대는 선뜻 대답을 못 했다.

"90억이야. 각자 45억씩 나누는 거야. 45억 들고 이 지긋지긋한 땅 뜨는 거야? 자. 어쩔 거야? 할 거야, 말 거야?"

태경이 매섭게 몰아세웠다.

"그거 파는 게 쉬울 거 같아? 게다가 장물이잖아. 판다고 해도 제 값 못 받아."

"못 받아도 70억은 챙길 수 있어. 낄 거야, 말 거야?"

품속에 든 다이아몬드를 응시하던 돗대의 눈동자가 흔들리고 있었다. 그때였다. 갑자기 누군가 국밥집 문을 마구 두드리는 것이었다. 쿵쿵쿵. 두 사람은 반사적으로 돌아봤다. 누리였다. 누리가 다급하게 문을 두드리며 뭐라고 소리치고 있었다.

"저 또라이 새끼. 따라오지 말라니까."

"아는 애야?"

돗대가 물었다. 그때 누리가 문을 열며 소리쳤다.

"도망쳐! 나쁜 놈들이 와!"

아니나 다를까. 누리 너머로 한 무리의 남자들이 몰려오고 있었다. 무열의 졸개들이었다. 태경은 반사적으로 자리를 박차고 일어났다.

"아줌마! 뒷문이 어디야!"

태경이 주방으로 뛰어들며 물었다. 주방 아주머니가 얼떨결에 뒷문을 가리켰다. 뒷문은 좁은 골목과 연결되어 있었다. 태경은 반대편 도로를 향해 냅다 달렸다. 거의 대로에 도착하려던 순간이었다. 숨어 있던 주먹이 날아오더니 정통으로 태경의 얼굴을 가격하는 것이었다. 갑작스러운 습격에 태경은 휘청거렸다. 하지만 상대는 무자비했다. 머리끄덩이를 잡더니 일으켜 세우는 것이었다.

"미친년, 간땡이가 배 밖으로 나왔구나!"

무열이었다. 부하들은 정문에 배치해놓고 자신은 뒷문에서 매복하고 있었던 것이다. 무열은 사정없이 주먹세례를 퍼부었다. 피투성이가 된 태경이 피를 토하며 바닥에 주저앉았다.

"다이아 어딨어? 씨발 년아, 다이아 어딨냐고!"

무열이 먹살을 움켜쥐며 소리쳤다.

"여깄다. 가져가."

태경이 고분고분 품 안에서 다이아몬드를 꺼냈다. 무열은 유심히 태경의 손을 응시했다. 이윽고 뭔가를 꺼낸 태경은 만면에 미소를 지으며 펼쳤다. 그것은 다이아몬드가 아니었다. 태경의 가운뎃손가락이었다. 무열이 어이없다는 듯 침을 뱉었다.

"그래. 오늘 제대로 죽어보자. 근데 내가 열 받아서 고이 보내줄 순 없겠거든. 지옥 끝까지 가보자, 씨발 년아!"

무열이 뒤춤에서 사시미 칼을 꺼내더니 태경의 목에 들이밀려던 순간이었다. 어디선가 고함이 들려왔다. 으아아악. 고함은 순식간에 다가오더니 무열을 덮치는 것이었다. 누리였다. 누리가 온몸을 날려 무열의 목에 매달렸다.

"우리 올라 내버려 둬! 이 나쁜 놈아!"

누리는 매달린 채 무열을 마구 때렸다. 갑작스러운 공격에 무열은 당황했다. 등에 올라탄 누리는 마구잡이로 주먹을 날렸다. 덕분에 무열은 제대로 된 반격도 못 한 채 쓰러졌다. 그 틈에 정신을 차린 태경은 기회를 놓치지 않고 달아났다. 뒤늦게 상황을 파악한 부하들이 저편에서 달려오고 있었다. 하지만 눈치 없는 누리는 여전히 무열을 때리고 있었다. 달아나려던 태경은 순간 멈칫했다. 이대로 도망칠 수 있었지만, 발이 떨어지지 않았다. 티끌 같은 양심이 그녀의 발을 잡고 놓아주지 않았다. 결국, 태경은 발길을 되돌렸다.

"그만하고 따라와! 멍충아!"

태경은 누리를 끌고 미친 듯이 달렸다. 한발 늦게 도착한 부하가 무열을 부축했다.

"형님. 괜찮으십니까?"

"뭐하고 있어, 새꺄! 빨리 쫓지 않고!"

부하들이 태경을 쫓기 시작했다.

태경과 누리는 장이 파해 스산한 시장통을 정신없이 달렸다.

그 뒤를 무열의 부하들이 쫓았다. 어둠이 내린 골목에 살벌한 추격전이 펼쳐지고 있었다. 거의 시장을 벗어날 즈음이었다. 반대편 시장 입구에 한 무리의 승용차들이 나타났다. 차들은 입구를 막아서더니 지원군을 쏟아내는 것이었다. 수십 명의 어깨들이 양편에서 조여 왔다.

"이쪽으로!"

태경이 누리를 끌고 건물 사이로 난 좁은 골목으로 달려들었다.

두 사람은 젖 먹던 힘을 다해 달아났지만 단련된 덩치들을 따돌리기엔 역부족이었다. 달리면 달릴수록 간격이 좁혀지고 있었다. 번번이 골목을 바꾸며 도망쳤지만, 가까워질 뿐이었다. 숨이 턱까지 차올랐다. 지친 허파는 연신 구조 신호를 보냈고 졸개들은 지척까지 쫓아왔다. 잡히기 일보 직전이었다. 폭풍우 속의 등대처럼 두 개의 헤드라이트가 나타났다. 낡은 봉고차였다. 봉고는 졸개들을 향해 정면으로 돌진했다. 갑작스러운 봉고의 등장에 부하들은 양옆으로 피할 수밖에 없었다. 어깨들을 홍해처럼 가르고 나타난 봉고는 태경과 누리 앞에 멈췄다.

"빨리 타!"

돗대였다. 그가 운전대를 잡은 채 소리쳤다. 태경은 재빨리 봉고에 올라탔다. 하지만 누리는 어리둥절해서 보고만 있었다.

"뭐해! 타지 않고."

태경이 소리치자 그제야 누리가 올라탔다. 그러자 봉고가 요란한 타이어 마찰음을 내며 출발했다. 뒤늦게 졸개들이 쫓았지만 이미 봉고는 어둠 저편으로 사라지고 난 후였다.

간신히 목숨을 구한 세 사람은 놈들의 사정거리에서 멀어지기 위해 무작정 달렸다. 태경은 연신 뒤를 살피며 추격자가 있는지 확인했다. 다행히 쫓는 이는 없었다. 저승 문턱에서 발을 빼자 자연스레 한숨이 흘러나왔다. 하지만 아직 안심할 순 없었다. 무열이 추격을 포기할 리 만무했기 때문이다.

"나한테 목숨 한 개 빚졌다."

돗대가 백미러를 보며 말했다.

"빚 같은 소리 하구 있네. 날 구한 게 아니라 다이아를 구한 거겠지."

태경이 쏘아붙였다.

"기껏 구해줬더니 말 한번 이쁘게 한다. 근데 쟨 누구야? 왜 따라다니는 거야?"

그제야 태경이 누리를 돌아봤다.

"나도 몰라. 오늘 첨 봤는데 계속 쫓아다녀."

누리는 무슨 좋은 일이 있는지 싱글벙글이었다.

"넌 뭐가 좋아서 히죽대냐?"

"우리가 다시 만났잖아."

"돌아버리겠군."

태경이 기가 막힌다는 듯 웃었다. 그런데 누리 얼굴에서 피가 흐르고 있었다. 조금 전 무열과의 격투에서 긁힌 상처였다.

"가만있어 봐."

태경이 손수건을 꺼내 피를 닦아주었다. 누리는 어머니의 보살핌을 받는 아이처럼 순순히 얼굴을 내주었다. 태경은 상처를 닦으며 처음으로 누리를 온전히 바라봤다. 비록 꾀죄죄한 몰골을 하고 있었지만 눈은 석탄 속에 숨겨진 다이아몬드처럼 빛났고 코는 뒷동산처럼 앙증맞았다. 그리고 이 세상 것이 아닌 것처럼 순수한 미소를 짓고 있었다. 태경은 어쩐지 이 멍충이가 싫지 않았다. 그렇게 두 사람은 만남의 마중물을 조심스럽게 붓고 있었다.

"네 덕에 인생이 막장으로 가는구나."

눈치 없이 돗대가 투덜댔다.

"내 덕에 일생일대의 기회를 잡은 줄 알아. 수경 언니 돈도 갚아야 할 거 아냐. 다이아 팔 생각이나 해."

셋을 태운 봉고는 시내를 빠져나가고 있었다.

"팔 데는 있는 거야?"

태경이 물었다.

"한 군데 판로가 있긴 한데."

"뭐가 문제야?"

"리스크가 장난 아니라는 거지."

"여기서 더 위험해봤자지."

"호랑이 피하려고 여우 굴로 들어가는 꼴이랄까."

빨간불로 바뀌었지만 돗대는 그대로 통과했다.

"누군데?"

"남대문 티파니 곽 사장……."

"그게 누군데?"

"백 년 묵은 여우지."

봉고차는 남산로를 지나 긴 터널로 진입하고 있었다.

"어디 가는 거야?"

태경이 의자에 몸을 묻으며 물었다.

"낸들 아냐. 일단 달리고 보는 거야."

"오빠 집으로 가자. 배도 고프고 추워."

"내가 집이 어딨냐. 이 차가 내 전 재산이야."

"그럼 여관방이라도 잡든가."

돗대가 브레이크를 밟았다.

"방 잡을 돈이 어딨어? 니 덕에 오늘 장사 공쳤는데."

"그럼 이 똥차에서 밤새우자고? 이 추위에?"

"아님, 길바닥에서 잘래?"

답답한지 돗대가 담배를 물었다. 그때 이제껏 잠자코 있던 누리
가 입을 열었다.

"우리 집에 가면 돼."

모두 놀란 눈으로 누리를 바라봤다.

"너…… 집이 있어?"

태경이 못 믿겠다는 듯 물었다. 그러자 누리가 당연하다는 듯 고
개를 끄덕였다.

누군가 칵테일을 만든 듯 낙원상가 옥상에 레몬처럼 달이 꽂혀
있었다. 상점들은 모두 닫았지만, 가슴에 단 간판들은 훈장처럼 빛

나고 있었다. 자정이 넘은 시각 상가 깊은 곳에 있던 누리의 집에는 처음으로 손님이 방문하고 있었다.

"너 지금 장난하냐?"

태경이 어이없다는 듯 말했다.

"이게 노숙이랑 뭐가 달라."

사실 누리의 집은 정상적인 집이라고 하기엔 어폐가 있었다. 지하 주차장 구석에 버려진 파티션으로 벽을 세우고 잡동사니로 가재도구를 마련한 것이 전부였다. 태경은 입구라고 하기에도 허접스러운 문 앞에서 발길을 돌리려 했다.

"나름 아늑하구만. 난로도 있고."

돗대가 선뜻 집 안으로 들어서며 말했다. 집 한가운데는 홍 영감네 고물상에서 주워온 난로가 놓여 있었고 주위를 빙 둘러 폐박스가 깔려 있었다. 거기에 찬 바람을 막아주는 파티션까지. 추위를 견디기엔 충분했다. 누리는 신이 나서 난로에 장작을 땠다. 불붙은 신문지를 난로 입에 넣자 스멀스멀 불꽃이 올라왔다. 한 평도 안 되는 작은 공간에 따뜻한 온기가 퍼졌다.

"쌩박히기도 딱이네. 여기 있는 걸 상상이나 하겠냐?"

나름 일리 있는 말이었다. 태경은 마지못해 집 안으로 들어섰다.

"신발 벗어야지."

누리가 말했다.

"가지가지 하네."

태경이 마지못해 신을 벗었다.

"배고프지?"

"먹을 거 있냐?"

돗대가 물었다.

"당연하지. 집인데."

누리가 기다렸다는 듯 구석에 있던 미니 냉장고로 향했다. 고릿적 '골드스타' 로고가 붙어 있던 냉장고는 전원도 연결되어 있지 않았다. 하지만 문을 열자 인스턴트식품들이 가득 들어 있었다. 비상시를 위해 준비해둔 식량이었다. 평소에는 아까워서 손도 안 대는 거지만 오늘은 아낄 생각이 없었다. 처음으로 손님이 방문한 것이다. 게다가 손님은 다름 아닌 올라였다. 누리는 만찬을 준비하기 위해 이것저것 골랐다. 그때 개 한 마리가 어슬렁어슬렁 들어왔다.

"왔구나, 누렁아. 배고프지."

누리가 참치 통조림 하나를 따더니 바닥에 두자 누렁이가 허겁지겁 먹었다.

"꼴에 갖출 건 다 갖췄네."

돗대가 누렁이를 보며 중얼댔다.

"쫌만 기다려. 라면 끓여줄게."

누리는 라면 물을 받기 위해 화장실로 향했다. 그사이 돗대는 냉장고를 둘러봤다. 참치 통조림, 햄, 햇반 등 나름 쓸 만한 것들이 들어 있었다. 돗대는 햄 하나를 꺼내 태경에게 던졌다. 태경은 의심스럽다는 듯 포장을 확인했다.

"이럴 줄 알았지. 이거 유통기한 한참 지난 거야."

태경은 라면도 살폈다.

"심지어 라면도 유통기한 지났어."

"먹어둬. 안 죽어."

돗대는 상관없다는 듯 캔을 따서 게걸스럽게 먹었다. 하지만 태경은 손도 대지 않았다. 그사이 라면 물을 받은 누리가 돌아왔다.

누리는 냄비를 난로 위에 올려놓더니 햄과 참치 등을 손질했다.

이윽고 물이 끓자 수프와 면을 넣었다. 거기에 햄과 참치를 보태자 진수성찬 부럽지 않은 요리가 탄생했다. 비록 주차장 귀퉁이에 기댄 허접스러운 공간이었지만 푸근한 난로와 라면 냄새가 퍼지자 여느 부잣집 부럽지 않은 아늑함이 가득했다.

"자, 먹자!"

드디어 라면이 완성되자 누리가 내왔다. 오래된 전화번호부를 깔개 삼아 냄비를 놓고 종이컵과 나무젓가락을 돌렸다. 돗대는 못 참겠다는 듯 라면을 한 움큼 집었다.

"와! 너, 라면 가게 차려도 되겠다."

돗대 입에서 감탄사가 터져 나왔다. 하지만 태경은 새침하게 돌아서 거들떠보지도 않았다.

"왜 안 먹어?"

누리가 물었다.

"너 이거 어디서 났어? 쓰레기통에서 주웠지?"

"아니야!"

"그럼 어디서 났는데? 유통기한 한참 지났드만."

"구멍가게 아줌마가 준 거야. 얘네는 늙어서 팔 수 없다면서. 그래도 먹을 수 있댔어."

"너나 많이 먹어. 난 됐으니까."

그러자 누리가 라면을 푸짐하게 담더니 내밀었다.

"먹어봐. 맛있어."

"됐나니까"

태경이 손사래를 쳤지만 누리는 성배라도 되는 양 그릇을 든 채 기다렸다. 때마침 눈치 없는 태경의 위장이 비명을 질렀다.

꼬르륵. 사실 태경은 종일 굶었던 것이다. 조금 전 국밥도 겨우 한 입만 뜨고 고스란히 남기고 도망쳐야 했다. 거부할 수 없는 라면 냄새가 코를 고문했다. 결국, 태경은 못 이기는 척 그릇을 받아 들었다.

"배탈 나면 다 니 책임이야."

태경이 크게 한입 물었다. 라면은 신음이 날 정도로 기가 막혔다. 황제의 만한전석 부럽지 않을 정도로 훌륭했다. 태경은 체면도 잊은 채 폭풍 흡입을 시작했다. 그런 태경을 누리는 흐뭇하게 바라봤다.

"넌 왜 안 먹어?"

태경이 먹다 말고 물었다. 누리는 냄비 바닥이 드러나도록 손도 대지 않고 태경을 바라보고 있었다.

"이거 상한 거 맞지? 그래서 안 먹는 거지?"

태경이 의심스러운 듯 그릇을 내려놓으며 물었다.

"으이그, 이 바보야."

옆에 있던 돗대가 태경 머리를 쥐어박았다.

"아 씨. 뭐?"

"싸가지 없는 게 눈치도 젬병이에요."

잠시 후 유통기한을 반년 가까이 넘긴 햇반까지 말아먹은 두 사람은 행복한 한숨을 내쉬며 젓가락을 내려놨다.

"내가 먹은 라면 중 최고가 유통기한 지난 라면이라면 사람들이 믿을까."

돗대가 배를 두드리며 말했다.

세 사람은 말없이 난롯불을 응시했다. 누리의 집에는 기묘한 아늑함이 감싸고 있었다. 누더기를 기워 만들었지만, 세상 포근한 담요처럼.

"넌 아까부터 왜 자꾸 히죽대냐?"

누리의 미소는 해바라기처럼 태경을 따라다녔다.

"누가 우리 집에서 밥 먹은 거 오랜만이야."

그 말에는 해맑은 슬픔이 묻어 있었다. 추운 겨울밤 창 너머 벽난로를 물끄러미 바라보는 듯한.

"집은 얼어 죽을."

말은 그렇게 했지만, 태경도 정체불명의 감정이 가슴을 메우고 있었다. 어린 나이에도 불구하고 불행을 달고 살았던 태경에게 누리의 진심 어린 한 끼는 알 수 없는 감동이었다. 그리고 그 감동은 태경이 눈치채지 못한 내면에 지각변동을 일으키고 있었다. 하지만 난롯가엔 아직 여진이 전해지지 않았다.

어느새 돗대는 곯아떨어져서 코를 골고 있었다. 누리와 태경은 말없이 난로를 바라보고 있었다. 그렇게 가난하지만 아늑한 침묵이 난롯가를 메웠다.

"올라라는 애…… 나랑 닮았니?"

태경이 문득 생각난 듯 물었다.

누리가 땔감을 넣다 말고 바라봤다.

"니가 올라야."

태경은 고개를 저었다.

"내 이름은 태경이야. 나도 맘에 안 들지만."

"아니. 니 이름은 올라야. 몽낭족 올라."

"몽낭족?"

장작이 타닥타닥 기분 좋게 타오르고 있었다.

"난 츄위샤이족의 부치하난."

"츄위…… 뭐?"

"츄위샤이족의 부-치-하-난."

"그게 다 뭐야? 몽낭족은 뭐고 부치하난은 뭐야?"

그러자 누리가 의미심장한 눈으로 바라봤다.

"얘기해줄까?"

"뭐 특별히 할 것도 없잖아."

태경이 선심 쓰듯 말했지만 내심 궁금했다. 그러자 누리가 자세를 고쳐 앉았다.

"잘 들어. 이 이야기는 아주 오래된 이야기고 두 번 다시 들을 수 없을 테니까."

누리의 목소리가 어딘지 영봉 도사를 닮아 있었다. 누리가 깊이 심호흡을 했다. 마치 고래가 잠수하기 전 허파 가득 공기를 채우는 것처럼. 그리고 자맥질을 하듯 이야기를 시작했다.

"아주 먼 옛날. 저 멀리 낙타도 갈 수 없이 깊은 사막에 츄위샤이라는 부족이 살았어……."

이야기가 시작되자 전설을 머금은 대륙의 바람이 웅- 소리를 내며 난롯가를 감쌌다. 누리는 부치하난의 우물에 관해 자세히 설명했다. 마치 직접 겪은 일처럼 생생하게 전했다. 부치하난이 얼레지 꽃을 보며 울 때는 함께 눈물을 흘렸고, 올라와 최후를 맞이할 땐 같이 피를 흘렸다. 그렇게 이야기는 사막에 내린 첫눈을 맞으며 끝이 났다.

"얼음이 된 두 사람은 다음 날 아침 녹아서 사라졌대. 그리고 그 자리에 우물이 생겼대. 그 우물에선 지금도 맑은 물이 나온대. 사람들은 그 우물을 '부치하난의 우물'이라고 불렀대."

이야기가 끝났지만 두 사람은 여운에서 빠져나오지 못했다. 전설을 머금은 모래바람이 코밑을 스치고 있었다.

"그러니까 내가 그 올라다……."

누리가 고개를 끄덕였다.

"왜? 이 많은 사람 중에 왜 하필 나야?"

그러자 누리가 태경의 목에 매달린 뼈 목걸이를 가리켰다.

"내가 바람한테 부탁했거든. 올라한테 전해달라고."

누리가 종이비행기를 날리는 시늉을 했다. 투명 비행기는 누리의 손을 타고 태경의 목걸이에 도착했다.

"그러니까 이 뼛조각 때문이라는 거야?"

누리가 단호하게 고개를 끄덕였다.

"부치하난과 올라를 만나게 해준 게 바람이잖아."

태경은 누리를 뚫어지게 바라봤다. 상대방의 패에서 숨은 조커를 골라내듯. 하지만 누리의 눈에 숨긴 패 따윈 없었다. 한없이 투명한 진심 덩어리만이 가득했다.

"푸하하하하!"

태경은 주차장이 떠나갈 듯 웃어댔다.

"너 정말 바보구나. 전설? 부치하난? 그딴 헛소리를 나보고 믿으라고?"

"헛소리 아니야!"

누리가 벌떡 일어서며 소리쳤다. 메아리가 주차장 벽을 타고 멀어져갔다.

"정말이야. 난 거짓말 안 해!"

그러자 태경이 웃음을 멈추고 누리에게 바짝 다가갔다.

"나도 거짓말 따위 하지 않아. 그러니 지금부터 내가 하는 말 잘 들어, 멍청아. 난 지금까지 네가 상상도 못 할 일을 겪었어. 지금까지 당했던 일을 얘기하면 넌 이 자리에서 오줌을 질질 쌀 거야. 엿같은 인생을 살면서 내가 뭘 느낀 줄 알아? 이 세상에 만질 수 없는 건 절대 믿어선 안 된다. 내 눈으로 보지 않은 건 절대 믿어선 안 된다. 왜 그런지 알아? 그딴 건 팔자 좋은 새끼들이 만들어낸 헛소리니까. 사랑, 꿈, 희망. 그딴 건 개나 줘버려. 그러니 두 번 다시 내 앞에서 전설이니 사랑이니 헛소리하지 마. 알았어?"

태경의 눈에서 서릿발이 매섭게 몰아쳤다. 하지만 누리는 꿈쩍도 하지 않았다.

"아니야. 사랑은 있어."

"어딨는데? 그 빌어먹을 사랑. 보여줘 봐!"

그러자 누리가 웃옷 단추를 풀더니 맨가슴을 펼쳤다. 누리의 앙상한 맨살이 드러났다.

"만져봐!"

갑작스러운 누리의 행동에 태경이 움찔 물러섰다.

"뭐?"

"만져보라고."

누리가 태경의 손을 잡더니 자신의 가슴에 가져갔다. 누리의 여린 피부를 타고 작은 심장박동이 울렸다. 두근두근. 비록 작고 희미한 박동이었지만 묘한 전율이 전해지고 있었다. 그리고 어느새 태경의 심장과 하나가 되어 줄넘기하듯 함께 뛰고 있었다.

"있지? 사랑."

누리는 옷을 여미더니 자리를 박차고 나섰다. 입가에 미소가 떠날 줄 모르던 누리는 잔뜩 화가 나 있었다. 덜컹덜컹. 누리의 워커 소리가 쓸쓸하게 주차장 저편으로 멀어져갔다. 태경은 그런 누리의 뒷모습을 응시했다.

"이상한 놈이야."

태경은 어이가 없다는 듯 돌아누웠다. 하지만 그녀의 손바닥에는 아직도 누리의 심장박동이 남아 있었다. 영원히 지워지지 않는 고래의 체취처럼.

"고래의 후손…… 웃기고 있네."

태경은 타닥타닥 타들어 가는 난로를 보며 스르르 잠이 들었다.

그날 밤 태경의 꿈에 고래가 나타났다. 새하얀 고래는 사막을 바다처럼 유영하고 있었는데 등에 태경이 타고 있었다. 태경은 한 번도 고래를 본 적 없었지만, 무섭거나 낯설지 않았다. 오히려 친숙하게 느껴졌다. 마치 오래전 떠나보낸 피붙이처럼. 태경은 로데오를 하듯 고래를 타고 사막을 헤엄쳤다. 비록 꿈이었지만 처음으로 느끼는 자유였다. 신나게 사막을 달리던 태경은 숨을 돌리기 위해 고래를 쓰다듬었다. 그런데 고래의 눈이 누군가와 닮아 있었다. 바보스러울 정도로 순수한 누군가의 눈을.

"태경아…… 태경아…….'

누군가 태경을 부르고 있었다.

"야! 일어나!"

태경은 눈을 떴다. 어느새 떠날 채비를 끝낸 돗대가 빤히 내려다보고 있었다.

"뭔 일이야? 꼭두새벽부터."

태경이 부스스 일어나며 물었다.

"다이아몬드 팔자며."

돗대가 먼저 주차장을 나섰다.

"어디 가는데?"

태경이 따라나서며 물었다.

하지만 돗대는 대답 않고 봉고에 올랐다. 태경도 뒤따라 차에 올랐다. 그런데 누리의 모습이 보이지 않았다.

"그 녀석은?"

돗대가 시동을 걸며 물었다.

"됐어. 그냥 가."

그럴 줄 알았다는 듯 돗대가 출발을 하려는데 저만치서 누리가 달려왔다. 참전이라도 하듯 큼지막한 배낭을 둘러메고 있었다.

"출발하라니까."

태경이 말했다.

"잠자리에 밥까지 얻어먹었는데 고맙다는 인사 정도는 해야 하는 거 아니냐?"

"인사는 얼어 죽을."

벌컥 차 문이 열리며 누리가 탔다.

"가자!"

누리가 해맑게 소리쳤다. 그제야 돗대가 차를 출발시켰다.

"믿을 만한 거야? 곽 사장이라는 인간."

"이 바닥에서 믿을 인간은 단 한 사람뿐이야. 나 자신. 그 정도는 깨칠 때가 되지 않았나? 중요한 건 그 다이아를 살 수 있는 사람이 곽 사장뿐이라는 거지."

낡은 봉고는 러시아워를 뚫고 종로로 향했다.

첫 번째 징조

"걱정 마십시오, 형님. 거래는 잘 마무리됐습니다. 물건도 확인했고 하우 형님도 잘 모시고 있습니다."

무열은 태연한 척 통화를 했지만 연신 다리를 떨어댔다.

"다이아는 잘 전해줬겠지?"

보스가 물었다. 무열은 정곡을 찔린 듯 움찔했지만 이내 냉정을 되찾았다.

"물론입니다. 보안 가방에 담아 고이 전해드렸습니다."

"수고했어. 여기 일도 거의 끝나가니 내일 저녁에 올라갈 거야. 하우한테 같이 한잔하자고 전해."

순간 무열이 벌떡 일어섰다.

"아닙니다. 여기 일은 제가 잘 마무리할 테니 형님은 더 쉬다 오십시오."

"아니야. 오랜만에 먼 길을 왔는데 얼굴이라도 봐야지. 저녁 만찬 준비해놔. 하우가 좋아하는 일식으로."

"네. 알겠습니다."

전화를 끊는 무열의 얼굴이 사색이었다. 담배를 물려 했지만 손이 떨리는 통에 떨어뜨리고 말았다. 무열은 분을 참지 못하고 담뱃갑을 집어 던졌다.

"그 새끼는?"

무열이 부하에게 소리쳤다.

"넣어둔 지 30분 정도 됐습니다."

무열은 시계를 확인하더니 건물 안으로 들어섰다.

그가 향한 곳은 시내의 한 얼음 창고였다. 널찍한 창고 가득 사각 얼음덩어리들이 성벽처럼 쌓여 있고 그 주위를 하얀 냉기가 감싸고 있었다. 무열은 얼음을 지나 또 다른 문으로 들어섰다. 그곳은 사무실로 사용되는 방이었는데 두 명의 졸개가 아이스크림 전용 냉장고에 걸터앉아 담배를 피우고 있었다.

"오셨습니까?"

무열이 등장하자 졸개들은 담배를 비벼 껐다.

"애 상태는?"

"방금 전까지 살려달라고 칭얼대더니 조용해졌습니다."

"꺼내봐."

무열이 지시하자 졸개들이 아이스크림 냉장고 문을 열고 안에 있던 누군가를 끄집어냈다. 누군가는 냉동 참치처럼 하얗게 성에를 뒤집어쓰고 있었는데 간신히 숨만 붙어 있었다.

"사……살려주십쇼…… 형님……."

포주 종두였다. 뼛속까지 얼었는지 파르르 떨리는 입에서 김이 새 나왔다.

"니 계집이 무슨 짓을 했는지 알고 있니?"

무열이 바짝 다가앉으며 물었다.

"대충…… 얘기는 들었습니다……."

"그게 얼마짜린지 아니?"

종두가 고개를 저었다. 그러자 무열이 종두의 손을 부드럽게 잡았다.

"너 내가 어떻게 우리 파 이인자가 됐는지 아니?"

무열이 뒤춤에서 사시미 칼을 빼 들었다.

종두 몸에서 녹은 성에와 함께 공포가 뚝뚝 떨어졌다.

"난 원래 요리사가 되려고 했어. 전공이 잘 안 맞았거든. 요리사 중에서도 일식 요리사가 되려고 했지. 자격증까지 땄어. 그런데 건달이 됐다. 요리사나 건달이나 칼 쓰긴 마찬가지잖아. 그러던 어느 날이었어. 형님이 다구리를 당한 거야. 천호동 새끼들이 뒤통수를 친 거지. 다섯 군데 찔렸고 3일 만에 깨어나셨어. 죽다가 살아난 거지. 그때 깨달았어. 다시 요리사가 돼야겠다. 그래서 이 칼을 들고 천호동으로 갔어. 그리고 형님을 깐 새끼를 잡아서 회를 떴지. 배운 그대로 말이야. 머리부터 발끝까지 한 점도 안 버리고. 그걸 그날 저녁 형님 상에 올렸어. 지금 너처럼 싱싱하게 얼려서 말이야. 그리고 다음 날 눈을 떠보니 이인자가 돼 있더라."

순간 무열이 종두의 새끼손가락을 잘랐다. 비명이 얼음 창고에 울려 퍼졌다. 무열은 자른 손가락을 입에 넣더니 우걱우걱 씹어 먹었다.

"사……살려주십쇼. 형님."

"지금부터 내가 하는 말에 잘 대답해야 할 거야. 아니면 오늘 형님 저녁상에 올라갈 테니까. 그년…… 지금 어딨어?"

종두의 바짓가랑이가 축축이 젖어 있었다. 그 와중에도 종두는 태경의 행방을 머릿속으로 수소문하고 있었다.

"어딨는지는 모르겠는데……."

"아직도 정신을 못 차렸네."

무열이 또 다른 손가락을 자르려 했다.

"그년을 찾을 방법이 있습니다."

무열이 칼을 멈췄다.

곽 사장은 보석계의 대부였다.

우리나라에서 거래되는 보석의 절반은 곽 사장의 손을 거쳤다. 그중에도 다이아몬드는 거의 전부라고 해도 과언이 아니었다. 종로와 강남의 보석상 중 그를 통하지 않고 결혼반지를 구할 수 있는 사람은 없었다. 하지만 그건 곽 사장의 수입원 중 일부에 지나지 않았다. 곽 사장의 주 수입원은 국내에 반입되지 않는 진귀한 보석이었다. 케냐에서 발굴된 56캐럿짜리 에메랄드 원석, 마리 앙투아네트가 대관식 때 찼던 블루 다이아몬드 등 뉴스에서나 볼 수 있는 엄청

난 시가의 보석들을 밀거래하고 있었다. 주 고객은 재벌가와 국내외 유명인들이었다. 그중에는 사우디아라비아 왕실과 할리우드 스타도 있었다. 그만큼 굉장한 인맥을 자랑했다. 그런 곽 사장에게 호화로운 취미가 있었다.

"레인보우 컬렉션."

돗대가 의미심장하게 말했다.

"그게 뭔데?"

"일곱 빛깔 다이아몬드."

봉고는 종각을 지나 명동으로 방향을 틀었다.

"사람들은 다이아몬드가 투명한 백색이라고 생각하지만 아니야. 모든 다이아몬드는 저마다 독특한 빛깔을 지니고 있어. 핑크에서 연보라까지. 빨주노초파남보. 일곱 가지 색깔 다이아몬드를 모으는 걸 레인보우 컬렉션이라고 해. 보석 좀 안다 하는 부자들 취미중 최고지. 그런데 전 세계 부호 중 컬렉션을 완성한 사람은 몇 명되지 않아. 왜인 줄 알아? 마지막 일곱 번째 다이아. 보라색 다이아를 구하는 게 하늘의 별 따기기 때문이야. 물론 1, 2캐럿짜리는 많지. 하지만 부호들이 노리는 건 10캐럿 이상짜리 다이아몬드야."

"설마……."

태경이 품 안에 있던 다이아를 꺼내 햇빛에 비추어봤다. 아침 햇살이 다이아 커팅 면을 타고 반사됐다. 그런데 놀랍게도 다이아를 뚫고 나온 빛깔은 연보라색이었다.

"그래. 세상에서 제일 큰 연보랏빛 다이아몬드. 여신의 눈물이야."

태경의 입가에 미소가 떴다.

"그렇게 대단하면 더 받을 수 있겠네."

"까불지 마. 네 상대는 백 년 묵은 여우야. 최대한 설득해서 팔 생각만 해. 가격은 곽 사장이 결정할 거야."

봉고는 명동을 지나 남대문 시장으로 들어섰다.

"근데 네 상대라니?"

"난 못 가."

"너 또 무슨 꿍꿍이야? 이제 와서 발 뺄 셈이야?"

돗대가 차를 멈췄다. 그리고 자신의 오른발을 보닛에 올렸다. 그러자 바지에 가려졌던 속살이 드러났다. 돗대의 오른발은 의족이었다. 생기 없는 누런 플라스틱이 허수아비처럼 다리에 붙어 있었다.

"내 다리를 이 꼴로 만든 게 곽 사장이야."

차 안 공기가 무거워졌다.

"그래서 어쩌라고. 백 년 묵은 여우를 나 혼자 상대하라고? 지금 장난해?"

"지금부터 내가 하는 얘기 잘 들어."

봉고가 다시 움직이기 시작했다. 봉고는 오전 장사를 준비하는 남대문 상점들을 빠르게 지나쳤다.

"곽 사장 사무실은 저기 보이는 남대문 보석 건물이야. 남대문 티파니라고 불리는 곳이지. 만 원짜리 짜가에서부터 10억짜리 진품까지 없는 게 없어. 국내에 들어오는 원석이 거래되는 곳이기도 하지."

"이런 젠장!"

태경이 재수 없다는 듯 내뱉었다. 건물은 바로 태경이 주기적으로 소매치기하던 곳이었다. 한번 들쑤신 벌집을 다시 터는 꼴이었다.

"왜? 문제 있어?"

"아니. 계속해."

"곽 사장을 만나려면 우선 '오 이사'라는 놈을 만나야 돼. 척 보기만 해도 볼따구니에 욕심이 줄줄 흐르는 놈이지. 돈이 되는 곳이라면 똥통이라도 빠질 놈이야. 하지만 오 이사는 곽 사장이 가장 신뢰하는 심복이야. 왜냐면 보석 감정에서 오 이사를 따라갈 자가 없거든. 고가의 거래품은 반드시 오 이사의 손을 거쳐. 백발백중이지. 그런데 이놈이 돈 말고 환장하는 게 있어. 바로 마작이야."

"마작?"

"중국식 카드놀이 같은 거야. 놈은 하루라도 마작을 안 하고는 살 수 없어. 그래서 놈과 거래를 트려면 반드시 마작판에 끼여야 돼. 기본 판돈은 천만 원. 중요한 건 매번 놈이 이긴다는 거야."

"타짠가?"

"아니. 좋은 물건을 선점하려면 놈의 비위를 맞춰야 하거든."

"일부러 져준다는 거군."

"그렇지."

"그래서 어쩌라고. 나도 마작판에 껴야 한다는 거야?"

돗대가 가방에서 명함집을 꺼냈다. 사전만큼 두꺼운 명함집에는 수백 장의 명함이 꽂혀 있었는데 그중 한 장을 꺼내 들었다.

"이걸 가져가."

명함은 앞뒤 모두 금박으로 싸여 번쩍번쩍 빛났는데 가운데 이름 하나만 덩그러니 쓰여 있었다.

이정희

"이게 누구야?"

"곽 사장 최고의 고객이야. 이름만 대면 아는 재벌 집 마나님이지. 보석이라면 환장을 하는 여자야. 숟가락에서부터 샹들리에까지 전부 보석으로 도배를 했다더군. 그 명함이면 오 이사를 만날 수 있을 거야. 일단 만나면 마작이 끝날 때까지 기다려. 중간에 끼어들었다가는 쫓겨날 수도 있으니까. 판이 끝나면 다이아를 보여줘. 워낙 선수라 척 보는 순간 진위를 가려낼 거야. 만약 그게 진품이면 놈이 수작을 걸어올 거야. 어디서 났느냐. 경찰에 안 꼰지른 걸 다행으로 알아라. 적당히 쳐줄 테니 나한테 넘겨라 등등. 하지만 절대 넘어가선 안 돼. 그럼 마지막에 물어볼 거야. 원하는 게 뭐냐고. 그럼 얘기해. 곽 사장을 만나게 해달라고."

봉고는 어느새 건물 입구에 도착해 있었다.

"명심해. 곽 사장을 만나면 절대 거래하려고 들지 마. 곽 사장은 이미 다 알고 있을 거야. 네가 이걸 누구한테 훔쳤고 자기 이외에 매각할 곳이 없다는 걸. 그러니 잠자코 곽 사장이 주는 대로 받아. 대신 한 가지 조건을 걸어. 이 자리에서 현금으로 달라고 해. 만 원

권으로. 알겠어?"

"만약 일이 틀어지면?"

"다이아만 챙겨서 튀어. 너 그런 거 전문이잖아."

돛대가 봉고를 건물 입구에 세웠다.

"2층에 가면 '명보사'라는 오래된 간판이 보일 거야. 오 이사가 운영하는 보석 가게야."

태경이 품속의 다이아를 확인했다. 주먹만 한 다이아는 아기처럼 곤히 잠들어 있었다.

"뒷문에서 시동 걸어놓고 기다려."

태경이 결전에 나서듯 비장하게 내렸다. 그러자 바늘에 실 가듯 누리가 뒤따랐다.

"어딜 따라와! 넌 여깄어."

"싫어! 따라갈 거야."

"태경이 말 들어. 네가 낄 자리가 아니야."

돛대가 누리의 팔을 잡았다. 누리는 두 사람을 번갈아 바라봤다.

두 사람 모두 단호하게 고개를 저었다. 코뿔소도 멈출 수 없는 누리였지만 이번만은 어쩔 수 없었다.

"무슨 일이 생기면 마음속으로 날 불러. 그럼 내가 갈게."

누리가 태경의 목걸이를 툭 건드리며 말했다. 누리의 말에는 묘한 힘이 실려 있었다. 지구 끝까지라도 달려와 구해줄 것 같은. 하지만 태경은 도움 따윈 필요 없다는 듯 피식 웃더니 건물로 향했다. 그런 태경을 누리는 끝까지 지켜봤다. 걱정 가득한 눈으로.

이제 막 문을 연 보석상은 벌써 손님들로 북적였다. 오늘은 원석 경매가 있는 날이었다. 전국 각지에서 도매상들이 보석을 사기 위해 온 것이다. 태경은 조심스럽게 보석상들을 지나 2층으로 향했다. 저만치 얼마 전 귀걸이를 훔쳤던 가게의 여사장이 보였다. 그녀는 언제 그런 일이 있었냐는 듯 손님에게 너스레를 떨고 있었다. 태경은 배를 쓱 문지르고는 발걸음을 옮겼다.

지나는 길에 몇몇 도매상들의 두둑한 지갑이 유혹했지만 부시했다. 오늘은 그깟 푼돈을 벌기 위해 온 것이 아니었다.

거의 계단에 다다랐을 때였다. 전부터 태경을 쫓던 경비원이 보였다. 경비원은 낌새라도 챈 듯 태경을 향해 곧장 이쪽으로 오고 있었다. 태경은 반사적으로 인파에 몸을 묻었다. 하지만 경비는 탐지견처럼 태경의 체취를 따라 직감적으로 따라왔다. 이리저리 피하려 했지만 결국 태경은 경비와 막다른 복도에서 마주쳤다.

"젠장. 아침부터 재수 옴 붙었네."

경비는 성큼성큼 코앞까지 다가왔다. 그런데 어쩐 일인지 경비는 태경을 못 알아보고 지나치는 것이었다. 태경은 그제야 헤어스타일을 바꾼 걸 기억해냈다. 태경은 안도의 한숨을 쉬곤 오 이사의 보석상을 찾기 시작했다.

2층은 1층에 비해 한적했다. 진열된 장신구만 봐도 상당한 가격대의 보석만을 거래하는 곳이라는 걸 알 수 있었다. 태경은 진열장에 붙은 가게 이름을 살피며 복도를 지났다. 명보사를 찾는 건 어렵지 않았다. 가장 잘 보이는 명당에 떡하니 자리 잡고 있었다. 연륜이 묻어나는 간판만 봐도 이곳 터줏대감이라는 걸 알 수 있었다. 태경은 주저 않고 가게로 들어섰다.

내부는 크지 않았다. 서너 평 남짓한 가게에는 장신구를 전시한 진열대와 장식장이 늘어서 있고 벽면 중앙에 낡은 태극기가 유물처럼 걸려 있었다. 국기에 대한 맹세를 해야 할 거 같은 분위기. 진열장 너머에는 두 명의 직원이 있었는데 손님 따윈 관심 없다는 듯 TV를 보며 시시덕대고 있었다. 직원들은 태경의 등장에도 눈길조차 주지 않았다.

"저기요."

태경이 인기척을 냈다. 그제야 직원 한 명이 힐끗 쳐다봤다.

"여긴 애들 올 데가 아니야."

TV에선 코미디 프로가 한창 방영되고 있었다. 개그맨들의 슬랩스틱에 직원들은 배꼽을 잡았다. 태경은 예열을 하듯 지그시 노려보다가 리모컨을 집어 꺼버렸다.

"너 뭐야? 이 씨……."

직원이 버럭 다시 TV를 켜려고 했다. 그러자 태경이 명함을 디밀었다. 금색 명함의 위력은 대단했다.

"이정희면? 무, 무슨 일로……."

금색 명함을 보면 온순한 양으로 변하는 모양이었다.

"오 이사님 만나러 왔는데."

"이정희 사모님과는 어떤……."

"거기까지 알 건 없고."

태경이 대차게 받아치자 직원들은 잠시 머뭇거리더니 장식장 사이로 난 쪽문으로 사라졌다. 태경은 싹쓸이 쇼핑이라도 할 듯 가게를 쓱 훑어봤다. 주먹만 한 보석들이 손만 뻗으면 닿는 거리에서 번쩍이고 있었지만 태경의 다이아에 비하면 부스러기에 불과했다.

직원이 다시 나타난 건 채 1분이 지나기 전이었다.

"들어오시랍니다."

직원이 쪽문을 연 채 기다리고 있었다. 태경은 거침없이 몸을 밀어 넣었다.

쪽문 너머에는 두 평 정도 되는 작은 방이 있었다. 컴컴한 방에는 담배 연기가 자욱했고 중앙에 사각 테이블만이 덩그러니 놓여 있었다. 유일한 갓등이 무대처럼 테이블을 비추고 있었는데 그 주위를 네 명의 남자들이 뺑 둘러 마작을 하고 있었다. 재떨이에 쌓여 있는 꽁초들로 미루어 볼 때, 족히 열두 시간은 넘긴 듯했다.

"오늘따라 더럽게 안 붙네. 염병!"

남자 하나가 패를 던지며 말했다.

"굿판이라도 벌여야 하나."

두 번째 남자가 뒤따랐다. 그러자 기다렸다는 듯이 세 번째 남자가 버려진 패를 낚아챘다.

"펑이요!"

세 번째 남자가 소리쳤다. 남자는 룰대로 완성된 패의 몸통을 오른쪽에 오픈했다. 3부터 5의 삭수 패였다. 머리가 훌렁 벗겨진 남자는 오십 대 후반으로 두툼한 뱃살을 적나라하게 내밀고 있었는데 한눈에 오 이사라는 걸 알 수 있었다. 남자의 온몸에서 흘러내리는 건 흥건한 땀만이 아니었다. 탐욕도 육수처럼 넘쳐나고 있었다.

"마작 귀신 납시셨군. 도저히 당해 먹을 수가 없네."

첫 번째 남자가 푸념했다.

"용을 만들어야지, 김 사장. 대가리만 용이고 꼬리는 뱀이면 어쩌자는 거야. 백 받고 백 더!"

오 이사가 점수봉을 던졌다. 미소가 떠나질 않는 꼴이 조만간 날 모양새였다. 나머지 남자들은 적당히 비위를 맞추고 있었지만 못마땅한 기색을 숨길 수 없었다. 태경은 슬쩍 마작꾼들의 패를 훔쳐봤다. 어린 나이였지만 태경은 마작에 관해 알고 있었다. 그녀의 단골 중 하나가 마작판을 운영하는 꾼이었다. 환갑이 넘은 마작꾼은 싹쓸이를 한 날이면 어김없이 태경을 찾아왔는데 잠자리 중에도 마작에 관해 떠벌리곤 했다. 덕분에 게임이 어떤 식으로 진행되는지 잘 알고 있었다. 태경은 먼저 오 이사의 패를 살폈다.

열네 개의 패 중 이미 머리와 몸통 두 개가 완성되어 있었다. 나머지 패도 이미 패산에 올라와 있었다. 순서가 두 번만 돌면 용이 완성될 수 있었다. 태경은 슬쩍 두 번째 남자의 패를 살폈다. 남자의 패는 가망이 없었다. 머리와 몸통이 하나씩밖에 완성되어 있지 않았다. 그나마도 바닥 족보였다. 태경은 물 흐르듯 세 번째 남자에게 다가갔다. 언뜻 남자의 얼굴은 패색이 짙어 보였다. 작패를 만지작대는 손은 초조했고 의욕이라곤 찾아볼 수 없었다. 그런데 남자의 패를 확인한 태경은 고개를 갸웃했다. 놀랍게도 세 번째 남자의 패는 이미 완성되어 있었다. 심지어 별처럼 귀한 '화료'로 날 수 있는 대기 패였다. 하지만 남자는 '론'을 부를 생각이 없는 듯했다. 태경은 돗대의 말을 떠올렸다. 이 자리는 평범한 마작판이 아니었다. 오이사로부터 좋은 물건을 선점하기 위한 자리였다. 그러기 위해선 오 이사의 비위를 맞춰야 했다. 또다시 세 번째 남자의 차례가 되었나. 하지만 남자는 예상대로 '론'을 외치지 않고 패를 던지려 했다. 그때였다.

"여기 났네."

태경이 소리치자 공습 사이렌이라도 울린 듯 모두 바라봤다.

"이거면 혼일색으로 화료가 뜨네. 여기 론이요!"

태경이 남자를 대신해 패산에 있던 동 바람 패를 집어 족보에 끼워 넣었다. 그러자 동자 패 네 개가 일렬로 완성됐다.

"아저씨, 까막눈이야? 나한테 크게 한턱 쏴야 돼. 알지?"

하지만 세 번째 남자는 고마워하기는커녕 인상이 구겨지는 것이었다. 나머지 남자들은 연신 오 이사 눈치를 살폈다.

"뭐하는 계집이냐?"

아니나 다를까 판을 놓친 오 이사는 살기가 등등했다.

하지만 태경은 조금도 주눅 들지 않았다.

"나? 다이아 팔러 온 사람."

"다이아?"

"여신의 눈물이라고 들어는 봤나?"

태경이 의미심장하게 미소를 지으며 말했다.

"세상에서 제일 큰 보랏빛 다이아라지, 아마. 무려 48캐럿이나 하는."

오 이사가 호기심 어린 얼굴로 바라봤다.

"그걸 네가 갖고 있다고?"

태경이 고개를 끄덕였다.

"여신의 눈물을?"

오 이사가 믿기 어렵다는 듯 다시 물었다.

태경이 대답 대신 금빛 명함을 디밀었다. 하지만 오 이사는 직원들과 달랐다. 명함 따윈 거들떠보지도 않았다.

"사모님이 너 같은 계집 데려온 적 없는데. 사모님하곤 무슨 관계지?"

"그딴 건 상관없고. 살 거야, 말 거야?"

태경은 조금도 물러서지 않았다.

"네가 갖고 온 게 진짜 여신의 눈물이라면 의향이 있지. 물론 진짜일 리 없겠지만. 어디 한번 꺼내나 봐."

오 이사가 테이블 위의 마작 패를 한쪽으로 치웠다.

"에이. 왜 그래, 아저씨. 장사 하루 이틀 해? 그게 얼마짜린데 주머니에 넣고 다니겠어."

태경이 남자 한 명을 밀치고 반대편에 자리를 잡았다.

"곽 사장님 취미가 고상하다고 소문이 자자하던데. 레인보우 컬렉션이라고 했나? 곽 사장님을 만나게 해줘요. 그럼 다이아를 가져오죠."

태경은 당당히 협상했다. 그러자 오 이사의 얼굴에서 표정이 사라졌다. 마치 전혀 다른 생물로 변이된 것처럼.

"어린 계집이 당차구나. 그런데 이건 계획에 없던 건데. 어쩐다?"

"계획?"

순간 불길한 예감이 엄습했다. 그리고 그 예감은 틀리지 않았다.

오 이사가 어둠을 향해 고개를 끄덕였다. 그러자 잠복해 있던 손 하나가 태경의 얼굴을 덮쳤다. 손에는 진한 포르말린 향이 묻어 있었다. 태경은 벗어나려고 발버둥을 쳤지만 소용없었다. 포르말린 향기는 태경의 의식을 더욱 옥죄었다. 희미해지는 오 이사를 향해 태경은 뭐라고 소리를 쳤지만 이내 의식을 잃고 말았다.

"올라!"

누리가 악몽에서 깨어나듯 소리쳤다. 등짝에 수십 마리 거미가 기어가는 것처럼 소름이 돋았다. 불길한 징조였다.

"올라가 위험해!"

누리가 운전석을 향해 소리쳤다. 하지만 어쩐 일인지 돗대는 보이지 않았다. 뭔가 잘못되고 있었다. 누리는 목숨보다 소중히 아끼는 백 팩을 집어 들고 차에서 내렸다. 그리고 태경이 사라진 건물 안으로 미친 듯이 달려 들어갔다.

시간이 얼마나 흘렀는지 알 수 없었다.

의식을 잃은 사이 양아버지부터 포주 종두까지 악몽 같은 얼굴들이 수도 없이 스쳐갔다. 그들은 모두 태경을 깊은 수렁으로 끌어들이려 했다. 태경은 빠져나가고 싶었지만 역부족이었다. 양아버지의 비열한 웃음소리와 함께 암흑 속으로 끌려가려던 순간 태경은 눈을 떴다. 약 기운 덕에 머리가 몽롱했다. 태경은 움직이려 했지만 꼼짝도 할 수 없었다. 팔과 다리가 포박된 채 의자에 묶여 있었다. 주위를 둘러봤다. 초점이 맞춰지기까지 몇 초가 걸렸다. 그녀가 있던 곳은 상당히 고급스러운 사무실이었다. 바닥에는 페르시아풍 카펫이 깔려 있었고 가구들은 유럽의 성에서나 볼 수 있는 앤티크들이었다. 페이즐리 문양이 수놓인 커튼 사이로 스며든 아침 햇살이 정면에 놓인 책상을 비추고 있었다.

"자는 동안 계속 욕을 하더라."

책상에 있던 누군가가 말했다.

큼지막한 책상에는 우아하게 머리를 올린 오십 대 여인이 서류에 도장을 찍고 있었다. 곽 사장이었다. 그녀는 하늘색 개량 한복을 곱게 차려입고 줄이 달린 금테 안경을 쓰고 있었다.

얼핏 보면 고상한 한복점 주인 같았다. 결재를 마친 곽 사장은 비서에게 서류를 건넸다. 비서는 정중히 인사를 하고 방을 나섰다. 곽 사장은 의식을 치르듯 티슈로 도장을 깨끗이 닦고 책상 위를 정리했다.

"예쁘장하게 생긴 게 누구한테 욕을 배웠니? 아주 찰지던데."

곽 사장은 상당한 미인이었다. 비록 눈가에 내려앉은 세월을 숨길 순 없었지만 돈과 시간을 들여 관리한 티가 온몸에 흘렀다. 얇은 눈썹은 기러기 날개 모양으로 가지런히 그려져 있었고 금테 안경 너머에는 곱고 부드러운 눈매가 자리하고 있었다. 코는 수술한 듯 오뚝했는데 콧등에 큼지막한 복점이 가부좌를 틀고 있었다. 가장 인상적인 건 손톱이었는데 양손 다 검지와 중지만 검게 칠해져 있었다. 닿기만 하면 치명적인 독을 주입할 것처럼.

"한 가지 물어봅시다."

태경은 독이 바짝 올라 있었다.

"물어봐."

곽 사장은 여유롭게 담배를 물었다. 그러자 허공에서 손이 나타나더니 불을 붙이곤 사라졌다.

"내가 올 걸 알고 있었죠?"

곽 사장은 대답 대신 씩 웃어 보였다.

"돗대, 이 개새끼!"

"쯧쯧쯧. 아무리 남자 거시기를 빨았기로서니 상소리를 달고 살면 쓰나."

그때 문이 열리더니 오 이사가 들어왔다. 그는 묶여 있는 태경을 보며 씩 이를 드러냈다.

"다 뒤져봤는데 다이아는 없었습니다."

곽 사장의 입에서 짙은 담배 연기가 흘러나왔다.

"제대로 뒤졌어?"

"그럼요. 빤쓰 속까지 샅샅이 뒤졌는걸요."

오 이사가 능글맞게 바라봤다.

"돛대 놈은?"

"연락을 했지만 안 받습니다. 제 생각엔 엿을 먹은 거 같습니다."

곽 사장의 표정이 굳었다.

"옛말 틀린 게 없어요. 인간은 변하지 않아. 다리가 잘려나가도 지 버릇 개 못 준다니까."

그녀는 입맛이 떨어졌는지 담배를 비벼 껐다. 곽 사장의 행동은 우아한 생김새와는 달리 거친 구석이 있었다.

"애들한테 구석구석 뒤지라고 해. 현상금도 걸고."

"얼마나 걸까요?"

"한 이천이면 되려나?"

"좀 더 쓰시죠."

"알아서 해. 대신 꼭 잡아오고."

"잡으면 어떻게 할까요?"

"뭘 어째. 죽여야지. 두 번 다시 그런 놈 안 생기도록 최대한 고통스럽게. 소문이 나야 돼. 곽 사장 엿 먹이면 그 꼴 난다고."

"넵. 분부대로 하겠습니다."

오 이사는 직각으로 허리를 접더니 사라졌다.

"일이 맘대로 안 되시나 봐요?"

태경이 만면에 미소를 지은 채 노려봤다.

"돛대 새끼가 그랬겠지. 계집애 하나가 다이아 들고 올 거라고. 그럼 어린애 사탕 뺏듯이 뺏으면 될 거라고. 그런데 어쩌나. 이럴 줄 알고 내가 절대 못 찾을 데 짱박았거든."

사실이었다. 태경은 오 이사를 만나기 직전 다이아몬드를 자신만이 아는 은밀한 곳에 숨겼던 것이다. 그런데 어쩐 일인지 곽 사장은 여유 만만했다.

"바닥을 쳤다고 생각했겠지."

태경이 고개를 들었다.

"어린 나이에 끌려와서 늙다리들 거시기를 빨아댔으니 여기가 밑바닥이구나 생각했겠지. 하루에 몇 명이나 빨았니? 열 명? 스무 명? 영감탱이들 가랑이 사이에서 허우적대면서 외쳤을 거야. 신이 있으면 제발 도와달라고. 여기서 구해달라고. 그렇게 일 년, 이 년이 지나자 깨달았겠지. 신 따위 개나 줘버리라고. 몇 번 죽으려고도 했을 거야. 그런데 그것도 맘대로 안 됐겠지. 왜냐면 눈곱만 한 희망이 널 잡았을 테니까."

곽 사장이 태경의 손목을 가리키며 말했다.

"그런데 어쩌니. 네가 밑바닥이라고 생각했던 데가 지옥 문턱인 걸."

곽 사장은 일어나더니 더운 듯 윗저고리를 벗었다. 그러자 맨살이 드러났다. 그녀의 속살을 본 태경은 놀라지 않을 수 없었다. 온몸이 심한 흉터로 가득했다. 불에 덴 자국에서부터 깊이 베인 칼자국까지. 심지어 가슴에는 젖꼭지가 없었다. 젖꼭지가 잘린 자리에 검붉은 흉터만이 무덤처럼 남아 있었다. 곽 사장은 흉터들을 훈장인 양 당당하게 펼쳐 보이더니 벽에 있던 스위치를 눌렀다. 그러자 윙- 하는 소리를 내며 벽이 움직이기 시작했다. 벽이 열리자 그 너머에 유리로 된 멋진 장식장이 펼쳐졌다. 장식장에는 칸마다 수많은 유리관이 보관되어 있었다. 그런데 유리관 속에 든 내용물을 본 태경은 소스라치게 놀랐다. 그것은 인간 몸의 일부였다. 잘린 손, 눈알, 잘린 귀, 잘린 발 등이 알코올 속에서 둥둥 뜬 채 보관되어 있었다.

"이건 채무 대신 받은 것들이야. 일종의 상장 같은 거지."

곽 사장은 그중 하나를 집어 책상 위에 올려놨다. 유리관 안에는 누군가의 발이 들어 있었다. 태경은 그것이 누구의 발인지 한눈에 알 수 있었다.

"돗대 놈이 왜 다리를 잘린 줄 아니?"

곽 사장이 알코올 속에서 둥둥 유영하는 돗대의 발을 보며 물었다.

"육만 원 때문이야. 만기일에 이자 육만 원을 못 갚았거든. 중요한 건 원금이 고스란히 남았다는 거야. 육만 원에 다리 한 짝이면 원금은 어딜 잘라야 하나."

"빚 때문에 날 팔아넘겼군. 개새끼."

곽 사장은 우아하게 카펫을 지나 태경에게 다가왔다. 그리고 눈높이를 맞췄다. 가까이서 보니 흉터가 더욱 징그러웠다. 하지만 더 흉측했던 건 곽 사장의 눈이었다. 그녀의 눈 속에는 수많은 사람들의 피와 비명이 아직도 울려 퍼지고 있었다. 태경은 태어나 처음으로 죽음의 공포를 느꼈다.

"네가 지금까지 지나온 길이 꽃길이라는 걸 알려줄까? 아님, 다이아 숨긴 데를 불래?"

태경은 부들부들 떨고 있었다.

그때 비서가 들어왔다. 비서는 곽 사장에게 귀엣말로 뭔가를 속삭였다.

"일이 재밌게 돌아가네."

곽 사장의 가지런한 이가 하얗게 드러났다.

누리의 등장에 보석 건물은 술렁였다. 그도 그럴 것이 누리의 몰골은 어느 모로 보나 보석과는 어울리지 않았다. 누더기 야상에 멍투성이 군화, 거기에 까치집 머리까지. 곱지 않은 시선들이 누리를 쫓아왔다. 하지만 누리는 아랑곳 않고 2층으로 내달렸다. 마구 밀치고 달리는 통에 여기저기 곡소리가 났지만 상관없었다. 누리의 머릿속은 온통 태경으로 가득 차 있었다.

2층에 도착한 누리는 곧장 명보사를 찾았다. 돌아가신 할머니 덕에 다행히 까막눈은 아니었다. 떠듬거렸지만 누리는 무사히 명보사를 찾을 수 있었다.

"내 저놈의 텔레비를 없애버리든가 해야지. 밥버지 새끼들마냥 맨날 TV나 처보고 있으니까 병신 하나를 못 잡지. 이 썩을 것들아!"

가게 안에서 호통 소리가 흘러나왔다. 오 이사가 부하 직원들을 훈육 중이었다.

"해 떨어지기 전에 돗대 놈을 잡아와! 아니면 니들 멱을 따줄 테니!"

순간 벌컥 문이 열리더니 누리가 들어왔다.

"오 이사!"

누리가 다짜고짜 소리쳤다.

"이 거지새끼 또 뭐야?"

오 이사가 아래위로 흘기며 말했다.

"올라 어딨어?"

"뭐라는 거야?"

"우리 올라 어쨌냔 말이야!"

누리가 오 이사의 멱살을 잡으며 소리쳤다.

"거지 놈이 실성을 했나! 뭐해, 새끼들아! 이 정신 나간 놈 끌어
내지 않고!"

오 이사가 소리치자 직원들이 달려들었다. 가게 안에서 한바탕
몸싸움이 벌어졌다.

"재수 옴 붙으려니까 별게 다 지랄이네. 나가, 이 새꺄! 여기가 어
디라고!"

직원 둘이 덤벼들었지만 누리를 밀쳐내기엔 역부족이었다. 비록
체구는 작았지만 평생 리어카를 끈 덕에 누리의 완력은 보통 사람
의 것이 아니었다. 게다가 지금은 올라를 구하는 순간이 아니던가.
누리는 젖 먹던 힘까지 끌어내 버티고 있었다.

"에라, 이 버러지 같은 놈들. 내가 이런 것들을 먹여 살리고 있으
니. 그 덩치에 애 하나를 못 당해!"

오 이사는 다시 마작판으로 돌아가려 했다. 쪽문을 열고 들어서

려던 순간이었다. 누리가 번개처럼 직원들을 물리치더니 쪽문으로 몸을 날렸다. 오덕이파를 물먹이던 솜씨는 여전했다. 누리는 문을 연 오 이사보다도 먼저 쪽방에 도착했다.

방 안에는 자욱한 담배 연기를 배경으로 세 명의 마작꾼들이 대기 중이었다. 누리는 2.0이나 되는 좋은 시력으로 방 안을 순식간에 훑었다. 하지만 어디에도 태경은 보이지 않았다. 그런데 퀴퀴한 담배 연기 속에 누리의 후각을 자극하는 냄새가 남아 있었다. 누리는 얼레지 꽃향기를 맡은 부치하난처럼 코를 실룩댔다. 태경의 싸구려 향수였다. 비록 잠깐이었지만 남정네들의 땀 냄새 틈에 흔적을 남긴 것이다. 뒤따라 오 이사와 직원들이 들이닥쳤다.

"올라가 왔었어! 올라 어쨌어! 이 나쁜 놈들아!"

누리의 고함이 쩌렁쩌렁 울렸다.

"올라가 누군데 지랄이야?"

"그 계집애 말하는 건가 봐요."

직원 하나가 말했다.

"아까 가슴 큰 애? 니가 걔 남자 친구야? 근데 어쩌냐. 그 계집애, 지금쯤 골로 갔을 텐데."

오 이사가 농담하듯 키득댔다.

순간 누리의 눈빛이 변했다. 마치 독이 잔뜩 오른 고슴도치처럼.

"우리 올라 괴롭히기만 해! 내가 가만 안 둘 거야!"

가시를 바짝 세운 고슴도치가 하이에나 떼를 향해 몸을 굴렸다.

제아무리 산전수전 다 겪은 하이에나라 해도 화난 고슴도치의 반격에 움찔 물러설 수밖에 없었다. 고슴도치는 가시 대신 이마로 오 이사의 코를 냅다 들이받더니 창밖으로 몸을 던졌다. 열린 창문 틈으로 달아난 누리는 반사적으로 창문턱을 붙잡았다. 간신히 문턱에 올라선 누리는 조금씩 움직여 옆 창문으로 향했다. 갑작스러운 행동에 직원들은 어쩔 줄 모르고 있었다.

"뭘 보고 있어, 새끼들아! 따라가 잡지 않고!"

바닥에 쓰러진 오 이사의 코에서 피가 흐르고 있었다.

그제야 직원들이 주섬주섬 창문턱에 올라섰다.

곽 사장은 한쪽 벽면에 있던 모니터를 켰다. 그러자 CCTV 화면이 떴다. 화면에는 보석 건물 여기저기 설치된 카메라에 찍힌 영상이 떠 있었다. 보석을 다루는 곳이라 카메라가 설치되지 않은 곳이 없었다. 카메라들은 자투리 하나 없이 손님들의 일거수일투족을 감시하고 있었다. 곽 사장은 리모컨으로 빨리 감기를 했다. 그러자 잠시 후 건물 입구에 들어서는 태경의 모습이 보였다. 카메라들은 릴레이를 하듯 도매상들을 지나 2층으로 향하는 태경을 지켜보고 있었다. 그런데 2층에 도착한 태경은 주위를 둘러보더니 계단 옆으로 이어진 으슥한 곳으로 들어가는 것이었다. 화장실이었다. 태경은 인적이 없는 걸 확인한 후 조심스럽게 들어갔다.

곽 사장이 또 다른 리모컨을 눌렀다. 그러자 화장실 내부 모습이 담긴 화면이 뜨는 것이었다. 화장실에 들어선 태경은 곧장 변기실로 향했다. 뒤이어 수조 뚜껑을 열더니 품에 있던 다이아몬드를 소중히 넣는 것이었다. 태경은 재차 수조 속 다이아몬드를 확인하고는 화장실을 나섰다.

"하이라이트는 이제부터야."

곽 사장은 시답잖은 드라마를 보듯 턱을 괸 채 화면을 응시했다.

그런데 태경이 사라지고 얼마 후 한 남자가 화장실로 들어오는 것이었다. 돗대였다. 돗대는 다리를 절뚝이며 화장실 여기저기를 뒤졌다. 그러다가 문득 떠오른 듯 변기 수조를 확인했다. 그렇게 몇 개의 수조를 지나던 돗대는 결국 태경의 다이아를 발견했다. 다이아를 손에 넣은 돗대는 뒤도 안 돌아보고 화장실을 빠져나갔다. 순간 곽 사장이 일시 정지 버튼을 눌렀다. 화면 가득 돗대의 얼굴이 멈춰 있었다. 반은 환희에 찬, 반은 욕망에 들뜬.

"자, 이제 어쩔까. 넌 아무짝에도 쓸모없는 창녀에 불과한데."

곽 사장이 태경에게 다가왔다.

"너, 주민등록증도 없더라. 죽어도 신고조차 못 해. 왜냐면 넌 애초부터 존재하지 않았으니까. 어떡해줄까. 널 찾으려고 눈깔이 시뻘건 무열이한테 넘겨줄까, 아니면 내 손으로 죽여줄까?"

그러자 태경이 고개를 들었다.

"포를 뜨든 찜을 쪄 먹든 맘대로 해. 어차피 엿 같은 인생. 미련 없거든."

태경의 눈에는 아무런 감정도 남아 있지 않았다. 그야말로 죽음을 앞둔 사람에게서만 볼 수 있는 공허한 눈빛이었다. 곽 사장은 흥미롭다는 듯 태경을 바라봤다.

"널 보니…… 어릴 적 날 보는 것 같구나."

곽 사장은 밧줄을 풀고 태경의 손목에 있던 자살 흉터를 부드럽게 만졌다. 그런데 쓰다듬는 곽 사장의 손목에도 똑같은 흉터가 있었다. 데칼코마니를 한 것처럼.

"부모한테 버림받고…… 세상에 버림받고…… 햇살 한 점 안 비치는 밑바닥에서 허우적대던…… 남은 거라곤 싸구려 몸뚱이랑 악밖에 없는……."

태경과 눈을 맞춘 곽 사장의 눈가가 촉촉해졌다. 마치 어린 시절 잊고 있던 일기장을 마주친 듯.

"그래서 맘에 안 들어."

곽 사장 눈가에는 언제 그랬냐는 듯 냉기가 흐르고 있었다.

"김 비서!"

어느새 그림자 비서가 나타났다.

"네, 회장님."

"무얼이한테 전화 넣어. 긴히 할 말이 있다고 전해."

"네, 회장님."

비서가 책상 위의 전화 다이얼을 돌렸다. 이윽고 신호가 갔다. 단 몇 초의 시간이었지만 중력보다도 무거운 긴장이 방 안을 짓눌렀다. 그때였다. 와장창! 침묵과 창문을 동시에 깨며 누군가 바닥을 굴렀다. 갑작스러운 소란에 모두가 놀라 돌아봤다. 유리 조각을 뒤집어쓴 누군가는 스프링처럼 튕겨 오르더니 소리치는 것이었다.

"올라야! 나 왔어!"

누리였다. 누리가 우물을 지키는 부치하난처럼 당당히 서 있었다.

"이건 또 뭐야?"

곽 사장이 흥미롭다는 듯 누리를 바라봤다.

"니가 어떻게 여길……."

태경의 눈이 휘둥그레졌다. 놀라움 가득, 은밀한 감동 약간.

"널 구하러 왔지! 내가 그랬잖아. 마음속으로 외치라고."

누리가 환하게 웃었다. 그러자 방 안이 조금 밝아진 느낌이었다.

"이건 무슨 분위기? 설마 얘가 남친?"

곽 사장이 어이없다는 듯 물었다.

"남친은 무슨! 그냥 따라다니는 애예요."

"사랑하는 여자를 위해 지옥에 뛰어든 남친이라. 간만에 로맨틱하네."

"남친 아니라니까!"

태경이 손사래를 쳤지만 이미 늦은 변명이었다.

"아줌마. 올라를 놔줘."

"아줌마라. 그렇게 비싼 걸 발라도 세월은 속일 수가 없구나."

곽 사장이 장식장 거울에 얼굴을 비추며 말했다.

"올라를 놔줘. 그럼 뭐든 할게."

그러자 곽 사장이 매섭게 돌아봤다.

"뭐든 한다……."

누리가 단단히 고개를 끄덕였다.

"내 사무실 유리창까지 깨고 무단 침입을 해서는 대뜸 하는 소리가 얘를 놔 달라……."

곽 사장이 허공에 손을 내밀자 비서가 뒤춤에 있던 뭔가를 건넸다. 치명적인 쇳덩이였다.

"너…… 이름이 뭐니?"

"누리."

"그래, 누리야. 이 아이를 사랑하니?"

"응. 사랑해."

"얘도 널 사랑하니?"

곽 사장이 물었다.

"사랑하게 될 거야."

"그걸 어떻게 알지?"

"우린 사랑하게 될 운명이니까."

누리는 확고했다.

"너, 사랑이 뭔지 알아?"

"응. 알아."

곽 사장 입에서 비웃음이 새 나왔다.

"사랑이 뭐지?"

그러자 누리가 확신에 찬 얼굴로 대답했다.

"아줌마도 사랑이 뭔지 모르는구나. 그럼 내가 가르쳐줄게. 잘 들어. 사랑은 내 심장의 물을 빼서 먹여주는 거야. 사랑은 온몸에 창을 맞으면서도 지켜주는 거야. 사랑은 하늘을 감동시켜서 사막에 눈이 내리게 만드는 거야. 그게 사랑이야."

누리는 사전에도 없는 사랑의 정의를 알고 있는 듯 단호했다. 그리고 그 정의는 곽 사장의 내면 깊은 곳에 웅크리고 있던 뭔가를 건드렸다. 그것은 아주 오래되고 지극히 여리며 심장을 아리게 만드는 무엇이었다. 그것이 잠을 깨자 슬픔과 함께 엄청난 분노가 태풍처럼 일었다.

"그래, 누리야. 사랑에 대해 잘 알고 있구나. 그런데 말이야……."

순간 곽 사장이 누리의 이마에 총을 겨눴다.

"그 사랑을 위해서 목숨도 내줄 수 있니?"

곽 사장이 일말의 망설임도 없이 노리쇠를 장전했다. 철컥.

"사랑을 위해 심장의 피를 내줄 수 있어? 그렇다면 저 아이를 놓아주마."

방아쇠를 움켜쥔 검지에 조금씩 힘이 들어갔다.

진실의 순간이었다.

"오십 년 넘게 살았지만 그런 새끼, 단 한 번도 본 적 없어. 왜 그런지 알아? 다 입에 발린 개소리거든."

곽 사장의 눈가에는 정체 모를 증오가 가득했다. 그런데 잠시 후 증오는 증발하고 떨리는 의문이 대신했다. 누리는 장전된 총구 앞에서 조금의 망설임도 없었다.

"올라를 놓아줘, 아줌마. 제발."

누리는 오히려 총구를 향해 한 발짝 다가섰다. 한 손에는 목숨을, 다른 한 손에는 사랑을 든 채. 이제껏 일말의 흔들림도 없던 곽 사장의 총구가 미세하게 떨리고 있었다. 그런데 흔들린 건 총구만이 아니었다. 잠자코 지켜보고 있던 태경의 마음도 함께 흔들리고 있었다. 이제껏 누구도 태경을 위해 달려온 이는 없었다. 그것도 한 손에는 목숨과 다른 손엔 사랑을 쥔 채 창문으로 뛰어든 이는 없었다. 그런데 누더기를 걸친 반푼이가 한달음에 달려온 것이다. 반푼이는 흔쾌히 목숨을 걸고 협상을 하고 있었다.

"미안하지만 안 되겠구나. 난 사랑 따윈 안 믿거든. 특히 사랑을 믿는 인간은 더더욱!"

곽 사장의 방아쇠가 임계점에 도달하고 있었다. 중력을 이기지 못하고 떨어지는 추처럼.

'안…… 돼…….'

태경의 입에서 이 말이 터져 나오려던 순간이었다.

으아아아앙! 어디선가 아이 울음소리가 들렸다. 울음은 폭탄이 터진 것처럼 급작스럽고 파괴적으로 울려 퍼졌다.

"영복아!"

곽 사장은 심각한 변고가 생긴 듯 우왕좌왕했다.

울음소리가 커질수록 곽 사장의 민낯도 백지장으로 변해갔다.

"이것들 꼼짝 못 하게 지켜보고 있어."

곽 사장이 비서에게 총을 넘기고는 서둘러 달려갔다.

사무실 옆에는 또 다른 방이 있었다. 그곳은 측근도 출입할 수 없는 비밀의 공간이었다. 그리고 그곳에는 곽 사장의 가장 여린 상처가 근근이 숨을 쉬고 있었다.

곽 사장이 들어서자 울음소리는 발광에 가까운 고함으로 바뀌었다. 누리와 태경은 총구를 마주한 채 고스란히 그 소리를 듣고 있었다.

"착하지, 우리 아기. 엄마, 여기 왔어."

곽 사장은 아기를 달래느라 여념이 없었다. 하지만 아기는 울음을 그칠 기미가 보이지 않았다. 그런데 어딘가 이상했다. 분명 아기 울음소리처럼 철없고 거침없었지만 목소리가 굵고 탁했다. 그리고 중간중간 웅얼거리는 말소리가 섞여 있었다. 누리가 귀를 쫑긋했다. 마치 망망대해에서 동족의 울음을 들은 돌고래처럼.

"꼼짝 않는 게 좋을 거야."

비서가 누리를 향해 총을 겨누며 말했다. 명령어를 입력하면 곧이곧대로 실행하는 로봇 같았다. 하지만 누리는 경고에도 아랑곳 않고 웅얼거림을 향해 발걸음을 옮기고 있었다. 철컥. 비서가 총알을 장전했다.

"경고했다. 움직이지 마."

하지만 누리는 들은 척도 않고 방으로 성큼성큼 걸어갔다.

비서는 입력된 대로 주저 없이 방아쇠를 당기려 했다. 순간 태경이 비서를 덮쳤다. 혼란을 틈타 밧줄을 모두 푼 것이다. 탕! 총알이 발사됐지만 다행히 빗나갔다. 비서가 반격하려 했지만 태경이 선수를 쳤다. 퍽. 비서는 맥없이 고개를 떨궜다.

"가자."

비서가 기절한 것을 확인한 태경이 말했다.

하지만 누리는 다시 방으로 향하는 것이었다.

"가자니까! 여기 볼일은 끝났어."

태경이 누리의 팔을 잡았다. 하지만 어쩐 일인지 누리는 꿈쩍도 안 했다.

"엄마가 울고 있어."

"뭐?"

이 말을 남기고 누리는 방문을 열고 들어갔다.

"저 또라이…… 맘대로 해."

태경은 서둘러 사무실을 빠져나가려 했다.

방 안은 작은 놀이동산이었다.

벽을 수놓은 벽지에는 동화 속 동물들이 하늘을 날고 무지개 색 매트가 깔린 바닥에는 놀이터에서도 볼 수 없는 놀이기구들이 놓여 있었다. 한쪽에 위치한 진열대에는 수많은 장난감이 진열되어 있었고 한가운데 리본으로 장식된, 하트 모양 침대가 놓여 있었다. 아기는 그 위에서 울고 있었다. 그런데 아기는 어린아이가 아니었다. 족히 서른은 넘긴 어른이었다. 하지만 두세 살 아이처럼 어리광을 부리고 있었다.

"우리 영복이 착하지. 그만 울어. 뭐 줄까? 배고파? 아님, 어디 아파?"

곽 사장은 어르고 달랬지만 어른 아기는 바닥을 뒹굴며 생떼를 부렸다. 힘도 보통이 아니라 잡히는 대로 집어 던지고 손에 닿는 건 모조리 부쉈다. 곽 사장은 아기를 진정시키려 했지만 소용없었다.

"어쩌란 거야! 엄마가 어쩌면 좋겠어. 어떡하면 울음을 멈추겠어."

결국 곽 사장은 어른 아기를 부둥켜안은 채 눈물을 터트렸다.

영복은 곽 사장의 친아들이었다. 태어날 때부터 심한 자폐증을 앓는 지체장애인이었다. 씨를 준 아버지는 있었지만 남편 따윈 없었다. 화류계에서 벌어지는 뻔한 사연이었다. 부잣집 도련님과 술집 여급의 이루어질 수 없는 사랑. 그 결과물로 탄생한 지체장애인 아들. 애증과 함께 받은 쥐꼬리만 한 합의금. 하지만 그 이후는 진부한 스토리가 아니었다. 곽 사장이 합의금으로 뛰어든 건 치킨집이 아니었다. 그녀가 시작한 건 도박이었다. 서울 외곽에 비닐하우스를 매입해 도박장을 차린 것이다. 도박장은 성황을 이뤘지만 암흑세계는 절대 만만한 곳이 아니었다. 도박장을 지키기 위해 상상도 못 할 일들을 이겨내야 했고 그 훈장을 온몸에 새긴 것이다.

그녀의 몸에 난 상처는 모두 서른여섯 개였다. 그중 여덟 번은 목숨을 잃을 수도 있었다. 젖꼭지를 잃은 것도 그중 하나였다. 그렇게 흉터를 늘려가며 삼십 년의 세월을 버텨 지금에 이른 것이다.

하지만 시간이 지나도 아물지 않는 상처가 있었다. 아들 영복이었다. 재벌 마나님들과 호형호제하며 골프를 칠 정도로 성공했지만 아들의 장애는 갈수록 심해졌다. 그와 함께 곽 사장의 삶도 나락으로 떨어졌다. 함께 죽으려고도 했다. 같이 생을 마감하기 위해 구해둔 총만 세 자루였다. 술김에 총을 겨눈 게 수십 번이었다.

하지만 결국 총구를 거둘 수밖에 없었다. 비록 장애아였지만 영복은 그녀의 유일한 피붙이였던 것이다. 곽 사장은 서른이 넘어도 제대로 말조차 못하는 아들을 끌어안은 채 흐느끼고 있었다.

"영복이는 잃어버린 걸 찾고 있어."

곽 사장은 소스라치게 놀라 돌아봤다. 언제 들어왔는지 누리가 바라보고 있었다.

"니가 왜 여깄어? 죽고 싶어 환장했어? 김 비서, 뭐하고 있어! 저 새끼 당장 끌어내지 않고!"

하지만 누리는 나갈 생각이 없었다. 누리는 성큼성큼 영복에게 다가갔다.

"말해봐. 뭘 잃어버렸는지."

누리가 영복에게 물었다.

"당장 나가라는 말 안 들려!"

곽 사장의 호통이 건물에 울려 퍼졌다.

그때 영복이 웅얼대기 시작했다. 그것은 마치 아기들만의 언어 같았는데 누리는 용케 맞장구를 치면서 소통했다. 끌어내려던 곽 사장이 멈칫했다.

"니가 찾는 게 그거야?"

누리가 묻자 영복이 미세하게 고개를 끄덕였다.

"영복이가 찾는 건…… 꽃밭이래."

"여긴 종로 한복판이야. 꽃밭 같은 건 없어."

그러자 누리가 다짜고짜 잡동사니를 뒤지기 시작했다. 그 모습을 곽 사장과 문 너머에서 고개만 내민 태경이 지켜보고 있었다. 한참을 뒤지던 누리는 잡동사니 속에서 뭔가를 찾아냈다. 그것은 갓이 달린 조그만 전등이었다. 갓에는 깨알처럼 작은 문양들이 음각으로 조각되어 있었는데 불을 켜면 문양이 드러나는 형태였다.

"이거!"

누리는 서둘러 전등에 전원을 연결했다. 하지만 불이 켜지지 않았다. 전구가 나간 모양이었다. 누리는 자신의 백 팩을 열고 뭔가를 찾았다. 잠시 후 마술 상자에서 비둘기가 등장하듯 낡은 전구가 나타났다. 누리는 전구를 갈아 끼웠다. 이윽고 불이 켜지며 전등갓이 회전하기 시작했다. 그러자 놀라운 일이 벌어졌다. 전등갓을 통과한 빛이 갓에 새겨진 무늬를 천장에 수놓는 것이었다. 그것은 자수정처럼 빛나는 보라색 꽃들이었다. 수십 개의 보라색 꽃들이 오르골 음악과 함께 천장에 꽃밭을 수놓고 있었다.

"얼레지 꽃……?"

지켜보고 있던 태경의 입에서 흘러나온 말이었다.

태경은 한 번도 얼레지 꽃을 본 적이 없었다. 하지만 본능적으로 천장을 수놓은 꽃이 얼레지라는 걸 알 수 있었다. 보라색 얼레지 꽃은 하늘색 벽지와 어울려 꿈같은 풍경을 방 안에 펼치고 있었다. 마치 전설에 나오는 부치하난의 꽃밭처럼 몽환적이고도 깊은 사연을 품은 사막의 풍경을. 이제껏 생떼를 부리던 영복은 언제 그랬냐는 듯 환하게 웃고 있었다. 그리고 다시 웅얼댔다.

"영복이가 그러는데……."

누리가 통역했다.

"아줌마는 좋은 엄마래……."

그 말을 들은 곽 사장의 가슴에 왈칵 눈물이 고였다. 그리고 억눌렸던 감정이 간헐천처럼 뿜어져 나왔다. 그녀는 결국 바닥에 주저앉아 울음을 터트리고 말았다. 짧은 한마디였지만 그간의 고통을 모두 보상하고도 남는 말이었다. 그간의 상처를 보듬고도 넘치는 칭찬이었다. 그런 그녀의 어깨를 누리가 살며시 잡았다.

"처음부터 알았어. 아줌마가 좋은 엄마라는 걸."

곽 사장이 고개를 들어 누리를 봤다.

"평생을 알아들으려고 해도 못 했는데, 넌 어떻게 영복이 말을 알아들은 거니?"

그러자 누리가 활짝 웃었다.

"바보는 바보 말을 알아듣거든."

곽 사장이 울다가 웃었다.

"그리고 바보는 나쁜 게 아니랬어. 조금 모자란 게 좋은 거랬어. 왜냐면 어린애는 좋은 거만 보니까."

"누가 그랬니?"

"우리 할머니가."

"좋은 할머니구나."

누리가 고개를 끄덕였다.

그렇게 추의 양극단에 서 있던 네 사람은 얼레지 꽃밭에서 평화로운 화해를 하고 있었다.

잠시 후 영복은 곤히 잠이 들었다. 태어나 처음으로 숙면을 취하듯 깊은 잠이었다. 곽 사장은 그런 영복을 한참 동안 바라봤다. 영면을 취한 예수를 쓰다듬는 마리아처럼.

"그 다이아로 뭘 하려고 했니?"

곽 사장이 문득 생각이 난 듯 물었다.

"이 지긋지긋한 땅을 뜰 거예요."

"그래서?"

태경이 품속에 있던 팸플릿을 보여줬다. 야자나무 사이로 석양이 지는 멋진 바닷가가 펼쳐져 있었다.

"피지라. 가 본 적 있지. 하지만 실제로 보면 실망할지도 몰라."

"그래도 갈 거예요."

"그럼 가야지."

곽 사장이 팸플릿을 돌려주며 말했다.

"무열이가 오고 있을 게다. 어서 떠나라."

"가자."

태경이 서둘러 누리의 손을 끌었다.

"그리고……."

곽 사장이 말을 이었다.

"다이아몬드를 되찾게 되면 이 사람을 찾아가라."

곽 사장이 자신의 명함을 꺼내 뒷면에 뭔가를 적었다.

RAYMOND WANG

"이게 누구죠?"

태경이 물었다.

"레이몬드 왕. 홍콩 최고의 보석상이다. 홍콩 침사추이의 '월드 오브 글래머'라는 보석 상점 주인이야. 내 명함을 보여주면 만나줄 거다. 그 사람에게 다이아를 보여줘라. 제값을 처줄 거야."

"홍콩은 계획에 없는데."

태경이 말했다.

"한국에선 텄어. 소문이 자자해. 네 물건을 받았다간 누구도 성치 못할 거야. 그러니 홍콩밖에 없어. 무슨 수를 써서라도 가. 너라면 갈 수 있다. 내가 이 가게를 이뤘듯이."

곽 사장이 태경 손에 명함을 꼭 쥐여줬다.

"반드시 갈 거예요."

"그래. 가서 네 꿈을 이뤄라."

"꿈 따윈 믿지 않아요."

태경이 단호하게 말했다.

"나도 이젠 믿지 않아. 하지만 믿었던 때가 더 행복했던 거 같구나."

태경은 누리와 함께 방을 나섰다.

"누리야."

곽 사장이 불렀다.

"언제든 다시 찾아와라. 그래서 영복이랑 놀아다오."

"알았어. 또 올게."

누리가 활짝 웃고는 방을 나섰다.

슬픈 소원

그곳은 하수도에 서식하는 벌레들이나 살 만한 장소였다.

실제 거주하는 사람들도 세상으로부터 버림받고 지하로 숨어든 밑바닥 인생들이었다. 종두가 무열을 데려간 곳은 청계천 다리 밑이었다. 추한 과거를 숨기듯 콘크리트로 봉인한 다리 아래에는 백여 명의 노숙자들이 군집을 이뤄 생활하고 있었다. 이름뿐인 개천을 따라 나무판자와 비닐을 얼기설기 이어 붙인 판잣집들이 일렬로 늘어서 있고, 그 안에 누더기를 입은 노숙자들이 강술을 마시거나 생기 없는 눈으로 과거 미련을 좇고 있었다. 눈을 씻고 찾아봐도 신의 손길이라곤 찾아볼 수 없는 희망의 불모지. 그런 곳을 종두와 무열, 그리고 몇 명의 졸개가 지나고 있었다.

"만약 시간 낭비면 뼈를 갈아 마실 줄 알아."

무열이 악취에 코를 틀어막으며 말했다.

"일단 만나보시죠, 형님. 생각보다 쓸 만한 구석이 있는 놈입니다."

종두가 잘린 손가락을 부여잡고 앞장섰다. 대충 응급처치를 했지만 상처에서 아직도 피가 흐르고 있었다.

노숙자촌을 얼마쯤 지나자 저만치 눈에 띄는 천막이 나타났다.

큼직한 군용 야전 천막이었는데 다리 한복판에 막다른 벽처럼 버티고 있었다. 특이한 건 입구와 지붕에 요란한 네온사인이 걸려 있다는 것이다.

손에 똥 안 묻히고 복수하기. 남편, 애인 뒷조사, 신상털기 전문.
무슨 일이든 해결해드립니다.

굴다리 흥신소

"여깁니다, 형님. 들어가시죠."

종두가 문을 열며 말했다. 무열은 마지못해 천막 안으로 들어섰다. 안은 의외로 호젓했다. 서너 평 되는 내부에는 중앙에 군대용 페치카가 난로가 따끈하게 달궈져 있고, 낡긴 했지만 소파며 테이블 탁자 등이 그럴싸하게 배치되어 있었다. 심지어 복사본 고흐의 '해바라기'도 떡하니 걸려 있었다. 왕을 흉내 낸 거지왕의 사무실.

그리고 정면에 대기업 회장실에나 있을 큼지막한 마호가니 책상이 놓여 있었다.

"아이고, 이게 누구신게라! 무열 형님 아니쇼."

쌍수를 들고 환영한 건 다름 아닌 노숙자들의 우두머리 오덕이었다. 오덕은 이 자리를 위해 잔뜩 준비한 티가 풀풀 났다. 성긴 머리는 기름을 발라 올백으로 넘겼고 구제시장에서 얻은 양복은 색깔이며 스타일이 유행을 한참 지난 것이었다.

"누추하지만 들어오시지라. 뭐하니, 새끼들아. 싸게싸게 차 내오지 않고."

오덕은 요란하게 환대했다. 무열은 소파에 앉으려다가 멈칫했다. 주워온 소파는 여기저기 해지고 지저분했다.

"좀 거시기하지라. 아직 사업 초창기라."

오덕이 눈치 빠르게 소파에 자신의 손수건을 깔았다. 그제야 무열은 마지못해 자리를 잡았다. 그러자 기다렸다는 듯 오덕의 졸개가 커피를 내왔다. 달달한 다방 커피였다.

"방금 시켜서 따끈하당께요. 한입 찌끄라 보셔요."

오덕이 보온병에 든 커피를 잔에 부어주었다. 하지만 무열은 커피 따위 마실 기분이 아니었다.

"너한테 쓸 만한 재주가 있다던데."

무열이 다짜고짜 본론으로 들어갔다.

그러자 이제껏 저자세였던 오덕이 거들먹대며 다리를 꽜다.

"야그는 들었으라. 가시네 하날 찾으신다꼬요. 가시나 이름이 뭐였드라……."

"태경."

종두가 대신 대답했다.

"이년이야. 한시가 급해. 내일 해 떨어지기 전까지 찾을 수 있겠냐?"

종두가 태경의 사진을 들이밀며 물었다. 오덕의 대답 여하에 목숨이 걸려 있었다. 무열의 눈에선 못마땅한 눈총이 쏟아지고 있었다.

"가능하지라."

거만한 담배 연기가 퍼져 나갔다.

"형님. 다행입니다."

종두가 화색을 띠며 소리쳤다.

"너희 같은 거지새끼들이 무슨 수로?"

무열이 실눈을 뜨고 물었다. 그러자 뒤에 있던 노숙자 졸개들이 술렁였다. 슬쩍 욕지거리도 섞여 있었다.

"지가 얼큰한 야그 하나 해도 되겠습니까, 형님."

"짧게 해."

오덕의 입에서 긴 담배 연기가 흘러나왔다.

"두어 달쯤 전이었죠. 아짐씨 하나가 질 찾아왔으라. 여서 쪼까 가믄 방산시장이라고 있는디, 거서 떡볶이 팔아 자식새끼들 시집 장가 보낸 아짐씨지라. 장사도 허벌라게 잘돼서 짭짤하게 벌었으요. 근디 세상사 지랄 같응께 똥깐에 거시기 꼬이듯이 돈 냄새를 맡고 똥파리들이 꼬인 거지라."

오덕이 명함 한 장을 탁자 위에 내려놨다.

명함에는 금테로 '오성 투자금융'이라고 쓰여 있었다.

"이름 그럴싸하지요. 근디 이 썩을 것들이 완전 양아치들이었쓰라. 아짐씨한테 연 45프로 이자를 준다고 염병하고는 튄 거지라. 어디 아짐씨뿐이요. 시장통 장사치들 돈을 싹 해먹고선 날랐당께요.

난리도 아니었으라. 경찰이고 뭐고 생난리였으요. 지랄 염병해봐야 뒷북인디 소용 있겠소. 결국 닭 쫓던 개 지붕 쳐다본 꼴 됐당께요."

"요점만 말해."

무열이 단칼에 잘랐다.

"지들이 딱 이틀 만에 고 썩을 놈을 잡았지라!"

"어떻게? 무슨 수로?"

무열은 여전히 못 믿는 눈치였다.

"아야. 거시기 내와라."

잠시 후 오덕의 졸개 하나가 비닐봉지에 담긴 뭔가를 가져왔다.

오덕은 금덩어리라도 되는 듯 조심스럽게 내용물을 꺼내 펼쳤다.

그것은 서류 뭉치였는데 파쇄기에 잘게 잘린 것을 일일이 테이프로 붙여 복구한 것이었다.

"이게 뭐야?"

그러자 오덕이 서류 뒷면을 가리켰다. 뒷면에는 대충 볼펜으로 쓴 메모가 적혀 있었다.

필리핀 마닐라행 23일 13시 50분

"문디 자슥들 쓰레기 더미에서 찾은 거지라. 이 염병할 걸 붙이느라 애들이 날밤 꼴딱 샜으요. 뱅기에 타려는 걸 딱 잡았당께요."

오덕이 자신만만하게 담배를 빨아댔다. 하지만 아직도 무열은 못 미더운 얼굴이었다.

"그래서 그 계집애는 어떻게 잡을 건데?"

"비록 지들이 똥내가 쪼까 나긴 해도요. 지들만의 네또워끄라는 게 있당께요. 전화 한 통이면 전국 그지들을 네 시간 안에 광화문에 싹 집합시킬 수 있지라. 높으신 양반들도 선거 때 똥줄이 타믄 지들을 자주 애용하신당께요. 그 야그는 지들이 사진 한 장만 뿌리면 못 찾을 놈이 없다 이거지라. 쪼까 겐또가 서죠."

오덕이 무열의 커피를 대신 마셨다.

"내일 5시까지 그 계집을 잡아와."

무열이 다급하게 말했다.

"거야 식은 죽 먹긴디…… 그라믄 지들은 뭘 얻게 되는디요? 지들도 목구녁에 풀칠은 해야 쓰겄지 안 씁니까, 형님."

"뭘 원하는데?"

오덕의 얼굴에 미소가 퍼졌다.

"지는 욕심이 많은 놈이 아니지라. 그저 자그마한 가게 하나면 된당께요."

"어떤 가게?"

그러자 오덕이 종두를 물끄러미 바라봤다.

"장사 중엔 물장사랑 기집 장사가 최고라든디."

눈치 빠른 무열이 고개를 끄덕였다.

"가능하지."

"형님! 제 가게는 안 됩니다! 어떻게 만든 가겐데."

뒤늦게 알아들은 종두가 가로막았지만 소용없었다.

"아가리 닥쳐! 목숨 붙어 있는 걸 감지덕지해."

"그럼 도장 꽝 찍으신 걸로 알겠슴다."

오덕이 무열에게 손을 내밀었다.

"내일 오후 5시야. 그 전에 그년을 대령해."

무열이 마지못해 손을 잡았다.

"아띠, 걱정 붙들어 매쇼, 형님."

오덕이 자신만만하게 대답했다.

티파니를 빠져나온 태경은 서둘러 상가 주변을 살폈다. 시장은 손님들로 한창 붐비고 있었다. 태경은 혹시나 하고 확인했지만 돗대는 보이지 않았다.

"개자식! 반드시 찾아낸다."

태경이 으스러질 듯 이를 물었다.

"저기……."

누리가 조심스럽게 말을 걸었다.

"뭐?"

"약장수는 어디 갔어?"

"그걸 몰라서 물어! 내 다이아 들고 튀었잖아! 잡히기만 해봐. 아작을 내주마."

태경은 돗대가 갈 만한 장소를 추리해봤지만 마땅한 곳이 떠오르지 않았다. 도움이 필요했다.

"동전 있어?"

"동전?"

누리가 고개를 갸웃하며 물었다. 그러자 태경이 다짜고짜 누리의 주머니를 뒤졌다.

"꼭 두 번 말하게 하지."

야상 주머니에 백 원짜리 몇 개가 있었다. 건너편 구멍가게에 전화기가 있었다. 태경은 부리나케 동전을 넣고 다이얼을 돌렸다. 신호가 갔다.

"빨리 좀 받아라! 언니야."

몇 년 같은 몇 초가 흐르고.

"여보세요?"

수경이었다. 아직 잠이 덜 깬 목소리.

"언니. 나야."

"지금 몇 시야?"

"그게 중요한 게 아니라. 돗대 새끼 갈 만한 데 좀 알려줘."

"걘 또 왜?"

"그 새끼가 내 전 재산을 들고 튀었단 말이야!"

태경이 전화 부스를 부술 듯 주먹으로 내리쳤다. 수화기 건너편에서 한숨 소리가 이어졌다.

"그러게 내가 그 자식 가까이하지 말랬잖아."

"잔소린 됐고. 그 새끼 잡아야 하니까 갈 만한 데 불러봐!"

"그 인간이 한 군데 진드근히 있는 놈이니? 발정 난 개처럼 사방 싸돌아다니는데."

"그래도 잠은 잘 거 아니야! 월세방 같은 거 몰라? 아니면 자주 가는 찜질방이라도."

태경은 발을 동동 굴렀다.

"그러고 보니……."

"뭐!"

"황학동 근처 여관방에 있다고 한 거 같은데. 여관 이름이……."

"이름이 뭔데?"

수경은 수화기 너머에서 기억을 뒤지고 있었다.

"무슨 교회 이름 같았는데……."

"할렐루야…… 예수…… 마리아…… 뭐?"

"맞다! 온누리 여관!"

"온누리?"

태경이 의미심장하게 눈을 마주치자 누리가 영문도 모른 채 씩 웃었다.

아는 거라곤 이름뿐이었지만 여관을 찾는 건 어렵지 않았다.

시장통에서 삼십 년 세월을 버틴, 나름 터줏대감이었다. 여관은 지난번 갔던 국밥집에서 멀지 않은 뒷골목에 자리하고 있었다.

신경 써서 찾지 않으면 지나칠 만큼 작고 허름한 여관이었다. 입구에 들어서자 쪽창이 난 카운터가 있고 그 너머에서 구수한 냄새가 흘러나왔다. 아니나 다를까 종업원이 라면을 끓이고 있었다.

"쉬다 가실 거예요? 자고 가실 거예요?"

종업원이 면발을 휘휘 저으며 물었다.

"돗대…… 아니, 여기 김창수라고 있죠?"

태경이 취조하듯 물었다.

"누구요?"

"다리 저는 인간 있잖아. 길바닥에서 약 파는."

"아! 외다리 김 씨."

"몇 호예요?"

태경이 쪽창에 얼굴을 들이밀며 물었다.

"그런 거 막 가르쳐주고 그러면 안 되는데."

"내가 그 새끼 딸이야."

태경이 얼굴색 하나 바꾸지 않고 거짓말을 했다.

"아…… 딸."

종업원이 황당한 표정을 지었다.

"애를 떼야 된다구. 그니까 그 새끼 방을 대."

"딸인데 애를?"

"따질 거 없구. 지금 있어, 없어?"

"한 시간 전쯤에 온 거 같은데."

"몇 호?"

"402호. 가는 김에 밀린 방세 좀 내라고……."

태경은 종업원이 채 말을 끝내기도 전에 계단을 오르고 있었다.

단숨에 4층에 도착한 태경은 방 번호를 살폈다. 세월 때가 꼬질하게 내려앉은 좁은 복도에는 문이 몇 개 안 달려 있었다. 계단 옆두 번째 방이었다.

"넌 뒤졌어!"

태경이 문을 열려다 말고 주위를 살폈다. 저만치 복도 구석에 대걸레 자루가 비스듬히 기대어 있었다. 태경은 자루만 분리하더니 반으로 동강 잘랐다. 그러자 끝이 날카로운 몽둥이로 변신했다. 태경은 연습을 하듯 몇 번 휘두르더니 다시 402호 앞에 섰다. 그리고 냅다 걷어차는 것이었다. 문은 임종을 앞둔 늙은이 모양으로 맥없이 입을 벌렸다.

"돛대 김창수! 니가 내 걸 훔치고도 살길 바라!"

태경이 달려 들어가며 소리쳤다. 하지만 방은 텅 비어 있었다. 그간 마신 소주병이며 컵라면 그릇 등 쓰레기만 가득할 뿐이었다. 활짝 열린 창문으로 바람이 밀려왔다. 태경은 부리나케 창문 밖을 살폈다. 하지만 돛대는 그림자도 안 보였다.

"아, 씨발!"

태경은 헐레벌떡 복도를 지나 여관을 빠져나갔다. 그리고 정신 나간 사람처럼 주변을 뒤지기 시작했다. 한 손에는 부러진 대걸레 자루를 쥔 채 좁은 골목을 뛰어다녔다. 돛대와 뒷모습이 흡사한 사람을 발견하면 여지없이 목덜미를 잡았고 봉고차 소리가 나면 앞을 가로막았다. 하지만 돛대는 흔적도 남아 있지 않았다. 태경은 포기하지 않고 계속해서 골목을 뛰어다녔다. 하지만 거친 숨소리와 함께 좌절만 깊어 갔고 얼굴은 광인처럼 변했다. 결국 터질 듯한 심장을 부여잡으며 주저앉았다.

"으아아아!"

뒷골목에 처절한 고함이 울려 퍼졌다.

"다 끝났어. 끝났다구!"

주먹만 한 눈물이 쏟아졌다. 그야말로 폭포수 같은 눈물이었다. 이제껏 태경은 한 번도 운 적이 없었다. 양아버지에게 겁탈을 당할 때도, 포주 종두에게 두들겨 맞을 때도 눈물 한 방울 흘린 적이 없었다. 오히려 악바리처럼 이를 악물었다. 대들지 못하는 자신을 책망했다. 그런데 마지막 희망이 사라진 것이다. 언젠가 이 지긋지긋한 지옥을 벗어나 천국의 땅으로 갈 수 있으리란 소망이 소멸된 것이다. 삶을 지탱해주던 작은 버팀목이 무너지자 쌓였던 설움이 폭발하며 홍수가 난 것이다. 태경은 숨쉬기 힘들 정도로 헐떡이며 흐느꼈다. 눈물을 훔치며 품에 있던 팸플릿을 꺼냈다. 사진 속에서 웃고 있는 사람들이 절대 도달할 수 없는 천국의 거주민처럼 느꼈다.

"꿈…… 희망…… 다 좆까라 그래!"

태경은 있는 힘껏 팸플릿을 찢어버렸다.

갈기갈기 조각나던 낙원 위로 눈물이 용암처럼 쏟아졌다. 태경은 찢은 팸플릿 조각을 바닥에 던져버렸다. 그리고 잔해 위에 엎드려 세상 떠나가라 울부짖었다. 지나는 사람들이 정신병자 보듯 바라봤지만 상관없었다. 이제 살아야 할 이유가 남아 있지 않았다. 한참을 울었다. 눈물이 마르고 목이 쉴 정도로 울었다. 이제 더 이상 울 기운조차 남지 않을 때까지 울고 난 후였다.

누군가 다정하게 담요를 덮어주는 것이었다. 낡고 오래된 담요였지만 푸근하고 친숙한 냄새가 났다. 그리고 따뜻했다. 태경은 깜짝 놀라 고개를 들었다. 그녀 앞에 있던 건 누리였다. 누리가 새하얀 A4지 같은 미소를 지으며 태경을 바라보고 있었다.

"하늘이 무너지면 무너진 대로 살면 돼."

"뭐……."

누리가 태경의 콧물을 닦아주었다.

"우리 할머니가 그랬어. 하늘이 무너지면 무너진 대로 살면 된다고…… 그럼 또 다른 하늘이 보인다고. 그니까 울지 마."

태경은 멍하니 누리를 바라봤다.

돛대를 잡아야 한다는 생각에 누리란 존재를 완전히 잊고 있었던 것이다. 모든 것이 날아간 순간 세상에 홀로 버려진 채 흐느끼고 있었던 것이다. 살아야 할 이유도, 살고 싶은 욕망도 사라진 채 흙바닥에 널브러져 추락하고 있었던 것이다. 그런데 누군가 그녀의 어깨에 따뜻한 담요를 덮어주고 있었다. 담요는 지저분하고 낡았지만 이제껏 덮어본 어떤 담요보다도 따뜻하고 포근했다. 그리고 누군가가 환한 미소를 건네며 위로를 하고 있었다. 바보의 진심을 다해, 순수한 용기를 내어 손을 내밀고 있었다. 그 손은 심해로 가라앉는 태경에게 한 줄기 빛보다 찬란했고 소중하게 다가왔다. 태경은 무의식이 명령하는 대로 그 손을 잡았다.

"따라와! 맛있는 거 사줄게."

누리가 번쩍 일으켜 세우며 말했다.

"우리 할머니가 그랬어. 힘들 땐 밥이 최고라고. 힘들 때 맛있는 걸 먹으면 힘이 난다고. 그러니까 맛있는 거 먹으러 가자."

"너 돈도 없잖아."

그러자 누리가 환하게 웃으며 말했다.

"요리사가 있어. 따라와."

누리가 어느새 저만치 달려가고 있었다.

"웃기고 있네. 거지 주제에."

하지만 태경도 어느새 누리를 따라 달리고 있었다.

어찌나 우렁찬지 코 고는 소리가 길 건너편까지 들렸다.

지난밤 손님이 넘쳐났던 터라 한서는 트럭 운전석에서 침낭을
둘둘 만 채 곯아떨어져 있었다. 월계동에 반지하 방이 있었지만 대
부분 트럭에서 숙식을 해결했다. 해가 중천에 떴건만 한서는 깰 기
미가 보이지 않았다. 쿵쿵쿵. 누군가 운전석 유리창을 요란하게 두
들겼다. 하지만 한서는 오히려 침낭 속으로 깊이 기어들어갔다. 다
시 쿵쿵쿵.

"일어나! 김 사장!"

누리가 소리를 질렀다. 한서는 마지못해 부스스 눈을 떴다.

"알았어. 차 뺀다구."

잠에서 덜 깬 한서가 엉뚱한 소리를 했다.

"김 사장. 나야!"

누리가 유리창에 얼굴을 바짝 대며 말했다. 그제야 잠이 깬 한서
가 일어났다.

"니가 웬일이냐? 또 을어터졌냐?"

"소개해줄 사람이 있어."

누리가 옆에 있던 태경을 가리켰다.

"꼭두새벽에 소개는 얼어 죽을. 예쁜 양색시라도 꼬셨냐."

해가 중천에 떠 있었다. 한서는 안경을 끼고 유심히 태경을 바라봤다.

"이런 놀랄 노 자가 있나."

한서의 작은 눈이 일순간 주먹만 해졌다.

포장마차를 한 지 삼 년이 넘었지만 이렇게 이른 시간 문을 연 건처음이었다. 오후 햇살이 정수리를 달구는 와중에 한서는 연신 하품을 해대며 재료를 손질하고 있었다. 손님 테이블에는 누리와 태경이 나란히 앉아 있었다. 거리를 두려고 애썼지만 누리가 따라붙는 통에 태경은 결국 모서리에 몰려 있었다. 한서는 대파를 썰며 두사람을 번갈아 봤다. 싱글벙글한 누리에 비해 태경은 새침하게 앉아 있었다.

"어서 저런 예쁜 애를 구했니?"

한서가 칼질하다 말고 대뜸 물었다.

"여자 친구."

누리가 당연하다는 듯 말했다.

"웃기고 있네. 누가 니 여자 친구야?"

태경이 발끈해서 소리쳤다.

"이제 곧 될 거야. 여자 친구."

누리는 조금도 주눅 들지 않았다.

"꿈 깨라. 그런 일 절대 없을 테니까."

태경이 어림없다는 듯 고개를 돌렸다. 한서는 그런 두 사람을 흐뭇하게 바라보고 있었다.

"젬병인 줄 알았더니 호박씨도 깔 줄 아네."

한서가 채 썬 대파를 냄비 안으로 밀어 넣었다.

손때가 꼬질꼬질한 양은 냄비에는 멸치 육수가 구수하게 끓고 있었고 프라이팬은 단골손님을 맞이하기 위해 적당히 달궈지고 있었다.

"뭐 먹고 싶니? 누리가 처음 데려온 친구니까 특별히 대접하마."

그러자 누리가 대신 메뉴를 읊었다.

"닭 날개 구이랑 우동이랑 계란말이랑……."

"너 말고. 니 여자 친구."

"전 됐어요. 먹을 기분 아니에요. 그리고 여자 친구 아니고요."

태경이 시큰둥하게 대답했다.

"일진이 사나웠나 보구나. 그럼 오늘은 셰프의 메뉴로 간다."

한서가 간이 냉장고에서 재료를 잔뜩 꺼내더니 손질을 시작했다.

누리는 신이 나서 그 광경을 지켜봤다. 언제나처럼.

"뭐 해줄 거야, 김 사장?"

"진드근히 기다려봐. 오늘은 특별 메뉴야."

한서도 덩달아 신이 나 있었다.

"김 사장 요리 진짜 맛있다. 최고야."

"너 지난번에 설거지 안 하고 도망갔지. 오늘 그 몫까지 다 하고 가."

"김 사장 요리는 세계 최고야."

"말 돌리지 마. 어림없으니까. 이게 요즘 은근히 잔머리 굴려."

누리와 한서는 여느 때처럼 티격태격하면서도 정겨웠다. 그 모습을 바라보고 있자니 태경도 조금은 편안해졌다.

"어떻게 만났니?"

한서가 물었다.

"어제 길거리에서 처음 봤는데 계속 따라다녀요."

"안 봐도 뻔하지. 가라는데도 안 가고 계속 따라다니지? 욕을 하건 말건."

큼지막한 삼겹살을 프라이팬에 올리자 칙- 하는 소리를 내며 익기 시작했다.

"아저씨한테도 그랬어요?"

태경이 물었다.

"말도 마라. 저놈이 보기엔 맹물 같아도 고집이 보통이 아니야. 꺼지라고 쌍욕을 하는데도 거머리처럼 따라다녔단다."

한서는 센 불에 삼겹살을 볶다가 준비한 양념장을 보탰다. 그러자 프라이팬에 불이 붙으며 맛있는 고기 향이 골목으로 퍼져 나갔다.

태경과 누리는 고이는 침을 꼴딱꼴딱 삼키고 있었다. 고기가 적당히 익자 썰어둔 파를 넣고 참기름을 보탰다. 그러자 먹음직한 삼겹살 두루치기가 완성됐다.

"자, 첫 번째 요리다."

한서가 널찍한 접시에 요리를 담아냈다.

"와! 이런 것도 할 줄 알아, 김 사장?"

누리가 김이 모락모락 나는 요리를 보며 탄성을 질렀다.

"길바닥에서 장사하니까 우스워 보이냐? 이래 봬도 오성급 호텔 주방장 출신이야."

누리는 연신 감탄사를 터트리며 먹었다. 하지만 태경은 바라만 볼 뿐 젓가락도 들지 않았다.

"먹어봐라. 괜찮을 거다. 누리가 너 때문에 온 모양인데 한 수저라도 떠야지."

그러자 태경이 마지못해 한 젓가락을 입에 댔다. 적당히 양념을 뒤집어쓴 삼겹살은 뼈까지 살살 녹았다. 한번 손을 댄 요리는 멈출 수가 없었다. 그만큼 한서의 요리에는 마력이 있었다. 태경은 계속해서 젓가락을 움직였다. 그렇게 몇 번 오가자 어느새 접시가 바닥을 드러냈다.

"내가 그랬지? 김 사장 요리가 최고라고."

누리가 자기 솜씨인 양 자랑했다. 그사이 한서는 다음 요리를 준비했다. 두 번째 요리는 일본식 볶음 우동이었다. 기름을 넉넉히 두른 후 베이컨과 마늘을 볶다가 데쳐둔 우동 사리와 숙주를 보탰다.

그리고 몇 번 불 위에서 프라이팬을 휘두르자 순식간에 요리가 완성됐다. 우스터소스를 머금은 국수는 기가 막혔다. 태경은 어느새 슬픔도 잊은 채 정신없이 먹고 있었다. 한낮의 포장마차에는 바쁜 젓가락 소리와 군침 도는 냄새만이 가득했다. 뒤를 이어 감자전과 버터구이 주먹밥이 나왔다. 두 사람은 말도 잊은 채 게걸스럽게 먹어댔다. 한서는 담배를 피우며 그 모습을 흐뭇하게 바라보고 있었다. 이윽고 모든 접시가 비자 태경이 머쓱하게 입가에 묻은 양념을 닦았다.

"생각 없다더니 싹 비웠네."

한서가 꽁초를 비비며 말했다.

"괜찮네요."

태경이 쑥스러운 듯 나지막이 말했다.

"그래서 누리야. 이 아이는 뭣 때문에 따라다녔니? 이번에도 운명의 실이 끌고 갔니?"

한서는 사과를 깎기 시작했다.

"아니. 이번에는 전설이 데려다줬어."

"전설이라. 멋지구나."

사과 껍질이 길게 똬리를 틀고 있었다.

"부치하난의 전설이야. 얘기해줄까?"

"너, 그 전설 얘기 또 하기만 해봐. 나 간다."

태경이 발끈해서 소리쳤다.

"재밌는데."

누리가 아쉬운 듯 중얼댔다.

"나중에 해주렴. 듣고 싶으니까."

한서가 예쁘게 자른 사과를 내며 말했다.

"아 참! 울 할머니!"

갑자기 누리가 벌떡 일어나며 소리쳤다. 철공소에 수리를 맡겼던 할머니 리어카를 잊고 있었던 것이다.

"간 떨어지겠다, 이눔아."

"나 할머니 데리러 갔다 올게. 여기 쫌만 있어!"

이 말을 남기고 누리는 쏜살같이 골목 저편으로 사라졌다.

식신이 스쳐간 포장마차에는 한서와 태경 둘만이 남아 있었다.

"할머니를 되게 좋아하나 봐요? 온종일 할머니 타령이던데."

태경이 사과 하나를 집으며 물었다.

"좋아할 수밖에. 길거리에서 얼어 죽을 뻔한 걸 데려다 키웠으니."

"아. 죽을 뻔한 거."

태경이 건성으로 대답하며 두 번째 사과를 집었다. 그런 태경을 한서가 물끄러미 바라봤다.

"뭐 하실 얘기 있어요?"

태경이 눈치 빠르게 물었다.

"니가 누리를 왜 만나는지 모르겠다만…… 누리는 내가 만난 사람 중 가장 좋은 사람이다. 장난치는 거라면 이쯤에서 그만둬라."

나지막한 목소리엔 진심이 가득했다.

"뭔가 착각하신 거 같은데. 아까 말했죠. 쟤가 따라다니는 거라고. 그렇지 않아도 밥만 먹고 헤어질 생각이니까 걱정 붙들어 매세요."

태경은 냉정했다. 도마뱀이 살기 위해 꼬리를 자르듯.

"그럼 됐다."

한서는 술이 당기는지 먹다 남은 소주를 꺼냈다. 비록 말은 그렇게 했지만 은근 다른 대답을 기대했던 모양이다. 한서는 잔을 채우더니 맛있게 한 모금 들이켰다. 슬슬 땅거미가 지며 밤이 찾아오고 있었다.

"저도 한 잔 주세요."

태경이 잔을 내밀었다. 한서가 두 번째 잔을 따르다 말고 힐끗 바라봤다.

"미성년자 아니거든요."

태경이 당당하게 소주병 옆에 잔을 놨다. 한서가 잔을 채우자 태경은 단숨에 비웠다. 크- 하는 농익은 소리가 예쁜 입에서 흘러나왔다.

"근데 아저씨는 쟤랑 무슨 사이예요? 아빠는 아닌 거 같고."

태경이 잔을 또 내밀며 물었다.

"누리랑은 아주 묘한 인연이 있지."

한서가 두 번째 잔을 채웠다.

"들어보죠. 분위기도 썰렁한데."

태경은 그간 모자랐던 연료를 채우듯 연거푸 원샷을 했다. 한서는 추억을 떠올리며 술을 입술에 묻혔다. 알싸한 알코올 향이 식도를 불태우며 흘러내렸다.

"그러고 보니 벌써 삼 년이나 됐구나. 저눔을 만난 게. 세월 참 빠르네. 그때만 해도 내가 길바닥에서 장사하게 될 줄 상상도 못 했지. 이래 봬도 내로라하는 호텔 셰프였거든. 한식 담당으로 직함도 이사였어. 억대 연봉에 아침이면 기사 딸린 회사 차가 집 앞에 왔지. 단골손님들도 이름만 대면 아는 대기업 회장들이었어. 부러울 거 없던 시절이었어. 그런데 그 빌어먹을 전화 한 통화가 인생을 송두리째 말아먹었지. 어느 날 고향 친구 한 놈이 연락을 했어. 그야말로 불알친구였지. 내 고향은 옆집 숟가락이 몇 개인지 알 정도로 가깝게 지내는 깡촌이었어. 거기서 도랑 치고 가재 잡던 놈이었지. 이놈이 대뜸 자기랑 사업을 해보자는 거야. 나 정도 실력에 인맥이면 우리나라 최고 레스토랑을 만들고도 남는다고. 사람이 망하려면 귀신이 쓰인다더니, 귀가 솔깃했던 난 그 좋은 직장을 때려치우고 녀석과 강남에 큼지막한 한식 레스토랑을 차렸어. 인테리어부터 식기까지 전부 최고로 도배했지. 화장실 변기까지 미국에서 직접 공수해왔으니까. 시작은 그럴싸했어. 단골손님들도 찾아오고 상류층 손님들 사이에서 핫플레이스로 자리를 잡아갔으니까. 그런데 문제는 그 친구 놈이었어. 언제부턴가 두문불출하는 거야. 연락도 잘 안 되고. 난 다른 사업을 하는 모양이구나 생각하고 레스토랑에만 몰두했지. 그러던 어느 날 일이 터진 거야. 은행에서 차압통지서가 날아왔지. 레스토랑뿐만 아니라 집까지 딱지가 붙었어. 자초지종을 알아보니 친구 놈이 사업한답시고 대출을 받아선 해외로 나른 거였어. 덕분에 동업자였던 내가 모든 대출과 빚을 고스란히 떠안게 된 거야. 집에는 매일 빚쟁이들이 찾아와 독촉하고. 결국 마누라와 자식은 떠나버렸지. 나는 그동안 번 돈을 모두 날리고 길바닥에 나앉았어. 놈을 잡으려고 백방으로 알아봤지만 소용없는 짓이었지. 알고 보니 당한 놈이 한둘이 아니었어. 처음부터 이럴 계획으로 접근했던 거야. 불알친구한테 제대로 뒤통수를 맞은 거지. 가까웠던 지인들한테 손을 벌렸지만 십 원 한 장 꿔주는 놈 없더군. 그야말로 하루아침에 알거지가 된 거야. 이맘때였어. 겨울비가 주룩주룩 내리고 갈곳은 없고. 주머니에 남은 돈이라곤 만 이천 원이 고작이었지. 희망이라곤 눈곱만큼도 남아 있지 않았어. 사람이 막장에 몰리면 떠오르는 건 하나밖에 없어. 나는 남은 돈으로 진탕 술을 퍼마시곤 죽을 장소를 찾기 시작했어. 한강 다리로 갈까, 아님 고층빌딩으로 갈까. 터벅터벅 걸으며 적당한 장소를 물색했지. 그러다 문득 저만치 낙원상가가 보이는 거야. 낙원상가 네온사인이 번쩍번쩍 손짓을 하더군. 나는 잔돈으로 소주 한 병을 사서 상가 옥상으로 향했어. 어둑해진 옥상은 한적했지. 비도 멈추고 적당히 바람도 부는 게 죽기엔 딱이었지. 나는 이제껏 내 인생에 건배를 하곤 남은 소주를 전부 비웠어. 그리고 난간에 올라섰지. 눈물이 죽죽 흐르더군. 이렇게 죽게 될 줄은 꿈에도 몰랐거든. 이제 뛰어내리려던 순간이었어. 뒤에서 누가 말을 거는 거야. 하늘이 무너지면 무너진 대로 살면 돼."

"그럼 또 다른 하늘이 보일 거야……."

태경이 뒤를 이었다. 한서가 씩 웃으며 잔을 채워줬다.

"뒤를 보니 꾀죄죄한 거지 한 명이 서 있더구나. 덥수룩한 머리에 지저분한 야상을 입고."

한서가 술잔을 털어 넣었다.

"그럼 삼 년 내내 저 옷만 입었단 말이에요?"

태경도 어느새 잔을 비우고 있었다.

"꺼지라고 소리쳤지만 꿈쩍도 않는 거야. 히죽히죽 웃으면서 죽

223

는 걸 구경하겠다는 듯 기웃거렸지. 나는 기분을 잡쳐서 다른 장소를 물색하려고 상가를 나섰어. 그런데 어이없게도 누리 녀석이 계속 쫓아오는 거야. 나는 쌍욕을 해대며 꺼지라고 했지만 듣는 둥 마는 둥이었어. 계속 히죽대면서 따라다녔지. 결국 나는 지쳐서 길바닥에 주저앉았어. 가뜩이나 마음도 추운데 칼바람이 불어대더군. 이대로 얼어 죽는 것도 나쁘지 않겠더라고. 그냥 길바닥에 드러누웠지. 그런데 누리 녀석이 슬금슬금 다가오더니 이러는 거야. 우리 집에 가지 않을래. 내가 맛있는 거 해줄게. 할머니가 그랬는데 힘들 땐 맛있는 걸 먹으면 힘이 난다고. 난 못 이기는 척 따라갔어. 낙원상가 지하 주차장으로 들어가더구나."

"설마 라면 끓여준 건 아니죠? 유통기한 지난."

어느새 두 사람은 잔을 부딪치고 있었다.

"왜 아니겠어. 빈속에 술만 마셨던 터라 난 정신없이 라면을 먹었지. 태어나서 먹은 라면 중 최고였어. 정말 눈물이 날 정도로 맛있더라고. 호텔에서 가끔 단골손님이 부탁해서 라면을 끓인 적이 있었어. 전복에 낙지에. 그야말로 최고 재료로 끓인 라면이었지. 그 라면은 발끝도 못 쫓아올 정도로 맛있었어. 정신없이 냄비를 비우고 나니 잠이 몰려오더구나. 난 그대로 곯아떨어져서 한참을 잤어. 얼마쯤 잤을까. 누가 깨우더라구. 눈을 떠보니 누리 녀석이 따라오라는 거야. 나는 뭣도 모르고 따라나섰어. 누리는 매일 새벽 그러듯 빈병을 주웠어. 늘 다니던 코스를 따라 리어카를 신나게 끌어댔지. 아주 열심이었어. 빈 병을 발견하면 보석이라도 주운 듯 소중히 닦은 후 리어카에 실었지. 그 모습을 보고 있자니 왠지 부럽더라. 뭐랄까, 살아 있음을 즐긴다고나 할까. 가난하고 외로웠지만 누리는 삶으로 가득 차 있었어. 리어카를 끄는 뒷모습이 세상 부러울 게 없어 보였어. 그렇게 해가 뜰 때까지 빈 병을 줍던 누리는 고물상에 빈 병을 팔고는 보름달 빵 하나랑 우유를 샀어. 그리고 낙원상가 옥상으로 올라가는 기야. 어젯밤 죽으려고 올라갔던 그 옥상 말이야. 그러더니 빵을 반 나눠주더라구. 그때 저만치서 아침 해가 뜨는 거야. 쟁반만 한 해가. 우리는 일출을 보면서 빵을 먹었어. 그러자 가슴 안에 정체 모를 희망이 차오르는 거야. 이제껏 한 번도 느껴본 적 없던 벅찬 감동이 몰려오는 거야. 어제는 죽으려고 올라왔던 옥상이 이제는 살고 싶은 욕망으로 가득 차 있는 거야. 갑자기 눈물이 흐르더라. 나는 빵을 먹으면서 엉엉 울었어. 그리고 빵을 절반쯤 먹었을 때 누리한테 말했어. 살려줘서 고맙다.”

한서가 남은 잔을 시원하게 비웠다.

어수룩해진 골목에는 포장마차 불빛이 등대처럼 켜져 있고 그 주위를 따뜻한 기운이 담요처럼 둘러싸고 있었다. 그리고 이제껏 서먹했던 두 사람 사이에는 묘한 온기가 흐르고 있었다.

“한 병 더 먹을래?”

한서가 물었다.

“좋죠.”

한서는 새 병을 땄다. 잔을 채운 두 사람은 십년지기처럼 잔을 부딪친 후 비웠다.

"저도 옥상에 올라간 적이 있어요."

한서가 쳐다봤다.

"아직 그런 생각을 하기엔 너무 어리지 않니?"

"세상엔 아저씨가 상상도 못 한 일을 겪은 애들이 있어요."

"하기야 누리도 가끔 나보다 어른스러울 때가 있으니까."

한서는 안줏거리를 주섬주섬 꺼냈다.

"전 창녀예요."

태경이 대뜸 말했다. 한서는 대수롭지 않다는 듯 안주를 냈다.

남은 오징어포와 땅콩이었다.

"그날도 아저씨뻘 되는 늙다리들이랑 전쟁 같은 잠자리를 치렀어요. 아침부터 밤까지. 하루 종일 스무 명하고 떡을 치면 어떻게 되는지 알아요? 온몸이 누더기가 돼서 구정물 속으로 가라앉는 기분이 들어요. 쓰레기 더미에 버려진 깡통만도 못한 기분이 되죠. 남자들은 전부 내 피를 빨아먹지 못해 안달 난 기생충 같았어요. 더 살아야 할 이유가 없었죠. 아니, 더 살고 싶지 않았어요. 나 따위 죽는다고 슬퍼할 인간도 없고. 전 지긋지긋한 인생을 끝내려고 옥상으로 향했어요. 제 나이 열여덟이었죠. 다른 애들은 친구들하고 떡볶이 먹으며 수다 떨 나이에 누더기가 돼서 죽는 거예요. 눈물도 안 나더라구요. 까마득한 발아래에는 저 같은 거 죽건 말건 부어라 마셔라 하는 인간들이 득실거리고. 눈을 감고 드디어 허공으로 발을 내디디려던 순간이었어요. 한 줄기 시원한 바람 속에 발목을 잡는 뭔가가 있었어요. 처음엔 사람인 줄 알았어요. 절 말리러 온……."

태경이 품속에 있던 팸플릿을 찾았다. 하지만 방금 전 찢어버려 남아 있지 않았다.

"어쩌면 누가 잡아주길 바랐는지도 몰라요. 그런데 보니까 광고지더라고요. 여행사 광고지가 발치를 맴돌고 있었어요. 마치 주인 잃은 강아지처럼. 전 광고지를 집어서 살폈어요. 그런데 거기에 천국이 인쇄되어 있는 거예요. 옥색 바다에 하얀 모래사장, 멋진 리조트까지. 보는 것만으로도 황홀한 풍경이었어요. 거기 사는 사람들은 모두 행복해 보였어요. 불행이란 단어조차 모르는 사람들 같았어요. 광고지를 보면서 생각했죠. 그래. 기왕 죽을 거면 여기서 죽자. 천국에서 죽는 거야. 그 후로 힘들 때면 광고지를 보며 버텼어요. 술 취한 진상 손님이 꼬장을 부려도, 포주 새끼가 지랄을 해도 꾹 참았어요. 작은 희망이 생긴 거죠. 힘들 때마다 광고지를 보며 다짐했어요. 간다. 반드시 간다. 그렇게 이 년을 버텼어요. 그러던 중 기회가 생긴 거예요. 천국에 갈 수 있는 티켓이 제 손에 들어온 거예요. 바로 어제. 그런데……."

태경은 북받치는 감정을 주체하지 못했다. 눈가에 눈물이 그렁그렁 맺혔다.

"그런데?"

한서가 궁금증을 이기지 못하고 물었다.

"훔쳐갔어요! 그 개새끼가! 내 꿈을 훔쳐갔다고요! 빌어먹을! 이제 다 끝났어요. 끝났다구요."

태경은 소주를 병째 들이켰다. 그러고는 탁자에 엎드려 펑펑 울기 시작했다. 그때였다. 누군가 태경 머리맡에 찢어진 종잇조각을 살포시 놓는 것이었다. 태경은 울다 말고 고개를 들었다. 그것은 방금 전 찢어버린 광고지였다. 태경이 조각낸 광고지가 하나도 빠짐없이 모여 있었다.

"내가 다시 찾아줄게. 그니까 울지 마."

누리였다. 언제 돌아왔는지 누리가 환하게 웃으며 서 있었다.

태경은 멍하니 누리를 바라봤다.

"할머니는?"

그러자 누리가 뒤를 가리켰다.

"우리 할머니야. 인사해."

낡았지만 멀쩡하게 모습을 갖춘 리어카가 달빛을 받으며 당당히 서 있었다.

"저게…… 할머니야?"

태경이 어이없다는 듯 물었다.

"할머니가 남긴 유품이란다."

한서가 대신 답했다.

그런데 자세히 보니 달라진 부분이 있었다. 바퀴를 제외한 몸체에 예쁘게 그림이 그려져 있었다. 꽃, 나무, 나비, 기린 같은 것들이 총천연색으로 수놓여 있었다. 그림은 유치원생이 대충 그린 것처럼 어설펐지만 귀엽고 앙증맞았다. 그중에는 나비넥타이를 맨 펭귄도 보였다.

"내가 특별히 부탁한 거야. 끝내주지?"

228

누리가 자랑스럽다는 듯 말했다.

"꼭 지 같은 것만 그려요. 누가 새 머리 아니랄까 봐."

한서가 펭귄을 가리키며 응수했다.

"펭귄이 새야?"

누리가 천연덕스럽게 물었다. 그러자 태경이 참고 있던 웃음을 터트렸다. 푸하하하. 웃음은 전염병처럼 퍼지더니 골목에 세 사람의 웃음소리가 가득 찼다.

즐거운 술자리는 얼마 가지 못했다. 태경이 곯아떨어졌기 때문이다. 사실 태경은 술을 이기지 못하는 체질이었다. 때문에 직업상 술자리에 앉아도 마시는 시늉만 했다. 그런데 오늘은 처음으로 소주 한 병을 전부 마셨던 것이다. 덕분에 태경은 전원이 꺼진 것처럼 곯아떨어졌다.

"올라. 일어나, 올라야."

누리가 안절부절못하며 태경을 깨웠지만 소용없었다. 태경은 기절한 듯 반응이 없었다.

"술 취한 거야. 한숨 자고 나면 괜찮을 거다."

한서가 태경을 부축하며 말했다.

"정말 괜찮겠지?"

"데려가 재워. 일어나면 네 특제 해장 라면이나 끓여줘."

"알았어."

누리가 태경을 업더니 할머니 리어카에 태웠다. 한서도 어깨를 빌려주었다. 태경은 리어카에 실린 줄도 모른 채 정신없이 코를 골고 있었다. 누리는 혹시나 추울까 야상을 벗어 덮어주었다.

"나 갈게, 김 사장. 설거지는 다음에 해줄게."

"또 외상이냐?"

누리가 씩 웃더니 리어카 손잡이를 움켜쥐었다. 출발하려던 순간이었다.

"누리야."

한서가 걱정스러운 눈으로 불러 세웠다.

"왜?"

"너무 마음을 주지 마라. 그 아이한테."

그러자 누리가 대답했다.

"난 마음 말고는 줄 게 없는데."

"내 말은……."

한서는 말을 잇지 못했다.

"됐다. 조심해서 가."

"갈게. 김 사장."

누리가 손을 흔들고는 리어카를 끌기 시작했다.

그 모습을 한서가 근심 가득한 얼굴로 바라봤다.

대로로 나온 누리는 혹시나 깰까 조심조심 리어카를 몰았다. 태경은 누리의 야상을 끌어당기며 잠결에 꼼지락대고 있었다. 그렇게 총천연색 리어카는 인사동 대로를 지나 누리의 아지트로 향하고 있었다. 이제 골목 몇 개만 더 지나면 도착이었다. 누리는 있는 힘을 다해 리어카를 끌었다. 드디어 마지막 골목을 돌아서려던 순간이었다.

"야, 똘빡!"

거친 목소리가 누리를 불러 세웠다. 누리는 멈칫했다.

저만치 어둠 속에 두 개의 그림자가 있었다. 그림자는 불량기 가 득한 걸음걸이로 다가왔다.

"어딜 그렇게 존나게 가시나? 꿀단지라도 숨겨뒀나?"

오덕의 졸개들이었다. 손에는 트레이드마크처럼 홍두깨를 하나 씩 들고 있었다. 누리는 움찔 뒤로 물러섰다.

"꿀단지 없어. 비켜."

"어쭈. 이 돌대가리가 겁대가리 없이 어따 대구."

졸개 하나가 겁을 줬지만 누리는 꿈쩍도 안 했다.

"비켜. 가야 돼."

"너 같은 새끼 잡으래도 안 잡아. 우리도 바쁘거든."

졸개가 복사한 사진 한 장을 들이밀었다.

"혹시 이 기집애 본 적 없나?"

사진 속 여자는 다름 아닌 태경이었다. 복사를 해서 흐릿했지만 충분히 알아볼 수 있었다. 누리는 새 나오는 신음을 막기 위해 입을 틀어막았다. 하지만 눈치 빠른 졸개들을 속이기에는 너무 어설펐다.

"이 새끼. 너 봤지? 어디서 봤어? 말 안 해?"

졸개들이 누리를 윽박질렀다.

"못 봤어. 못 봤다구."

누리가 반항했지만 졸개들은 홍두깨를 휘두르며 계속 위협했다.

"티 팍팍 난다, 돌대가리 새꺄! 어디서 봤어? 대답 안 하면 리어카 또 부순다."

"우리 할머니 건드리기만 해봐. 이번엔 가만 안 둘 거야."

"가만 안두면 어쩔 건데. 뒤질라고!"

그때 졸개 하나가 리어카에 실린 뭔가를 발견했다.

"너 이거 뭐야? 또 우리 병 훔친 거냐? 겁대가리 상실했구만."

졸개가 리어카로 다가갔다. 그러자 누리가 앞을 가로막았다.

"아니야. 병 아니야."

"저리 비켜, 새꺄!"

하지만 졸개는 완력으로 밀치고 리어카를 살폈다. 어둠에 가려 흐릿했지만 태경을 덮고 있던 야상이 어스름하게 나타났다.

"안 돼!"

누리가 소리쳤지만 졸개가 야상을 들춰냈다. 그런데 자고 있어야 할 태경은 보이지 않고 텅 빈 리어카만이 있었다.

"뭐야. 아무것도 없잖아."

졸개가 싱겁다는 듯 야상을 내동댕이쳤다. 누리는 안도의 한숨을 내쉬면서도 고개를 갸웃했다. 방금 전까지만 해도 곤히 잠들어 있던 태경은 어디로 갔단 말인가.

"야, 똘빡! 이 기집애 보면 바로 알려. 알았어?"

졸개들은 마무리 위협을 가하고는 유유히 사라졌다. 누리는 골목에 리어카와 홀로 덩그러니 남아 있었다.

"올라!"

졸개들이 사라진 걸 확인하고 누리는 태경을 찾아 나섰다. 밤이 내린 거리는 한잔 걸치기 위해 나온 사람들로 붐볐다. 누리는 그 사이를 휘젓고 다니면서 '올라'를 외쳤다. 어미를 잃은 새끼 양처럼 처절한 목소리로 외쳤다. 그렇게 얼마를 달렸을까. 저만치 골목 너머에 누리를 응시하는 눈이 있었다. 누리는 대번에 시선의 임자를 알 수 있었다. 누리는 신호도 무시한 채 도로를 가로질렀다. 몇 대의 차가 급정거를 하며 욕을 해댔지만 들리지 않았다. 누리가 오는 걸 발견한 태경은 반대편으로 달아났다. 하지만 매일 리어카를 끌고 인사동 바닥을 누빈 누리를 따돌리기에는 역부족이었다.

"어딜 가! 올라야!"

누리가 숨을 헐떡이며 물었다.

"내 갈 길 가는 거다. 왜?"

태경이 뿌리치며 소리쳤다.

"같이 가. 나도 갈래."

"정신 차려. 너도 이제 니 갈 길 가라고."

"아니. 올라랑 같이 갈 거야."

그러자 태경이 멈추더니 소리쳤다.

"난 올라가 아니라고! 아직도 모르겠어? 난 소매치기 창녀 태경이야! 내가 널 데리고 다닌 건 그냥 이용해먹으려고 그런 거라고! 근데 이제 다이아도 없고 다 끝났어. 그러니까 이제 그만 꺼져 줘. 귀찮으니까. 너도 나랑 붙어 있어 봐야 좋을 거 하나도 없어. 그동안 고마웠다."

태경은 셈이라도 치르듯 누리의 입술에 입을 맞췄다. 0.1초도 안되는 짧은 입맞춤이었지만 누리는 그대로 소금기둥이 되어버렸다.

태어나 처음으로 한 키스였다. 상대는 다름 아닌 올라였다. 찰나의 순간 전해진 전류는 입술을 지나 뇌를 거쳐 척추를 타고 온몸으로 전해졌다. 그리고 그곳에는 작은 천국이 있었다. 아기 천사가 날갯짓하고 꿀이 강처럼 흐르는. 하지만 태경은 거스름돈을 돌려받은 손님처럼 차갑게 돌아섰다.

"잘 살아라. 넌 좋은 아이야."

이 말을 남기고 태경은 발걸음을 재촉했다. 그제야 천국에서 돌아온 누리는 서둘러 뒤쫓았다. 그러자 태경이 멈춰 서더니 소리쳤다.

"왜? 모자라? 너도 늙다리들처럼 한번 해줄까?"

잔인한 말은 비수가 되어 누리 가슴 정중앙에 꽂혔다. 주먹만 한 눈망울에 슬픔이 그렁그렁 맺혔다. 그제야 태경은 자신이 심했다는 걸 깨달았다.

"그러니까 이제 가라고. 가서 네 인생 살라고."

"내가 약속했잖아. 찾아주겠다고."

누리는 한 치도 물러설 생각이 없었다.

"니가 어떻게! 무슨 재주로 다이아를 찾아!"

"난 거짓말하지 않아. 할머니가 거짓말하는 사람은 약한 사람이라고 했어. 부치하난은 약속을 꼭 지켜."

"그 빌어먹을 놈의 부치하난! 그 잘난 부치하난은 대체 뭘 하고 있는 거야. 어서 빈둥대기에 일이 이따위로 꼬이도록 코빼기도 안 비치냐고. 대답해봐."

태경이 허공을 향해 마구 주먹을 휘둘렀다.

그때였다. 저 멀리 밤공기를 뚫고 하얀 물체가 솟구쳤다가 사라졌다. 그것은 아주 찰나의 순간이었는데 시선을 사로잡기에 충분히 경이로운 형상이었다.

"대답해 보라고!"

태경이 소리쳤지만 누리는 방금 전 물체에 혼을 빼앗긴 채 밤하늘을 응시하고 있었다. 순간 물체가 다시 모습을 드러냈다. 이번에는 밤하늘을 향해 더 높이 솟구쳤다가 사라졌다.

"고래다!"

누리 입에서 흘러나온 단어였다.

"또 무슨 헛소리야?"

태경이 화를 멈추고 누리가 응시하는 하늘을 바라봤다.

누리의 말은 거짓이 아니었다. 저만치 몇 블록 떨어진 곳에서 하얀 고래가 밤하늘을 날고 있었다. 그것은 실제 유영이었는데 야경 속에서 건물과 건물 사이를 유유히 헤엄치고 있었다. 그것은 실로 놀라운 광경이었다.

"이런 세상에!"

태경이 믿을 수 없다는 듯 중얼댔다.

"부란의 심장!"

순간 누리가 태경의 손을 잡고 미친 듯이 달리기 시작했다. 전설에 나오는 부란족의 고향, 부란늒타를 향해.

두 번째 징조

허파가 터질 듯 달려서 도착한 곳은 광화문 광장이었다.

광장에는 수많은 인파가 모여 축제를 벌이고 있었다. 행사 제목은 '조선총독부 철거완료 기념식'이었다. 플래카드 너머로 조선총독부 건물이 사라지고 근정전의 우아한 처마가 달빛에 자태를 드러내고 있었다. 그리고 과거의 치욕에서 해방된 사람들이 모여 축배를 늘고 있었다. 축제는 나름 성대하게 벌어지고 있었다. 광장 중앙에 큼지막한 무대가 설치되어 유명 가수들의 공연이 펼쳐지고 있었고 양옆 노점상에서는 전통 먹거리를 팔고 있었다. 뿐만 아니라 아티스트들이 '새로운 미래'라는 주제로 다양한 퍼포먼스를 선보이고 있었다. 붓글씨 장인은 몸집만 한 붓으로 큼직한 한지 위에 '미래'라는 글씨를 쓰고 있었고 행위 예술가들은 모시 적삼을 입고 일제의 만행을 규탄하는 퍼포먼스를 펼치고 있었다. 그리고 한 비디오 아티스트가 레이저 맵핑 쇼를 행하고 있었다. 쇼는 광화문 주변 건물들을 도화지 삼아 레이저 빔을 발사해 여러 형상을 그리는 것이었는데 동물, 애니메이션 캐릭터 등 다양한 형상들을 화려하게 수놓고 있었다. 그리고 누리의 시선을 사로잡았던 흰 고래가 있었다.

"저깄다!"

누리가 모습을 드러낸 고래를 가리키며 소리쳤다.

흰 고래는 경복궁 옆 정부청사 건물에서부터 유영을 시작하고 있었다. 가까이서 봐도 상당히 세밀하게 그려졌는데 지구상에서 가장 큰 동물, '흰수염고래'였다. 고래는 정부청사를 지나 세종문화회관을 거쳐 교보문고 건물을 넘나들며 헤엄치고 있었다. 그것은 모든 사람 입에서 탄성을 자아내는 장관이었다. 누리는 무턱대고 고래를 쫓아 광장을 달리기 시작했다.

"야! 저걸 쫓아서 뭘 어쩌자는 거야!"

태경이 끌려가면서 소리쳤다.

"우물. 고래를 따라가면 우물이 있어!"

누리가 정신없이 달리며 대답했다. 전설 속에서 부치하난은 부란족의 고향인 부란눅타를 찾았다. 그곳에서 어머니가 생을 마친 우물을 발견했던 것이다.

"멍청아. 광화문 한복판에 우물이 어딨어!"

"우물에 가면 기억이 있어."

누리는 밑도 끝도 없는 확신을 갖고 있었다. 이제껏 믿지 않았던 태경도 어쩐지 막연한 기대를 품고 있었다. 아마도 얼마 전 우연치 않게 발견한 얼레지 꽃밭 때문이리라. 고래는 어느덧 광장을 한 바퀴 돌더니 궤적을 달리해 반대편으로 유영하기 시작했다.

워낙 거대한 유영이라 따라가기가 힘들었지만 두 사람은 인파를 뚫고 용케 쫓고 있었다. 그렇게 다시 한 바퀴를 돈 고래는 세종문화회관과 정부청사 사이에 있는 공원에서 높이 솟구치더니 큰 파문을 일으키며 자맥질했다. 누리는 태경의 손을 꼭 잡은 채 고래가 사라진 공원으로 달렸다.

공원은 광장에 비해 한적했다. 몇몇 연인들이 벤치에 앉아 담소를 나누거나 맥주잔을 기울이고 있었다.

"내가 뭐랬어. 우물 같은 거 없다고 그랬지."

태경이 푸념을 했다. 그때 누리가 어딘가를 가리켰다.

"저깄다!"

태경은 누리가 가리킨 곳을 바라봤다. 하지만 그곳에 우물은 보이지 않았다. 대신 작은 분수가 있었다. 비록 겨울철이라 물을 뿜지는 않았지만 분명 분수가 자리하고 있었다.

"마른 우물……."

누리가 분수 안에 들어가더니 바닥을 만졌다. 마치 사막에서 물을 찾는 부란족의 챠이르처럼. 태경도 함께 분수대 안으로 들어갔다.

"그래. 이게 우물이라고 치자. 이제 어쩌라고."

태경은 여전히 냉소적이었다. 그러자 누리가 주변을 살피기 시작했다.

"기억을 찾아야 해. 어머니 기억……."

누리는 이리저리 뛰어다니면서 뭔가를 찾고 있었다.

화려한 축제가 벌어지는 광장에 비해 뒷골목은 어둡고 음산했다.

축제에 손님을 빼앗긴 술집들 네온사인만이 적막하게 번쩍이고 있었다. 드문드문 취객들 사이로 텅 빈 식당 앞에서 담배를 피우는 주인들 모습이 보였다. 누리는 그들 사이를 마치 오래전 숨겨둔 해적의 보물이라도 찾듯 혈안이 돼서 뛰어다니고 있었다. 한참을 뒤쫓던 태경이 멈춰 섰다.

"이젠 니 헛짓거리 따라 하는 데 지쳤다. 난 갈래."

태경이 뒤돌아서며 말했다. 하지만 누리는 여전히 두 눈을 부라리며 단서를 찾고 있었다. 태경이 골목을 빠져나가려던 순간이었다.

"찾았다!"

누리의 고함이 골목에 울려 퍼졌다. 덩달아 태경의 발걸음도 멈췄다. 비록 헛짓거리라고 했지만 마음 한구석에 남은 미련이 실오라기를 잡듯 발을 붙잡았다.

"뭘 찾았다는 거야?"

태경이 누리가 가리키는 방향을 바라봤다. 누리의 손가락은 낡은 건물의 네온사인을 가리키고 있었다. 4층짜리 건물에는 여러 개의 간판들이 덕지덕지 붙어 있었다. 그중 지하로 이어진 노래방 간판을 가리키고 있었다. 간판은 유치찬란한 색상의 네온사인이었는데 그나마도 드문드문 고장이 나 있었다.

추억 노래방

그것이 간판의 내용이었다.

"저게 뭐?"

태경이 어이없다는 듯 물었다.

"추억도 기억이잖아."

태경의 입에서 자연스레 한숨이 새 나왔다.

"널 믿은 내가 미친년이지."

태경은 매몰차게 돌아섰다. 그렇게 몇 걸음을 내디뎠을 때였다. 반대편 건물 입구에서 누군가 나오는 것이었다.

입구에는 '전당포'라는 간판이 선명했는데 누군가가 주섬주섬 봉투를 챙기더니 부리나케 대로로 향했다. 태경 역시 대로로 발걸음을 옮기던 중이었다. 둘은 약속이나 한 듯 정확히 골목 한복판에서 마주쳤다. 가로등이 두 사람을 무대의 연기자처럼 동그랗게 비추고 있었다. 마주친 두 사람은 서로의 얼굴을 알아보고는 얼음처럼 굳었다.

"너, 이 개새끼!"

태경의 입에서 반사적으로 욕이 튀어나왔다. 전당포에서 나온 건 다름 아닌 돛대였다. 절름발이 돛대가 일그러진 얼굴로 태경을 마주하고 있었다.

"이런 씨발!"

돛대가 미친 듯이 달아나기 시작했다.

"너 거기 안 서!"

태경이 눈에 불을 켜고 쫓았다. 돛대는 비록 절름발이였지만 주력이 만만찮았다. 쩔룩거리면서도 태경을 따돌리고 이리저리 잘도 도망갔다. 하지만 태경에게는 누리가 있었다. 몇십 킬로 나가는 리어카를 날듯이 끄는 누리가 어느새 태경을 앞지르더니 순식간에 돗대를 따라잡았다. 그리고 마지막 순간 몸을 날려 돗대의 발목을 움켜쥐었다.

"으악!"

돗대가 외마디 비명을 지르며 꼬꾸라졌다.

"야! 거지새끼. 좋은 말로 할 때 이거 놔라!"

돗대가 달아나려 발버둥 쳤지만 어림없었다. 한번 움켜쥔 누리의 손아귀는 족쇄처럼 떨어질 줄 몰랐다. 이윽고 태경이 숨을 헐떡이며 도착했다. 태경의 눈에서는 붉은빛이 레이저처럼 뿜어져 나오고 있었다. 이글거리는 눈동자는 분노를 쏟아내며 돗대를 향해 서서히 다가왔다. 저승사자 같은 기세로.

"저기…… 태경아. 내 말 좀 들어봐! 다 설명할게. 뭔가 오해가 있는 모양인데……."

"으아아아악!"

순간 태경이 괴성을 지르며 달려들었다. 몸을 날린 태경은 돗대 위에 올라타더니 미친 듯이 주먹을 날렸다. 돗대는 누운 채로 고스란히 주먹을 맞고 있었다.

"훔치려던 게 아니야! 거래가 틀어질 경우를 대비해서 다른 판로를 알아보려던 거라고. 정말이야!"

돗대는 얻어맞으면서도 변명을 쏟아냈다. 하지만 오히려 역효과를 일으키고 말았다. 태경의 분노 게이지는 되레 상승하고 있었다.

"니가 날 호구로 보는구나! 너 같은 새끼는 뒈져야 해! 이 버러지만도 못한 새꺄!"

"진정해라, 태경아. 이성적으로 해결하자."

돗대가 슬쩍 달아날 채비를 하며 말했다. 하지만 태경은 이제 막 상경한 시골 처녀가 아니었다. 낙원동 뒷골목에서 산전수전 다 겪은 소매치기 창녀였다.

"이성? 좋지. 내가 제일 좋아하는 게 이성이지."

순간 태경이 냅다 돗대의 얼굴을 걷어찼다. 턱을 정통으로 얻어맞은 돗대는 그 자리에서 정신을 잃고 꼬꾸라졌다.

다시 정신이 들었을 때 돗대는 버려진 의자에 포박된 상태였다.

지상에선 맛보기 힘든 청명한 바람이 건물 계곡 사이로 불어왔다. 그가 있던 곳은 어느 건물 옥상이었다. 널찍한 시멘트 바닥에는 오래전 버려진 간판이며 사무 집기 등이 쌓여 있고 저 멀리 축제가 파한 광장에선 사람들이 텐트를 철수하고 있었다.

"죽고 싶지 않으면 내 다이아 어딨는지 말해."

자양강장제 광고판을 배경으로 태경이 노려보고 있었다. 그 옆에서 누리가 어쩔 줄 몰라 하며 제자리를 맴돌고 있었다.

"미안하지만 방금 전 적당한 물주한테 팔아버렸어. 어차피 이 나라에선 제값 받고 팔 수 없거든. 파는 순간 파는 놈이나 사는 놈 둘 다 황천길이니까."

돗대가 고개를 빳빳이 든 채 대꾸했다.

광고판 덕분에 태경의 얼굴은 그림자에 가려 있었지만 매서운 눈매는 백 미터 밖에서도 알아볼 수 있을 정도로 이글거렸다. 그런 두 사람을 누리가 불안하게 지켜보고 있었다.

"넌 저리 가 있어."

태경이 누리에게 말했다.

"같이 있을래."

"가 있으라고 했잖아!"

태경이 버럭 소리를 질렀다. 누리는 마지못해 옥상 구석으로 향했다.

"더 멀리."

태경이 소리쳤다. 누리는 어쩔 수 없이 사무 집기 뒤로 몸을 숨겼다. 누리가 시야에서 사라지자 태경은 돛대를 향해 다가갔다. 그리고 그의 허리띠를 풀더니 오른손에 단단히 묶었다.

"내 포주 새끼는 내가 잘못을 하면 항상 나를 의자에 묶은 다음에 이렇게 주절댔어. 러시아에 파블로프라는 새끼가 있었대. 그 러시아 놈이 어느 날 개한테 밥을 주는데 종을 치기 시작한 거야. 종을 치고 밥을 주고, 종을 치고 밥을 주고. 그렇게 몇 달을 했더니 이 개새끼가 밥을 안 줘도 종을 치면 침을 질질 흘리더래. 근데 포주 새낀 개가 아니라 우리들한테 그 짓을 했어. 말 존나 안 듣는 애들을 묶어놓고 오줌을 지릴 때까지 두들겨 패는 거야. 그렇게 몇 번을 패면 어떻게 되는지 알아? 때리지 않더라도 몽둥이만 들면 오줌을 질질 싸더라는 거야. 근데 그중에 유일하게 오줌을 안 싼 년이 있어.

바로 나야."

태경이 위협적으로 허공에 대고 허리띠를 휘둘렀다.

"마지막으로 묻겠다. 내 다이아 어딨어?"

그러자 돛대가 건성으로 대답했다.

"말했잖아. 물주한테 넘겼다고."

순간 태경이 허리띠를 매섭게 휘둘렀다. 짝- 하는 마찰음이 울리며 돛대의 얼굴에 붉은 자국이 생겼다.

"내 다이아 어쨌어?"

"백번을 물어봐라. 내 대답이 바뀌나. 그리고 어차피 네년도 훔친 거잖아. 그러니 엄밀히 따지면 네 다이아가 아니지. 안 그래?"

"해보자 이거지. 좋아. 이건 니가 등쳐먹은 수경 언니 몫이니까 달게 받아라. 나쁜 새꺄."

태경이 허리띠를 마구 휘두르기 시작했다. 가죽이 살을 파고드는 소리와 함께 신음이 울려 퍼졌다. 채찍질은 계속됐고 갈수록 세졌다. 그와 함께 돛대의 비명이 밤하늘을 가득 메웠다. 누리는 구석에서 귀를 틀어막은 채 괴로워하고 있었다.

"그리고 이건 내 몫이야. 내 꿈을 훔쳐간 몫!"

태경이 더욱 세게 허리띠를 휘둘렀다. 매서운 채찍 소리는 더욱 날카로워졌고 비명 또한 커졌다. 누리는 마치 자신이 매질을 당하는 듯 바들바들 떨며 귀를 막고 있었다.

"내 꿈 돌려줘! 이 새끼야! 내 꿈 내놓으라고!"

매질을 하는 태경의 눈에서도 눈물이 흐르고 있었다. 그녀의 눈물에는 분함과 절박함이 고스란히 녹아 있었다. 그리고 그 눈물은 결국 극단적인 도구를 꺼내 들었다.

"오늘 너 죽고 나 죽는 거야! 어차피 좆같은 인생, 미련 따위 없거든. 같이 죽자고!"

태경이 뒤춤에 숨겨뒀던 과도를 치며 들었다. 시퍼렇게 번쩍이던 치명적인 쇳덩이에는 조금의 주저함도 묻어 있지 않았다. 드디어 돗대의 심장을 향해 내리꽂으려던 순간이었다. 누리가 앞을 가로막았다. 누리의 눈에서 하염없이 눈물이 흘러내리고 있었다.

"이러지 마. 올라야, 이건 네가 아니야! 올라는 사람을 해치지 않아. 올라는 사람을 살려. 그러니 제발 이러지 마."

누리가 무릎을 꿇은 채 사정을 했다.

"비켜! 안 비키면 너도 같이 죽는다!"

태경은 과도를 더욱 단단히 움켜쥐었다.

"죽이려면 차라리 나를 죽여. 우린 죽어도 같이 죽을 운명이니까. 나를 죽여!"

누리가 예수처럼 팔을 벌린 채 태경 앞에 버티고 섰다.

"정말 죽여 버린다! 농담 아니야!"

태경이 과도로 위협을 하며 소리쳤다. 하지만 누리는 모든 걸 체념한 듯 팔을 벌린 채 눈을 감았다. 태경이 분을 못 참고 과도를 높이 치켜들었다. 그리고 있는 힘껏 누리의 심장을 향해 내리꽂았다. 뒤에서 지켜보던 돗대도 차마 보지 못하고 눈을 감았다. 영원 같은 몇 초가 침묵과 함께 흘렀다. 누리는 조심스럽게 눈을 떴다. 태경은 바닥에 주저앉은 채 흐느껴 울고 있었다. 과도를 내려놓은 채. 누리는 조용히 다가가 태경의 어깨를 끌어안았다. 언제나처럼.

"잘했어, 올라야. 잘했어."

두 사람은 서로를 끌어안은 채 한동안 흐느껴 울었다. 옥상을 가득 메웠던 분노는 어느새 밤공기와 함께 날아가고 차분한 정적이 대신했다. 이윽고 들썩이던 태경의 어깨가 숨을 죽였다. 그러자 누리가 말했다.

"가자. 우리 집으로."

누리가 부축하자 태경이 말없이 일어섰다. 어느새 태경은 온전히 누리에게 의지하고 있었다. 상처받은 작은 새처럼. 그리고 누리는 어느새 듬직한 보호자가 되어 있었다. 두 사람은 터벅터벅 옥상 출구를 향해 걸어갔다. 그 모습을 돗대가 의미심장한 눈으로 지켜보고 있었다. 이제 누리와 태경이 옥상을 빠져나가려던 순간이었다.

"내 오른발을 뒤져봐."

돗대가 말했다. 문고리를 잡았던 누리와 태경이 멈춰 섰다.

"내 오른쪽 의족을 빼보라고."

태경이 부리나케 달려가 돗대의 의족을 떼어 냈다.

발과 연결되어 있던 가죽끈을 풀자 의족이 분리됐다. 태경은 헐레벌떡 의족 안을 살폈다. 안에는 신문지로 싼 작은 물체가 있었다. 태경은 물체를 꺼내 뜯어내듯 신문지를 펼쳤다. 다이아였다. 태경이 그토록 찾아 헤맸던 다이아몬드가 빛나고 있었다. 그와 함께 태경의 얼굴에 희망의 빛이 돌아왔다.

"왜 마음을 바꾼 거지?"

"글쎄. 내 맘속에 양심 조각이 남아 있었나 보지. 오래전 사라진 줄 알았는데."

"양심 같은 소리 하고 있네. 쓰레기 주제에."

태경은 다이아를 도로 품에 넣더니 옥상을 빠져나갔다.

"가자!"

태경이 누리에게 말했다. 하지만 누리는 돛대에게 다가가 묶인 손을 풀어줬다.

"속도 없는 놈. 그렇게 당하고도 도와줄 맘이 생기냐?"

돛대가 속도 없이 말했다.

"할머니가 그랬어. 바보가 더 좋은 거라고……."

"바보는 좋은 거만 보니까……."

돛대가 누리를 이어 마무리 지었다. 그러자 누리가 환하게 미소를 지었다.

"빨리 와. 시간 없다고."

태경이 출구에서 소리쳤다. 누리는 진짜 부치하난이 된 것처럼 듬직하게 태경을 향해 달려갔다.

"부치하난과 올라라……."

그 모습을 돛대가 부러운 듯 바라보고 있었다.

막차는 11시 25분이었다.

누리와 태경은 간신히 시간에 맞출 수 있었다. 평일 늦은 시간 열

차는 한적했다. 귀가하는 직장인들과 취객이 드문드문 졸고 있을
뿐이었다. 두 사람은 고된 인생으로부터 거리를 두려는 듯 멀찌감
치 떨어져 앉아 있었다. 누리는 고래에게 먹힌 피노키오처럼 열차
안을 생경하게 힐끔거리고 있었다. 시청을 통과한 열차는 서울역을
향해 열심히 달리고 있었다. 차 안은 곤히 잠든 승객들 덕분에 침목
을 지날 때마다 들리는 덜컹 소리만이 규칙적으로 울리고 있었다.

"두궁~ 두궁~."

그 소리를 유심히 듣던 누리가 따라 하기 시작했다.

"두퉁! 두퉁! 두퉁!"

신이 난 누리가 점점 크게 침목 지나는 소리를 흉내 냈다. 그러자
잠들었던 승객들이 짜증 가득한 눈초리로 바라봤다. 하지만 누리는
아랑곳 않고 계속했다. 두퉁- 두퉁- 두퉁-.

"그만하지 못해!"

태경이 누리의 입을 틀어막았다.

"기차가 방귀를 뀌잖아."

"이건 그냥 열차 소리야."

"방귀 소리! 두퉁! 두퉁!"

"너 전철 처음 타냐?"

누리가 고개를 끄덕였다. 사실 누리가 종로 바닥을 떠난 건 이번
이 처음이었다. 평생 인사동 골목을 쳇바퀴처럼 맴돌며 빈 병을 주
웠던 것이다. 순간 열차가 지하 터널을 빠져나오자 검은 비단에 금
가루를 뿌린 듯 화려한 야경이 펼쳐졌다. 수만 개의 전구를 삼킨 오

백 년 된 용이 달리는 열차를 따라잡으며 춤을 추고 있었다.

"멋지다……."

누리는 창가에 매달려 지나는 인공 불빛의 향연을 바라봤다.

"잘 있어라, 지긋지긋한 서울. 이제 두 번 다시 볼 일 없다."

태경이 오래된 우환을 떨쳐내듯 내뱉었다. 그녀의 눈동자에 짧지만 강렬한 고통의 시간들이 수많은 불빛과 함께 스쳐 지나고 있었다.

"근데 우리 어디 가는 거야?"

누리가 용을 보며 물었다.

"인천."

"거긴 왜 가는 건데?"

"홍콩행 배 타러."

그때였다. 노곤한 정적을 깨며 옆 칸에서 누군가 들어왔다. 누군가는 온몸을 바닥에 밀착시킨 채 기어왔는데 두 다리를 고무 포대로 둘둘 말고 있었다. 거지였다. 거지는 들어서자마자 고물 카세트로 요란한 뽕짝 노래를 틀었다. 갑작스러운 소란에 승객들이 모두 쳐다봤다.

"늦은 밤 귀가하시는데 소란을 피워서 진심으로 죄송합니다. 본인으로 말씀드릴 거 같으면 오래전 월남전에 참전했다가 양다리를 잃고 귀국 후 아내와 자식을 교통사고로 떠나보내고 하루하루 근근이 빌어먹는 참전용사입니다. 장내의 신사 숙녀 여러분은 이런 저를 불쌍히 여기시어 천 원짜리 몇 장 보태주시면 감사하겠습니다."

거지는 천천히 승객들을 훑으며 다가왔다. 졸고 있는 사람은 툭 쳐서 깨우기도 하고 눈을 피하는 사람 앞에선 멈춰서 빤히 바라보는 등 강압적인 구걸이었다. 태경은 결말이 뻔한 막장 드라마를 본 듯 무시했다. 하지만 거지는 대본대로 태경 앞에 멈춰 섰다.

"예쁜 아가씨. 한 푼 줍쇼."

거지가 깡통을 내밀며 말했다. 하지만 태경은 눈길도 주지 않았다.

그러자 거지가 바짝 다가오며 다시 말했다.

"나라를 위해 싸우다 다친 참전용사입니다. 한 푼 줍쇼."

태경이 가소롭다는 듯 곁눈질로 노려봤다.

"니가 참전용사면 난 원더우먼이다."

태경의 당찬 반격에 거지도 당황한 눈치였다. 그런데 태경의 얼굴을 알아본 거지가 예상치 못한 전개를 눈치챘다. 그것은 천 원짜리 몇 장과는 비교도 안 되는 횡재였다.

"실례했소이다."

거지는 넉살 좋게 인사를 하고는 서둘러 옆 칸으로 옮겼다. 그러고는 품에 있던 꼬깃꼬깃한 종이 한 장을 꺼내 펼쳤다. 그것은 사진을 복사한 것이었는데 누군가의 얼굴이 그려져 있었다. 태경이었다.

"원더우먼. 넌 뒤졌어."

거지는 다음 역에 열차가 멈추자 곧바로 내렸다. 그러고는 언제 그랬냐는 듯 일어서더니 무릎을 툭툭 털고는 공중전화를 찾았다.

종이에 적힌 번호를 누르자 신호가 갔다. 뚜르르- 뚜르르-.

오덕의 천막에선 한밤의 야식 파티가 펼쳐지고 있었다.

메뉴는 인근 가게에서 강탈해온 양념치킨이었다. 오덕과 졸개들은 굶어 죽은 걸신들처럼 그것을 해치우고 있었다. 무열은 멀찌감치 떨어져서 쌓이는 닭 뼈를 지켜보고 있었다.

"행님. 뭐하신다요. 닭 다리 하나 잡수지 않고."

"니들 다 처먹어라."

무열은 말도 섞기 싫다는 듯 텐트를 나섰다. 순간 전화벨이 울렸다. 따르릉- 따르릉-. 하지만 닭 다리에 정신이 팔린 오덕의 졸개들은 못 들은 척 서로에게 떠넘기고 있었다. 다시 전화벨이 울렸다.

"뭐다냐, 잡것들아! 싸게 전화 안 받고."

그러자 졸개 하나가 마지못해 수화기를 들었다.

"여보쇼?"

"거기 다리 밑 흥신소죠?"

"그란디요?"

"전 서울역 걸인 지부 김소평이란 사람인데요. 신고할 게 있어서 연락했어요."

"시간 없응께 싸게싸게 말하쇼."

졸개가 사라져 가는 닭을 안타깝게 바라보며 대답했다.

"방금 전 전단지 계집을 봤어요."

졸개의 표정이 굳었다.

"잠시 대기!"

졸개가 황급히 오덕에게 말했다.

"행님. 그 계집을 봤다는 놈인디요."

그러자 무열이 헐레벌떡 달려와 수화기를 뺏었다.

"지금 어딨는데?"

"그 전에 약속한 보수는 받을 수 있는 거죠?"

거지가 물었다.

"줄 테니까 걱정 말고 어디서 봤는지 말해!"

무열은 애간장이 탔다.

"방금 전 인천행 막차에서 봤어요."

"인천행?"

"예. 어떤 거지 같은 남자 놈이랑 막차를 타고 있더라고요."

"어느 역에서 내렸는지는 모르고?"

"그건 모르죠. 신고하려고 내렸으니까. 그보다 보수는 언제……."

무열은 대뜸 전화를 끊어버렸다.

"행님. 뭐다요?"

오덕이 닭 다리를 질겅대며 물었다.

"찾았다."

"지가 뭐랬으라. 꼭 찾을 거라 켔죠."

오덕이 거들먹댔다.

"인천행이라."

무열은 곰곰이 추리했다.

"이 쌍년이 설마?"

무열이 미친 듯이 웃기 시작했다. 오덕과 졸개들은 어안이 벙벙해서 바라봤다.

"니가 네 무덤으로 기어들어가는구나."

무열은 다이어리를 꺼내더니 전화번호를 찾았다.

"행님. 게 몬 소리다요?"

"밀항을 하려는 거야. 이 땅에선 팔 수 없으니까 뜨려는 거지. 하지만 어림없지. 뛰어야 벼룩이니까."

전화번호를 찾은 무열은 어디론가 다이얼을 돌렸다. 이윽고 신호가 가더니 누군가 수화기를 들었다.

"날 깨울 만큼 왕거니 아님 뒤진다."

수화기 저편 목소리는 짜증이 가득했다.

"오랜만이다, 돈만아. 나 무열이야."

"니가 웬일이냐? 이 시간에."

"너한테 빚을 받으려고 전화했다."

상대가 일어나 앉는 소리가 들렸다.

"빚이라. 그런 게 있었나?"

"잊진 않았겠지? 삼 년 전 천호동에서 네 목숨 살려준 거."

수화기에서 한숨 소리가 이어졌다.

"그래서 바라는 게 뭐냐?"

"요즘도 홍콩에서 몰래 물건 들여오냐?"

"그거야 내 사업인데 무슨 상관이야?"

"부업으로 애들 밀항도 한다던데?"

"하고 싶은 얘기가 뭐냐고?"

"조만간 계집 하나가 갈 거다. 홍콩이나 일본으로 밀항을 하겠다고."

"그런데?"

"태경이라는 계집이야. 그 계집애를 붙잡아둬."

"그거면 되냐?"

"그 계집애를 나한테 넘기면 빚은 없는 거로 하마."

수화기 너머에서 잠시 계산기 두드리는 소리가 들렸다.

"알았다."

이 말을 끝으로 전화는 끊어졌다.

"너 이년, 이번엔 제대로 버릇을 고쳐주마."

수화기를 내려놓는 무열의 입가에 의미심장한 미소가 떠 있었다. 그때였다. 천막 입구가 열리더니 무열의 부하 하나가 헐레벌떡 달려 들어왔다.

"형님. 큰일 났습니다."

부하는 얼굴이 하얗게 질려 있었다.

"뭔 일인데 호들갑이야?"

순간 열린 입구 저편에서 범상치 않은 그림자 하나가 나타났다.

"말 그대로지. 너한테 큰일이 났으니까."

차분하고 중후한 목소리였다. 하지만 청계천 전체를 짓누르듯 무시무시한 존재감.

"혀……형님!"

무열이 사시나무 떨듯 떨고 있었다.

잠시 후 부하들의 호위를 받으며 한 남자가 들어섰다. 그는 고급스러운 은색 양복에 은발을 가지런히 빗어 넘긴 오십 대였는데 범상치 않은 기운을 내뿜고 있었다. 무지개파 최고 보스 '하문'이었다.

그가 등장하자 천막 안에 있던 오덕과 조무래기들은 기에 눌려 껌처럼 바닥에 바짝 눌어붙었다.

"어쩐 일이십니까? 내일 오신다더니."

무열이 90도로 허리를 굽힌 채 말했다.

그러자 보스 하문이 무열의 머리를 부드럽게 쓰다듬었다. 친애하는 강아지를 대하듯.

"니가 사고 쳤다는 소식이 부산까지 들리더구나."

하문 뒤를 따라 또 한 명의 남자가 들어섰다. 홍콩 삼합회의 하우였다.

"혀……형님……."

무열이 무너지듯 무릎을 꿇었다.

창고 문은 굳게 닫혀 있었지만 거리까지 비명이 들렸다.

얼음들이 하얗게 김을 내뿜던 얼음 창고 안에선 의자에 묶인 무열이 10분 넘게 두들겨 맞고 있었다. 그에게 주먹을 날리던 건 다름 아닌 그의 직속 부하들이었다. 한 명이 지치도록 때리고 나면 다음 순번이 바통을 이어받았다. 무열은 이미 얼굴을 알아볼 수 없을 정도로 상처투성이로 변해 있었다. 뒤에서 보스 하문이 파이프 담배를 피우며 그 장면을 지켜보고 있었다. 이윽고 순번의 부하가 지치자 다음 부하가 나섰다.

"형님. 죄송합니다."

순번 부하가 깍듯이 예의를 갖춘 후 다시 매질을 시작했다. 무열은 더 이상 비명을 지를 기운조차 없었다. 몇 번의 주먹을 날리자 무열은 의식을 잃고 기절하고 말았다. 그러자 기다리고 있던 또 다른 부하가 양동이에 있던 물을 무열에게 부었다. 무열이 정신을 차리자 부하가 다시 주먹을 불끈 쥐었다.

"그만."

보고 있던 하문이 멈췄다.

"차라리 죽여주십시오…… 형님……."

피투성이로 변한 무열이 간신히 입을 열었다.

"곧 그렇게 될 거다. 그 전에 물을 게 있다."

하문이 손수건으로 다정하게 피를 닦아주었다.

"무슨 배짱으로 다이아를 꺼내놓은 거냐?"

부드러운 목소리였다. 하지만 섬뜩할 정도로 매서운 눈매였다.

"주, 죽을죄를 지었습니다. 형님……."

무열의 목소리가 떨리고 있었다. 그러자 하문이 옆에 있던 부하에게 손을 벌렸다. 부하는 준비된 사시미 칼을 하문에게 건네줬다.

하문은 칼날을 무열의 허벅지 정 가운데 가져갔다.

"고통만이 혼미한 정신을 바로잡아주지. 정신이 번쩍 들 거다."

하문은 아주 천천히 허벅지에 칼을 찔러 넣었다. 무열의 비명이 창고에 울려 퍼졌다. 기다란 칼이 허벅지를 관통해 의자에 박혔다.

무열이 앉은 의자에서 폭포수처럼 피가 흘러내렸다. 하문이 다른 손을 내밀자 부하가 또 다른 칼을 건네줬다. 그러자 하문이 반대편 허벅지에 칼을 꽂는 것이었다. 아주 천천히. 고막이 찢어질 정도의 괴성이 무열의 입에서 터져 나왔다. 옆에 있던 부하들은 차마 보지 못하고 고개를 돌렸다.

"난 네가 나를 위해 천호동파 애들을 조지고 그중 한 놈을 사시미 떠서 가져왔을 때 우리 조직의 미래를 봤다. 그런데 넌 한 치도 안 되는 거시기를 자제하지 못해서 우리 조직을 위험에 빠뜨렸어. 난 크게 실망했다."

두 번째 칼도 허벅지를 뚫고 의자에 꽂혔다. 무열이 혀를 깨물며 간신히 버티고 있었다.

"자, 이제 정신이 든 거 같으니 네가 한 잘못을 바로잡아보자. 다이아를 훔쳐간 계집에 관해 자세히 얘기해봐라."

하문이 피 묻은 손을 닦기 위해 소매를 걷어붙였다. 그러자 그의 팔뚝에 큼지막한 문신이 드러났다. 문신은 하문과 오랜 시간 함께한 듯 빛이 바랬는데 검은 매의 형상이었다. 츄위샤이족의 족장 만다란투의 매처럼 날카로운 부리가 번쩍이는.

자정이 넘은 시각 인천역은 한산했다.

막차에서 내린 승객들은 옷깃을 여미며 종종걸음으로 귀가하고 있었다. 바다가 가까워서인지 바람이 세차게 불고 있었다.

"오늘은 하늘이 두 쪽 나도 제대로 된 방에서 자야겠어."

태경이 오들오들 떨면서 말했다.

"돈이 없잖아."

누리가 말했다. 그러자 태경이 매서운 눈빛으로 퇴근길 사람들을 살폈다. 택시 정류장으로 향하던 사람 중 고급 코트를 입은 중년 남자가 보였다. 풍기는 인상이나 차림새가 개중 쓸 만했다.

태경은 갑자기 점퍼 지퍼를 내리더니 트레이드마크 같은 가슴골을 내밀었다. 그러고는 중년 남자를 향해 빠르게 다가갔다. 남자는 굶주린 하이에나가 다가오는 줄도 모른 채 순진한 영양처럼 손을 호호 불며 택시를 잡고 있었다. 택시가 다가오자 손을 들어 택시를 부르려던 순간이었다. 태경이 남자와 부딪혔다. 그리고 미리 준비해둔 소지품을 바닥에 흘리는 것이었다.

"괜찮아요, 아가씨?"

남자가 태경을 부축하며 말했다.

"죄송해요. 제가 술이 좀 취해서."

태경은 의도적으로 비틀거리며 남자에게 기댔다. 덕분에 태경의 가슴골이 고스란히 드러났다. 남자는 예상대로 태경의 가슴을 힐끔거렸다. 그 순간을 기다렸다는 듯 태경은 남자의 주머니에 있던 지갑을 능숙하게 슬쩍하는 것이었다. 그것도 모른 채 남자는 태경의 가슴에서 눈을 떼지 못하고 있었다.

"좀 도와주시겠어요?"

태경이 바닥에 떨어진 화장품을 주우며 말했다.

"그럼요."

남자는 그제야 정신을 차리고 태경의 소지품을 주워주었다.

이윽고 소지품을 모두 챙긴 태경이 말했다.

"참 친절하시네요. 그럼 조심히 가세요."

이 말을 남기고 태경은 유유히 돌아왔다.

그 모습을 모두 바라본 누리가 소리쳤다.

"도둑질은 안 돼."

태경이 화들짝 놀라며 누리의 입을 틀어막았다.

"조용히 해! 도둑질이 아니야. 빌리는 거야."

"빌려?"

"그래."

태경이 지갑 안에 있던 주민등록증을 꺼내며 말했다.

"나중에 다이아를 팔면 이 주소로 돈을 보낼 거야. 그럼 됐지?"

"정말이지?"

"하늘에 맹세."

누리는 마지못해 고개를 끄덕였다. 그때였다.

"도둑이야! 도둑년 잡아라!"

뒤늦게 소매치기당한 걸 깨달은 남자가 고함을 질렀다.

"튀어!"

태경이 누리의 손을 잡고 냅다 달리기 시작했다. 남자가 뒤쫓으려 했지만 이미 뒷골목으로 사라지고 난 후였다.

지갑은 유명 브랜드였지만 안에 든 현금은 고작 삼만 원뿐이었다. 태경은 어쩔 수 없이 가장 허름한 여인숙을 잡았다. 역전에서도 가장 외진 구석에 위치한 간판도 없는 여인숙이었다. 외형은 누추하기 짝이 없었지만 난방만큼은 후끈해서 몸을 녹이기엔 충분했다.

"뜨거운 물도 나오네."

태경이 온수를 틀며 말했다.

누리는 온전한 방이 오랜만인지 어색하게 방 안을 서성이고 있었다. 김이 모락모락 나는 온수를 보자 태경은 몸 여기저기 냄새를 맡았다. 며칠간 목욕을 못 해서 군내가 풀풀 났다. 태경은 점퍼를 벗고 윗옷 단추를 풀었다. 그 모습을 거울에 비친 누리가 빤히 보고 있었다. 누리의 시선을 눈치챈 태경이 매섭게 노려봤다.

"꿈도 꾸지 마. 허튼수작했다간 알지?"

태경이 화장실 문을 쾅 닫으며 말했다.

화장실에선 한참 동안 물소리가 이어졌다. 누리는 꿰다놓은 보릿자루 모양으로 구석에 쭈그리고 앉아 조용히 기다렸다. 이윽고 문이 열리고 태경이 모습을 드러냈다. 물기가 촉촉이 묻은 태경은 갓 피어난 꽃처럼 싱그러웠다. 그녀의 체취와 비누 향이 섞인 향기가 방 안에 퍼져 나가자 눅눅했던 방 안에 생기가 돌았다.

"아, 살 거 같다. 넌 안 씻어?"

태경이 머리를 말리며 물었다. 누리는 고개를 저었다.

"맘대로 해. 대신 가까이 오지 마. 냄새나니까."

태경은 아랫목에 깔린 이불 속으로 몸을 디밀었다.

"이게 얼마 만이야."

누리는 모은 무릎 사이로 태경을 지켜보고 있었다. 마치 하늘에서 내려온 선녀를 바라보는 나무꾼처럼.

"다시 경고하는데, 근처에 얼씬도 마라. 넌 거기서 자. 벽 보고."

태경이 주먹을 불끈 쥐어 보이며 말했다. 누리는 씩 웃을 뿐이었다. 태경은 못마땅한 듯 째려보고는 이불을 둘둘 말더니 잠을 청했다. 누운 지 채 1분도 안 돼서 곯아떨어졌다. 고된 하루를 보내서인지 작게 코 고는 소리가 이어졌다. 누리는 보초라도 서듯 그런 태경을 응시하며 구석을 지키고 있었다.

얼마쯤 지났을까. 쥐 죽은 듯 고요한 방에 작은 신음이 울려 퍼졌다.

"이러지 마…… 싫어…… 내 몸에 손대지 말라고…… 나쁜 새끼야…… 엄마…… 도와줘…… 제발 구해줘…… 엄마……."

태경이 잠꼬대를 하고 있었다. 악몽을 꾸는지 연신 식은땀을 흘리며 같은 말을 중얼댔다. 어머니를 찾을 때는 눈물까지 흘리며 허공을 향해 손을 허우적댔다. 누리는 어둠 속에서 그 모습을 애틋하게 지켜보고 있었다.

"엄마…… 엄마…… 살려줘……."

태경의 눈에서 하염없이 눈물이 흘러내리고 있었다. 누리는 더 이상 보고만 있을 수 없었다. 누리는 조심스럽게 다가갔다. 그리고 허공을 헤매는 태경의 손을 살며시 잡았다. 자칫하면 부서지는 귀한 도자기처럼.

"넌 괜찮을 거야. 내가 지켜줄 테니까. 꼭 지켜줄 테니 걱정할 거 없어.”

누리가 진심을 담아 속삭였다. 주문이 효과가 있었는지 잠꼬대가 멈췄다. 누리는 손을 잡은 채 태경과 나란히 누웠다.

“내가 네 옆에 있을 거야. 언제까지나. 그러니 걱정 말고 푹 자, 올라야.”

누리가 귓가에 대고 나지막이 말했다. 그러자 이번엔 태경의 눈물이 잦아드는 것이었다. 가쁘던 호흡도 차츰 잦아들었다. 그리고 생애 처음으로 지상에 내려앉은 다리 없는 새처럼 편안한 숙면을 취했다. 작고 허름한 방에는 야수의 포효를 잊고 잠든 어린 새와 밤새 둥지를 지키는 파수꾼이 나란히 누워 있었다.

“이모. 여기 김치 좀 더 갖다 줘.”

돗대는 이미 얼큰하게 취해 있었다. 동그란 양철 테이블에는 빈 병 서너 개가 줄을 서 있었지만 안주라고는 반쯤 남은 국밥과 김치가 전부였다.

“김치 동나겠네. 안주 좀 시키지.”

주인아주머니가 던지듯 김치가 담긴 찬기를 놓으며 말했다.

“김치 하나 가지고 유세는. 쫌만 기다려 봐, 이모. 대박 나면 이 가게 인수할 테니. 내가 이래 봬도 왕년에 한가락 했던 브로커 돗대 김창수라고.”

“아이구, 인물 났네. 가게 인수하기 전에 외상값이나 갚으셔.”

돗대가 김치를 우걱대고는 다시 잔을 채웠다.

"두고 보라고. 나 돛대 김창수, 이대로 죽지 않는다고."

돛대가 한이 가득 담긴 잔을 그대로 원샷했다.

그때였다. 검은색 벤츠 한 대가 가게 앞에 멈춰 서더니 누군가 내리는 것이었다. 누군가는 서너 명의 부하를 대동하고 가게 안으로 들어섰다. 무지개파 보스 하문이었다. 그는 정겨운 듯 가게를 쓱 훑어보더니 곧장 돛대에게 다가왔다. 그리고 건너편 의자에 걸터앉았다. 비록 만취했지만 돛대는 하문을 바로 알아봤다. 술잔을 든 돛대의 손이 수전증 걸린 알코올중독자처럼 떨리고 있었다. 하문은 돛대의 잔을 가져오더니 술을 채웠다.

"캬!"

하문이 맛있게 비우고는 김치를 한입 베어 물었다.

"옛날 생각이 나는구먼."

하문이 돛대에게 잔을 권하며 말했다. 얼핏 보면 둘은 오래된 고향 선후배 사이 같았다.

"무, 무슨 일이십니까, 형님? 저같이 하찮은 놈한테."

어느새 하문의 부하들이 손님들을 죄다 쫓아내고 모든 테이블을 차지하고 있었다.

"내가 여자애 하나를 찾고 있는데 말이야. 이름이 뭐였더라?"

하문이 돛대를 빤히 바라봤다.

"무, 무슨 말씀이신지……."

순간 부하 하나가 기다리고 있었다는 듯 돛대의 정강이를 냅다 걷어찼다. 돛대의 비명이 골목까지 울려 퍼졌다.

"이름!"

하문이 다시 물었다.

"태경이요? 알다마다요. 천하의 쌍년이죠."

하문이 잔을 채웠다.

"그 애가 훔쳐간 내 물건을 중간에 네가 빼돌렸다던데?"

"무슨 얘기를 듣고 오셨는지 모르겠지만 전 이 일과 아무런 상관이……."

말이 끝나기도 전에 부하의 구둣발이 날아왔다. 돗대는 곡소리를 내며 바닥에 주저앉았다. 그나마 성한 다리가 시퍼렇게 멍이 들어 있었다.

"방금 전 티파니 곽 사장을 만나고 오는 길이다. 근데 CCTV에 네 얼굴이 찍혀 있더구나."

"네. 제가 중간에 가로챈 건 맞는데요, 다시 돌려줬습니다. 아까 재수 없게 광화문 한복판에서 딱 걸렸거든요. 그래서 돌려줬습니다. 정말입니다."

순간 부하가 다시 정강이를 걷어찼다. 너무 아픈 나머지 돗대는 바닥을 데굴데굴 구르고 있었다.

"한 치의 거짓도 없는 사실입니다. 형님, 믿어주세요. 지금쯤 해외로 튈 생각을 하고 있을 겁니다. 하늘에 맹세코 진실입니다."

하문은 지루한 듯 빈 잔을 돌리고 있었다.

모두 이미 알고 있는 내용들이었다.

"내가 널 찾아온 건 한 가지 궁금한 게 있어서야."

"뭐든 말씀만 하십쇼."

"그 계집애 말고 또 다른 아이가 있다던데. 모양새가 좀 그런."

"아, 누리요."

제자리를 돌던 잔이 멈췄다.

"그 아이 이름이 누리냐?"

"네."

돗대가 정강이를 부둥켜안은 채 대답했다.

"무열이 말에 따르면 중요한 순간마다 그 아이가 계집애를 도왔다던데. 그놈에 대해서 말해봐라. 누리⋯⋯."

하문이 흥미롭다는 듯 바라봤다.

"별거 없습니다. 그냥 거지새끼예요. 원래 빈 병 주워 먹고 사는 앤데 태경이를 껌딱지처럼 따라다니더라구요."

"빈 병을 줍는 애가 왜 따라다니는 거지?"

"그게, 무슨 전설 때문이랍니다."

"전설?"

하문의 미간이 좁아졌다.

"뭐였더라. 그러니까⋯⋯ 아, 맞아. 부치하난의 전설이요. 태경이를 만나게 된 게 그 전설 때문이라고 했어요. 무슨 일이 생길 때마다 전설이 이루어진 거라면서 난리 블루스를 쳤죠. 완전 또라이예요."

하문이 돗대에게 잔을 건넸다.

"부치하난의 전설이라. 그 전설에 대해 얘기해봐라. 만약 전설이 재밌으면 넌 오늘 목숨을 부지할 수도 있다."

술을 따르는 하문의 입가에 호기심이 가득했다.

"하나도 빼지 않고 낱낱이 말씀드리겠습니다, 형님."

돗대가 두 손으로 술잔을 받더니 단숨에 들이켰다.

"자, 시작해봐."

하문이 의자를 바짝 끌었다.

"아주 먼 옛날 저 멀리 사막에 츄위샤이족이라는 부족이 살고 있었답니다……."

세월의 먼지가 빼곡히 내려앉은 가게 문 너머에선 돗대와 하문이 사막의 전설을 이야기하고 있었고, 그 위로 심상치 않은 먹구름이 몰려들고 있었다.

손바닥만 한 창문을 통해 스며든 아침 햇살이 태경을 깨웠다.

매일 아침 악몽의 수렁에서 간신히 기어 나왔던 태경은 개운한 아침이 낯설었다. 새로 맞춘 몸을 선물 받은 것처럼 온몸이 상쾌했다. 그 이유는 금방 알 수 있었다. 누리가 그녀의 손을 꼭 잡은 채 잠이 들어 있었다.

"뭐야!"

태경은 놀라서 움찔 물러섰다. 하지만 이내 경계심을 풀고 다가갔다. 그리고 꿈결에 들렸던 누리의 목소리를 떠올렸다. 비록 작고 왜소한 누리였지만 꿈속에선 8척의 부치하난처럼 든든하게 악몽으로부터 지켜줬던 것이다. 태경은 잠시 곤히 잠든 누리를 바라봤다. 더벅머리에 짙은 눈썹, 공기놀이하듯 옹기종기 모여 있는 눈 코 입.

마치 세상의 좋은 모습만 보고 산 듯 선한 얼굴까지. 태경은 이제야 한서 아저씨가 말했던 세상에서 가장 선한 사람이란 걸 실감하고 있었다. 태경은 목에 걸려 있던 누리의 뼈 목걸이를 꺼냈다.

"부치하난의 우물……."

자연스레 미소가 떴다. 이틀 전 절체절명의 순간 이 작은 물건이 운명처럼 누리를 만나게 해준 것이다. 태경은 어느새 전설이 사실일지도 모른다고 생각하고 있었다. 그리고 태어나 처음으로 자신의 꿈이 이루어질 수도 있다고 믿기 시작했다. 모두 이 작고 남루한 소년 때문이었다. 태경은 자신도 모르게 누리의 이마로 입술을 가져갔다. 그리고 진심을 담아 입을 맞췄다. 순간 충전이 완료된 듯 누리가 번쩍 눈을 떴다. 동시에 태경도 입술을 뗐다. 잠시 멋쩍은 시간이 둘 사이에 흘렀다.

"쓸데없는 생각 하지 마. 감사의 인사니까."

태경이 벌떡 일어서며 말했다.

"나 암말도 안 했는데."

누리가 태연하게 대답했다.

"갈 데가 있으니까 빨리 일어나! 오늘 할 일 많아."

태경이 먼저 방을 나서며 소리쳤다.

그런 태경의 뒷모습을 보며 누리는 활짝 웃었다. 그리고 살며시 이마를 쓰다듬었다. 아직도 태경의 온기가 고스란히 묻어 있는.

해가 중천에 떴건만 사창가에는 아직도 홍등이 켜져 있었다.

당장이라도 무너져 내릴 것 같은 단층 슬레이트 건물에는 널따란 창문이 쇼윈도처럼 늘어서 있었고 밤새 손님을 받았던 창녀들이 담배를 피우거나 아침을 먹고 있었다. 태경과 누리는 그런 사창가 골목을 걸으며 뭔가를 찾고 있었다. 창녀들은 본능적으로 태경을 같은 부류로 여겼는지 익숙한 시선을 보냈다. 농익은 분위기에 잔뜩 주눅 든 누리는 시장통 아이처럼 태경의 뒤에 바짝 붙어 걷고 있었다.

"어이, 귀여운 오빠. 연애하지 않을래? 내가 잘해줄게."

속옷이 보일 정도로 짧은 치마를 입은 창녀 하나가 누리가 맘에 들었는지 추파를 던졌다. 덕분에 누리는 더욱 쪼그라들어 태경의 주머니 속으로 들어가려 했다.

"안 잡아먹으니까 좀 떨어져, 촌닭아."

태경이 밀치면서 말했다.

그 모습을 본 창녀들이 키득대며 웃어댔다.

"나가자. 나 여기 싫어. 무섭단 말이야."

누리가 창녀들을 힐끗대며 말했다.

"밀항하려면 브로커를 만나야 할 거 아냐? 근데 너, 브로커 알아?"

누리가 고개를 저었다.

"그럼 내가 아냐? 당연히 모르지. 그런데 이 밑바닥 정보를 훤히 꿰뚫는 사람들이 있어. 바로 창녀들이야. 이 골목에 하루에도 수백 명이 다녀가. 그중에 뱃사람도 있겠지. 밀항하는 배를 타는. 이해가 됐냐?"

태경이 물었지만 누리는 멀뚱히 보고만 있었다.

"됐으니까 잔말 말고 따라오기나 해."

태경이 걷다 말고 담배를 피우는 창녀에게 다가갔다. 창녀는 간밤의 기억을 지우려는 듯 연신 필터를 빨고 있었다.

"말 좀 물읍시다."

"왜? 언니가 하게?"

창녀가 초점 잃은 눈으로 말했다.

"그게 아니라. 언니들 새벽에 일 끝나면 자주 가는 식당이 어디야?"

창녀가 이상하다는 듯 태경을 아래위로 훑었다. 그러자 태경이 자신의 손목을 보여줬다. 오래전 자해를 가한 흉터. 그제야 창녀가 알겠다는 듯 피식 웃더니 골목 끝을 가리켰다.

"저 끝에 가면 '순이네'라는 가게가 있어. 아마 잔뜩 모여서 한잔하고 있을 거야."

"고마워요."

태경은 곧장 순이네로 향했다.

슬레이트 단층 건물에 자리 잡고 있던 선술집은 멀찌감치부터 젓가락 두드리는 소리와 노랫소리가 들렸다. 간판 색깔마저 희미해진 걸로 보아 가게는 창녀들과 인생 우여곡절을 함께 보낸 걸 알 수 있었다.

부두의 이별이 아쉬워 두 손을 꼭 잡았나~

노래는 연이어 심수봉의 대표곡으로 이어지고 있었다.

드르륵. 태경은 미닫이문을 열고 술집으로 들어섰다. 손바닥만 한 가게에는 기름때가 잔뜩 낀 시멘트 바닥 위에 원형 깡통 테이블이 서너 개 놓여 있었는데 한 무리의 창녀들이 술을 마시고 있었다.

예닐곱 명의 창녀들은 밤새 손님들한테 시달린 고된 삶을 보상받기라도 하려는 듯 어느새 거나하게 취해 있었다. 이들은 노래가 끊어지지 않게 돌아가며 노래를 부르고 나머지는 왁자지껄하게 손님들 흥을 보며 술잔을 기울이고 있었다. 태경은 반대편 테이블에 자리를 잡고 끼어들 기회를 엿보고 있었다.

그때 심수봉이 멋들어지게 노래를 마무리 지었다. 그런데 차례가 된 창녀가 마땅한 노래를 고르지 못했는지 머뭇거리고 있었다. 척 보기에도 이 바닥에 들어온 지 얼마 안 된 초짜였다.

"뭐해, 이년아! 부르지 않고. 니 차례잖아."

옆에 있던 고참이 말했다. 하지만 순서가 된 창녀는 여전히 선곡 중이었다. 그때였다.

사랑만 남겨놓고 떠나가느냐~ 얄미운 사람~ 슬픈 음악처럼 이 마음 울려놓고 저 멀리 떠나간 사람~ 미련만 남겨놓고 돌아가느냐~ 얄미운 사람~

태경이 기다렸다는 듯 노래를 부르기 시작했다. 갑작스러운 태경의 등장에 흥겹게 잔을 부딪치던 창녀들이 모두 돌아봤다. 태경

270

은 노래를 부르며 창녀들에게 다가갔다.

정 주고 마음 주고 사랑도 줬지만~ 지금은 남이 되어 떠나가느
냐~ 이별의 아픔일랑 가져가 다오~

불청객이 끼어들자 창녀들은 잔뜩 미간을 찌푸린 채 노려보고
있었다. 여차하면 대판 싸움이 일어날 기세였다. 하지만 태경은 아
랑곳 않고 의자 하나를 끌어오더니 창녀들 틈에 자리를 잡았다.

멍들은 이 내 가슴~ 아픔만 주고 간 사람~ 미련 때문인가 멍들
은 이 내 가슴~ 아픔만 주고 간 사람~

태경이 멋지게 노래를 마무리하며 잔을 내밀었다. 하지만 흥겹
던 술자리 분위기는 온데간데없고 찬바람이 테이블 위를 지나고 있
었다.

"노래가 별로였나?"

태경의 잔을 채워주는 이는 아무도 없었다.

"넌 뭐야?"

고참이 삐딱하게 물었다.

"나? 서울서 온 보도."

태경이 스스로 술잔을 채우더니 원샷했다. 창녀들은 어이가 없
다는 듯 서로를 바라봤다. 태경이 다시 잔을 채우려 하자 이제껏 잠

자코 있던 창녀 하나가 술병을 잡았다. 그녀는 척 보기에도 나이가 지긋했는데 이들 중 최고참이었다.

"서울 보도께서 옐로우 하우스엔 어인 일로 납시셨나? 일자리라도 구하게?"

이 바닥에서 잔뼈가 굵은 태경은 눈치가 백 단이었다. 한눈에 최고참을 알아보고는 일어나 예의를 갖췄다.

"한잔 올리겠습니다, 언니."

태경의 당돌한 행동에 최고참은 잠시 응시하다가 잔을 내밀었다.

그러자 태경이 두 손으로 잔을 채웠다. 최고참은 태경의 손목에 있던 자해 흉터를 날카롭게 눈에 담았다.

"이름이 뭐니?"

최고참이 잔을 비우며 물었다.

"태경이라고 합니다, 언니."

"몇 살이니?"

최고참이 잔을 건넸다.

"올해 스물 됐습니다."

태경이 잔을 받자 최고참이 넘치도록 가득 채웠다. 그런데 병을 잡은 최고참의 손목에도 똑같은 자해 흔적이 남아 있었다. 비록 세월에 빛이 바랬지만 그날의 혈흔은 그대로였다.

"어린 게 산전수전 다 겪었구나."

최고참이 태경의 손목을 가리키며 말했다.

태경이 잔을 비웠다.

"제가 겪어봐야 언니 발끝도 못 따라가죠."

태경의 눈동자가 최고참의 손목을 가리키고 있었다.

어느새 두 사람 사이에는 묘한 공감대가 형성되고 있었다.

"보아하니 일자리 구하러 온 것 같지는 않고. 무슨 일로 왔니?"

최고참이 날카롭게 물었다. 태경은 잠시 머뭇거리다가 입을 열었다.

"홍콩을 가야 합니다. 근데 전 주민등록증이 없어요."

"밀항을 하겠다?"

"네."

"그럼 밀항업자를 찾아갈 것이지 왜 우릴 찾아왔니?"

"밀항업자를 모르거든요."

"왜 우리가 알고 있을 거라고 생각하지?"

"왜냐면 우리는 쓰레기통이니까요."

순간 옆에 있던 고참이 벌떡 일어나며 병을 집어 들었다.

"뭐, 이 씨발 년아! 쓰레기통? 이년이 뒤지려고!"

그러자 최고참이 손을 들어 말렸다.

"계속해봐."

태경이 고참을 힐끗 보고는 다시 입을 열었다.

"전 열여섯 살부터 이 일을 했어요. 별놈들을 다 겪었죠. 금 세공하는 난쟁이에서부터 첩까지 거느리고 있는 칠십 먹은 극장주까지. 한마디로 종로 바닥에서 벌어지는 일은 밑바닥까지 꿰뚫고 있어요. 왜냐면 남자들은 몸을 섞은 창녀한테 속에 있는 얘기까지 다 하거든요. 일종의 쓰레기통이죠. 쓰레기통에는 인간들의 추잡한 비밀이 전부 들어 있어요. 그런데 전 인천에서 밀항하는 남자는 만나본 적이 없어요. 여긴 생전 처음이니까요. 하지만 언니들은 다르죠. 언니들은 이 바닥 빠꾸미들이니까요."

태경이 고참의 잔을 대신 비웠다. 어느새 고참은 병을 내려놓고 자리에 앉았다.

"내가 왜 생판 처음 보는 널 도와주리라고 생각하지?"

최고참이 물었다.

"왜냐면 우린 같은 꿈이 있으니까요. 이 지긋지긋한 바닥을 뜨는 거. 이 빌어먹을 밑바닥 세계를 접고 남자 새끼들 없는 나만의 세계로 가는 거. 하지만 절대 만만치 않죠. 우리 중 그런 사람은 백에 하나라는 걸 잘 알고 있죠. 그런데 이 중 한 명이 그럴 기회를 잡았어요. 그래서 도와달라고 언니한테 부탁하면 어쩌실 건가요?"

태경이 품 안에 있던 다이아를 꺼내 탁자 위에 놨다. 그러자 창녀들이 모두 눈이 휘둥그레져서 웅성댔다. 하지만 최고참은 흔들리지 않았다.

"너 이거 어디서 났니?"

최고참이 물었다.

"훔쳤어요."

"누구 거?"

"단골손님. 하지만 아주 나쁜 새끼예요. 마약이나 팔아먹고 저희 같은 애들을 노예처럼 부려 먹는 조폭 새끼죠."

태경의 목소리는 단호했다. 그러자 최고참의 얼굴에 처음으로 미소가 떴다.

"이걸 팔아서 어쩔 거니? 홍콩에 눌러앉을 거야?"

그러자 태경이 주머니에서 전단지를 꺼냈다. 갈기갈기 찢어졌던 걸 다시 붙여놓은. 최고참은 전단지 내용을 찬찬히 들여다봤다.

"거길 갈 거예요. 그리고 두 번 다시 돌아오지 않을 거예요. 이 지긋지긋한 땅에는 절대."

"지금 그 조폭 새끼가 널 잡으려고 난리가 났을 텐데. 잡히면 뼈도 못 추릴걸?"

최고참이 전단지를 돌려주며 말했다. 그러자 태경이 손목의 흉터를 내보이며 말했다.

"어차피 죽은 목숨이에요. 한 번 더 죽는다고 달라질 건 없어요."

흉터를 본 창녀들이 조금은 숙연해졌다. 최고참은 저울을 재듯 태경을 응시하고 있었다. 창녀들도 모두 동정의 눈빛으로 최고참을 바라보고 있었다. 그들은 어느새 태경을 동료로 여기고 있었다.

"인천항 연안부두에 가면 '동일 냉동 창고'라는 데가 있어. 거기서 최돈만 놈을 찾아. 홍콩에서 약을 밀수하는 놈인데 가끔 밀항을 돕기도 해."

"고맙습니다. 이 은혜 잊지 않겠습니다."

태경이 전단지를 챙기며 일어섰다.

"명심할 건. 그놈은 지독한 변태야. 여기 있는 누구도 그놈이랑 엮이고 싶어 하지 않아. 제아무리 돈을 많이 줘도. 심지어 나마저도.

각오하는 게 좋을 거야."

최고참이 단단히 말했다.

"그딴 건 얼마든지 참을 수 있어요. 홍콩만 갈 수 있다면."

태경이 최후의 전투에 참전하듯 비장하게 대답했다.

전설의 이면

신이 취기에 기댄 것처럼 하늘이 낮았다.

수평선은 잔잔했고 구름은 잘 다듬은 경기장 잔디처럼 곱게 깔려 있었다. 그 사이를 작은 어선 한 대가 출발선을 긋듯 가로지르고 있었다. 누리와 태경은 항구가 내려다보이는 언덕에서 숨을 고르고 있었다. 한겨울인데도 시원하게 느껴지는 바람이 뺨을 어루만지며 지나갔다. 태경은 다시 돌아오지 못할 고향을 눈에 담듯 한동안 바라봤다.

"정말 나를 사랑해?"

태경이 깊이 품고 있던 질문을 던졌다.

누리가 고개를 갸웃하며 돌아봤다.

"나를 사랑한다며?"

"응. 사랑해."

누리가 당연하다는 듯 대답했다. 마치 왜 숨을 쉬냐는 질문을 받은 의사처럼.

"왜? 내가 목걸이를 찾아서? 만약 다른 사람이 찾았으면? 그럼 그 사람을 사랑하는 거야? 그런 거야?"

그러자 누리가 미소를 지었다. 마치 별의 개수를 알고 있는 수학자처럼.

"목걸이 때문이 아니야."

"그럼 뭣 때문인데?"

"널 만나려고 목걸이를 찾은 거야."

"날 만나려고?"

태경이 묻자 누리가 살며시 태경의 손을 잡았다.

"난 바보야. 더하기도 못하는. 애들도 놀려. 등신이라고. 근데 이거 하나는 진짜 알아. 내 짝이 누군지. 난 널 찾으려고 온 세상을 뒤졌어. 그래서 만난 거야. 이렇게."

누리의 대답은 간단했다. 바보 같을 정도로. 하지만 그 어떤 철학자나 대문호보다도 중심을 흔들었다. 왜냐면 바보 같은 진심이 고스란히 담겨 있었기 때문이다. 태경은 흐르는 눈물을 감추기 위해 고개를 돌렸다. 스물 인생을 살면서 대가 없이 온전히 사랑을 주는 이는 처음이었다. 주저 없이 자신의 심장을 손에 쥐여주는 이는 처음이었다. 그것만으로 충분했다. 둘은 잠시 언덕의 바람을 맞으며 나란히 서 있었다.

"너한테 부탁할 게 있어."

"……."

태경이 뭔가를 누리에게 건넸다. 손수건 품에 고이 숨어 있던 건 다이아몬드였다.

"난 이제 밀항할 배편을 구하러 갈 거야. 무슨 일이 벌어질지 몰라. 내가 돌아올 때까지 네가 이걸 지켜줬으면 좋겠어."

"나도 같이 갈 거야!"

누리가 다이아를 돌려주며 말했다.

"내 말 들어!"

태경이 단호하게 소리쳤다.

"난 이제껏 한 번도 누구를 믿은 적 없어. 왜냐면 인간은 지밖에 모르는 괴물이니까. 그런데…… 난 오늘 처음으로 인간을 믿어보려고 해."

태경이 다이아를 다시 누리의 손에 쥐여주었다.

"이건 내 목숨이야. 그걸 너한테 맡기는 거야."

둘이 꼭 잡은 손 한가운데에서 빛을 삼킨 돌이 작게 고동치고 있었다. 누리는 그것이 단순한 돌멩이가 아니란 걸 알았다. 태경의 심장이었다.

"걱정 마. 내가 목숨 걸고 지킬게. 아무도 손 못 대게 할게."

누리가 비장하게 말했다.

"말 안 해도 알아."

태경이 미소를 지었다.

누리는 피 한 방울이라도 흘릴세라 다이아를 꼭 쥐고 있었다.

"만약 내가 못 돌아오면 그땐……."

"아니, 돌아와."

누리가 불길한 말머리를 잘랐다.

"만약 무슨 일이 생기면 마음속으로 불러. 그럼 내가 갈 거야."

누리가 태경의 손을 가슴에 대며 말했다. 누리의 심장박동이 고스란히 전해졌다.

"응. 부를게. 늦지 마."

"부치하난은 늦지 않아."

태경은 진심이 흘러넘치는 누리의 눈동자를 잠시 바라보다가 언덕 아래로 달려갔다. 멀어지는 태경의 뒷모습을 누리는 눈도 깜빡이지 않고 지켜봤다. 한 손에 태경의 심장을 움켜쥔 채.

냉동 창고는 연안부두 밴댕이 회무침 거리 근처에 있었다.

연말 부두는 수많은 배와 화물을 옮기는 인부들로 북적였다. 중국과 러시아 보따리상들은 통관을 위해 은밀한 물건을 숨기느라 여념이 없었고 뱀 꼬리처럼 늘어선 세관 너머에선 페리선이 뚜우- 하는 뱃고동을 울리고 있었다. 도로 건너편 횟집들은 점심 장사를 위해 분주히 횟감을 준비하고 있었다. 태경은 이른 시간에도 손님을 낚으려는 삐끼 아주머니들을 뚫고 창고로 향했다. 골목이 끝날 즈음 바위가 솟구치듯 거대한 창고가 모습을 드러냈다.

동일 냉동

그야말로 무미건조하기 짝이 없는 건물이었다. 창문 하나 없는 커다란 사각형 건물 벽에는 고딕체 이름만 달랑 적혀 있었다. 천장과 네 개의 벽은 두툼한 콘크리트로 이루어져 있었고 정면과 뒷면에 교도소를 연상시키는 두툼한 철문이 있었다. 창고 주위에는 높다란 벽이 둘러싸고 있었는데 가시가 돋친 철조망이 설치되어 있었다. 태경은 입구가 보이는 건너편 골목에 몸을 숨긴 채 최고참이 했던 말을 떠올렸다.

"그놈은 지독한 변태야. 여기 있는 누구도 그놈이랑 엮이고 싶어 하지 않아. 제아무리 돈을 많이 줘도. 심지어 나마저도. 각오하는 게 좋을 거야."

태경은 심호흡을 하며 마음을 다져 먹었다.

밀항을 하기 위해선 상당한 금액이 필요할 게 분명했다. 어쩌면 부르는 게 값일지도 몰랐다. 하지만 태경은 무일푼이었다. 배편을 구하려면 방법은 하나뿐이었다. 이제껏 해온 일을 하는 것이다.

"마지막이야, 태경아. 이번만 잘 넘기면 돼."

태경은 스스로를 북돋우며 옷매무새를 가다듬었다. 최대한 매력적으로 보이기 위해 지금까지 쌓은 노하우를 총동원했다. 머리를 만지고 립스틱을 보강했으며 치마를 최대한 짧게 올렸다. 가슴이 도드라져 보이게 브라를 모으는 것도 잊지 않았다. 드디어 준비를 마치고 입구로 향하려던 순간이었다.

빨간불이 켜지듯 앞을 막으며 오래된 트럭 한 대가 지나가는 것이었다. 영감처럼 검은 매연을 내뿜는 고릿적 트럭이었는데 문짝에 낯익은 문구가 적혀 있었다.

멍텅구리 정육

태경은 겹겹이 쌓인 흙먼지 속 문구를 보고 그 자리에 얼어붙었다. 그것은 꿈에서도 괴롭히던 양아버지의 정육점이었다. 태경은 반사적으로 운전석을 살폈다. 아니나 다를까. 악귀 같은 양아버지가 핸들을 잡고 있었다. 살이 오른 얼굴은 기름 같은 육수가 번들거렸고 탐욕스러운 눈매는 여전히 느글거렸다. 태경이 볼펜을 꽂았던 왼쪽 눈에는 큼지막한 안대를 매고 있었다. 그런데 조수석에 또 다른 사람이 동승하고 있었다.

"엄마!"

이제는 반백이 된 어머니가 수척한 모습으로 앉아 있었다. 마치 시골 선술집으로 팔려가는 퇴기 같은 얼굴로. 반면 양아버지는 어머니의 피를 빨아 생기를 채운 흡혈귀처럼 혈기왕성했다. 몇 초 안 되는 순간이었지만 태경은 지난 삶을 고스란히 읽을 수 있었다. 트럭은 창고를 지나 반대편 골목으로 들어섰다. 태경은 밀항 배편도 잊은 채 트럭을 뒤쫓았다.

누리는 태경이 섰던 자리에 뿌리를 내린 것처럼 지키고 있었다.

수평선 너머로부터 수증기를 흠뻑 머금은 먹구름이 몰려오고 있었다. 바람도 어느새 차갑게 변해 있었다. 조만간 눈이 내릴 징조였다. 하지만 자리를 뜰 생각은 추호도 없었다. 누리의 품에는 태경의 심장이 들어 있었다. 누리는 이마를 쓰다듬었다. 아직도 촉촉한 태경의 감촉이 고스란히 느껴졌다. 가슴 저편에서 행복을 머금은 쓰나미가 밀려왔다. 발바닥에 기쁨을 움켜쥔 땀이 몽글하게 피어났다. 이런 기분은 처음이었다. 할머니 칠순 생일에 처음으로 소고기를 샀을 때도 이렇게 흥분되진 않았다. 모든 건 태경, 아니 올라 때문이었다. 그녀의 가벼운 입맞춤이 천국의 문을 연 것이다.

"우린 이제 서로 사랑하게 될 거야."

누리는 확신하고 있었다. 그녀와의 진정한 사랑을. 그것은 확신을 넘어 운명이었다. 그것은 태어날 때부터 피에 새겨진 문신 같은 것이었다. 그때였다. 어디선가 아코디언 소리가 흘러왔다. 누군가 흥겨운 캐럴을 능숙한 솜씨로 연주하고 있었다.

징글벨…… 징글벨…… 징글 오더 벨……

누리가 제일 좋아하는 징글벨이었다.

노래는 저만치 언덕 아래 골목에서 들려오고 있었다. 아이들이 동화 '피리 부는 남자'처럼 아코디언 소리를 쫓아 멸치 떼처럼 몰려가고 있었다. 이제껏 쇳덩이처럼 묵직했던 누리의 엉덩이도 캐럴 소리에 들썩였다. 그리고 결국 마법 피리 소리에 홀린 듯 골목으로 끌려갔다.

경적을 울려대며 골목을 지나던 트럭은 또 다른 창고 앞에 멈췄
다. 오래전 문을 닫은 듯 황폐한 곳이었는데 입구는 쇠사슬로 감겨
있었고 버려진 상자들과 썩은 자재 등이 널브러져 있었다. 삭막한
주변과는 어울리지 않게 건물에는 온통 꽃들이 수놓여 있었다. 예
전에 화훼 창고로 쓰인 모양이었다. 양아버지는 입구에 트럭을 멈
추더니 자물쇠를 해체하고 문을 열었다.

"저 인간이 뭘 하는 거지?"

태경은 조심스럽게 뒤따라갔다.

창고 안은 텅 비어 있었다. 운동장처럼 넓은 바닥에는 버려진 쓰
레기 더미만이 굴러다닐 뿐 황량했다. 양아버지는 창고 한가운데
트럭을 멈추더니 내렸다.

"꾸물거리지 말랬지, 멍청한 년아."

양아버지가 거칠게 어머니를 끌어당기며 소리쳤다.

어머니는 잔뜩 겁에 질려 있었다.

"여긴 왜 온 거예요? 여보, 무서워요."

"닥치고 시키는 대로 해. 할 줄 아는 거라곤 솥뚜껑 운전밖에 없
는 년이. 오늘 니가 첨 밥값 하는 거야. 그러니까 잔말 말고 따라와."

양아버지는 어머니를 끌고 창고 한가운데로 향했다.

중앙에는 천장 창문으로부터 쏟아져 내린 햇빛이 사각 문양으로
쌓여 있었는데 양아버지는 그 자리에 어머니를 세웠다.

"여기 꼼짝 말고 있어. 내가 데리러 올 때까지. 알겠어?"

"여기서 뭘 하는데요? 당신은 어딜 가고?"

어머니가 사색이 되어 물었다.

"시키면 시키는 대로 할 것이지 뭔 말이 많아!"

순간 양아버지가 어머니의 따귀를 때렸다. 어머니는 신음을 내며 바닥에 쓰러졌다.

"염병할 년. 꼭 손찌검하게 만들어."

어둠 속에서 지켜보던 태경이 주먹을 불끈 쥐었다.

아코디언 소리가 점점 가까워지고 있었다.

이번 골목만 돌면 아이들을 홀리는 마법사가 모습을 드러낼 참이었다. 누리는 헐레벌떡 골목을 돌아섰다.

"우와!"

누리를 맞이한 건 뾰족 모자를 쓴 마법사가 아니었다. 간이 회전목마와 장난감을 파는 노점상이었다. 아코디언 소리는 회전목마에서 흘러나오고 있었는데 어린아이 세 명을 태울 수 있는 작은 크기였다. 몇 명의 아이들이 천 원짜리를 꼭 쥔 채 차례를 기다리고 있었다. 그 옆에 이젠 구할 수도 없는 오래된 장난감을 돗자리에 펼쳐놓은 노점상이 있었다. 칠십 대 노인이었는데 곰방대를 물고 낚시의자에 앉아 있었다. 그런데 노인의 얼굴이 낯익었다.

"영감!"

누리의 고함에 노점상이 화들짝 놀라 돌아봤다.

"아니, 너?"

"나야, 영감! 인사동 누리!"

노점상은 다름 아닌 전설점의 '영봉 도사'였다.

어머니는 반항했지만 완력으로 양아버지를 이길 순 없었다.

양아버지는 저만치 버려진 의자를 끌어다가 어머니를 앉혔다.

그리고 트럭에 있던 밧줄로 어머니를 의자에 묶기 시작했다.

"니 딸년이 미쳐 날뛸 때 알아봤어야 했어. 그년이 누구 배 속에
서 나왔는지."

어머니가 계속 저항하자 양아버지는 동물을 길들이듯 연신 따귀
를 때렸다. 짝- 하는 마찰음이 창고 벽을 타고 메아리쳤다. 순간 어
둠 속에 웅크리고 있던 그림자가 더 이상 참지 못하고 움직였다.

"눈이 아니라 니 목구녕에 볼펜을 쑤셔 박았어야 했어."

태경이 분노를 삭이지 못하고 모습을 드러냈다.

허공을 향해 치켜들었던 양아버지의 손이 멈췄다. 그런데 어쩐
일인지 양아버지는 조금도 놀라는 기색이 없었다. 오히려 기다리고
있었다는 듯 한쪽 입가가 씩 올라가는 것이었다.

"이게 누구야? 우리 예쁜 딸 아냐? 대체 얼마 만이야?"

양아버지가 등진 채 인사말을 건넸다.

"닥쳐! 이 돼지 같은 새끼. 엄마를 풀어줘! 당장!"

태경의 목소리가 쩌렁쩌렁 울려 퍼졌다.

"태경아!"

어머니가 묶인 채 소리쳤다.

"엄마……."

태경의 눈가에 안타까운 눈물이 고였다.

"어떻게 지냈어? 얼마나 걱정했는데."

어머니의 눈에도 눈물이 흐르고 있었다.

"그냥 살아 있었어. 근데 엄마는 왜 아직도 저런 새끼랑 같이 사는 거야! 그렇게 당하면서. 바보야?"

어머니는 대답을 못 하고 눈물을 흘릴 뿐이었다.

"아빠한테 그게 무슨 소리냐, 태경아? 듣는 아빠 기분 엿 같게."

"닥쳐! 주둥이를 찢어버리기 전에."

태경이 뒤춤에 있던 칼을 빼 들었다.

"그렇지 않아도 니 생각 많이 했어. 특히 니 보들보들한 젖가슴 말이야. 그 감촉을 잊을 수가 있어야지."

양아버지는 기억을 음미하듯 양손을 비벼댔다. 눈에선 삐뚤어진 성욕을 흘리며. 그 모습이 끔찍한 악몽을 소환했다.

매일 밤 악귀처럼 자신의 몸을 탐하던 거머리 같은 손. 숨을 몰아쉴 때마다 뿜어져 나오던 술 냄새와 고기 피비린내. 그리고 쾌락에 눈먼 추악한 미소. 온몸에 소름이 돋았다. 과도를 쥔 손이 당장에라도 날아갈 기세로 파르르 떨렸다.

"신이 왜 날 지금까지 살려뒀는지 이제 알겠어. 왜 그 지긋지긋한 시간들을 버티게 했는지 알겠어. 네놈을 만나기 위해서야. 넌 오래전 죽었어야 했어. 그날 멱을 땄어야 했다고. 하지만 상관없어. 이렇게 다시 만났으니까. 제발…… 오늘은 죽자."

태경이 활시위를 떠난 화살처럼 달려들었다. 과도는 일말의 주저함도 없이 일직선으로 양아버지의 목을 향했다. 육중한 양아버지는 피할 겨를도 없이 고스란히 칼을 맞을 찰나였다.

천장에서 벼락처럼 뭔가가 떨어졌다. 그것은 상당한 무게의 물체였는데 두 사람을 갈라놓으며 중앙에 추락했다. 덕분에 회심의 일격은 단번에 저지당했다. 갑작스러운 방해물의 등장에 태경은 휘청했다. 그런데 자세히 보니 그것은 비닐에 둘둘 말린, 피투성이 시체였다.

"으악!"

동물 사체를 수도 없이 난도질했던 양아버지가 어린애처럼 비명을 질렀다. 순간 창고에 불이 켜졌다. 전등은 개벽을 하듯 일순간에 들어왔는데 덕분에 시체의 얼굴이 적나라하게 드러났다.

"저 인간……."

태경은 놀란 나머지 주춤주춤 물러섰다.

시체는 바로 무열의 주검이었다. 온몸이 난도질당한 무열이 비닐에 둘둘 말린 채 눈을 부릅뜨고 있었다.

"전혀 어울리지 않아."

머리 위 허공에 매달린 목소리였다.

또 다른 인기척을 느낀 태경은 재빨리 주위를 살폈다. 목소리 주인이 2층 사무실 계단을 내려오고 있었다. 무지개파 보스 하문이었다. 그가 측근 한 명을 거느린 채 또각또각 구두 소리를 내며 철제 계단을 내려왔다.

"순수한 몽낭족 소녀라고 하기엔 옷차림이 너무 불손해."

하문은 파이프 담배를 물고 천천히 다가왔다.

"뭐하다 이제 오셨습니까, 사장님. 하마터면 골로 갈 뻔했잖습니까."

양아버지가 주인을 만난 강아지처럼 달려갔다.

"말씀하신 대로 태경이를 대령했습니다. 이제 약속하신 잔금을……."

양아버지가 비굴한 미소를 지으며 손을 벌렸다.

하문이 고개를 끄덕이자 부하가 봉투 하나를 건넸다.

"아이고, 감사합니다. 그럼 바쁘신 거 같은데 전 이만……."

양아버지는 어머니를 버려둔 채 창고를 나섰다.

"마누라한테 인사라도 해야 되는 거 아닌가?"

하문이 뒷덜미를 잡듯 물었다.

"저 궁상을 십 년 입히고 먹였습니다. 찜 쪄 먹든, 구워 먹든 맘대로 하십쇼."

양아버지는 뒤도 안 돌아보고 빠져나갔다.

"그닥 잘 먹인 거 같지 않은데."

하문이 태경 어머니의 몰골을 쓱 훑으며 말했다. 그러고는 부하를 향해 눈짓을 했다. 부하는 그림자처럼 어둠 속으로 사라지더니 양아버지를 뒤쫓았다. 암묵적인 지시를 수행하기 위해.

"당신은?"

태경은 본능적으로 하문의 정체를 알 수 있었다.

"니가 훔쳐간 다이아의 진짜 주인이지. 그리고 오늘 무대에서 만다란투 역을 맡게 될 배우이기도 하고."

하문의 입에서 하얀 담배 연기가 흘러나왔다. 태경은 그제야 모든 게 준비된 함정이라는 걸 깨달았다. 어머니를 미끼로 태경을 끌어들이기 위한 계략이었던 것이다. 양아버지는 보스 하문의 계획을 도와주고 대가를 받기로 한 것이다. 순간 이제껏 입을 다물고 있던 한 여인이 소리쳤다.

"태경아! 달아나!"

어머니가 외쳤다.

"엄마는……."

태경이 머뭇거렸다.

"달아나라고! 바보야!"

순간 태경은 반대편 문을 향해 달리기 시작했다.

하지만 어둠 속에 또 다른 인기척이 웅크리고 있었다. 단순한 어둠 덩어리라고 생각했던 귀퉁이에 십여 명의 남자들이 도사리고 있었다. 남자들은 모두 한 덩치 하는 장정들로 실루엣만 봐도 단단한 몸을 하고 있었다. 그들은 포위하듯 빙 둘러선 채 태경을 응시하고 있었다.

"아주 흥미로운 이야기더구나. 부치하난의 우물……."

"당신이 어떻게 그 얘기를 알지?"

하문이 대답 대신 의미심장한 미소를 지었다.

"돗대…… 빌어먹을 자식!"

부하가 준비한 의자를 가져왔다. 마호가니로 된 바로크식 의자였는데 오페라하우스 귀빈석에 있을 법했다. 하문이 의자에 앉자 커튼이 오르고 무대가 시작될 것 같았다.

"자, 이제 어머니도 만났겠다, 슬슬 이야기를 마무리 지어야지."

하문이 1밀리미터가량 턱을 움직이자 암흑 속에 숨어 있던 손이 다가와 태경의 입을 틀어막았다. 태경은 비명 한번 질러보지 못하고 순식간에 제압당했다.

"그러려면 주인공이 있어야지. 우리의 전사 부치하난……."

하문의 눈빛은 전설의 매처럼 서슬 퍼렇게 날이 서 있었다.

영봉 도사의 눈이 휘둥그레졌다.

"정말 올라를 만났단 말이냐?"

"응. 바람이 만나게 해줬다니까. 전설하고 똑같이. 게다가 하늘을 나는 고래도 보고, 부란눅타의 우물까지 찾았어. 광화문 한복판에서 말이야. 진짜라니까. 덕분에 올라가 아끼던 반짝반짝 돌도 찾고. 완전 신기했다구."

누리는 신나서 손짓 발짓까지 해가며 설명을 했다. 영봉 도사는 차분히 이야기를 경청했다. 중간중간 아이들이 장난감을 사러 왔지만 신경 쓰지 않았다. 놀이기구를 타려고 순서를 기다리던 아이들마저 돌려보냈다. 아이들로 붐볐던 골목은 어느덧 텅 비고 둘만 남아 있었다.

"우리 사랑은 이루어질 거야. 전설처럼."

누리가 기대감에 잔뜩 부풀어서 말했다. 그런데 어쩐 일인지 이야기를 듣는 내내 영봉 도사의 표정이 굳어갔다. 마치 불길한 점괘라도 뽑은 것처럼.

"내 점을 온전히 믿은 아이는 네가 처음이구나."

골목 위로 먹구름이 드리우고 있었다.

마치 전설의 결말을 예고하듯.

"그래서 태경이라는 애는 지금 어딨니?"

영봉 도사가 의미심장하게 물었다.

"올라는 배를 구하러 갔어. 나한테 목숨을 맡기고."

누리가 품에 있던 다이아를 확인했다.

"네 얘기대로라면 이제 남은 건 마지막뿐이구나."

"응. 그런데 할아범이 그랬잖아. 꼭 전설대로 이루어지는 건 아니라고. 내가 하기에 따라서 이야기는 바뀔 수 있다고."

누리가 천진무구한 얼굴로 말했다.

"그랬지. 분명……. 그런데 누리야……."

영봉 도사의 표정이 심상치 않았다.

"왜?"

영봉 도사는 선뜻 운을 떼지 못했다. 점괘의 마지막 패를 뽑듯 신중했다. 그렇게 잠시 누리를 바라봤다.

"전설에 얘기하지 않은 부분이 있단다."

"얘기하지 않은 부분? 그게 뭔데?"

쿠쿠궁. 저 멀리 먹구름 너머에서 낙뢰가 울부짖었다. 예사롭지 않은 미래를 예고하듯.

"이 얘기를 들으면…… 올라를 더 이상 사랑하지 못하게 될지도 몰라. 그래도 듣겠니?"

영봉 도사가 나지막이 말했다.

"그럴 일 없어. 그러니까 말해봐."

누리는 조금도 흔들리지 않았다.

영봉 도사는 또다시 심해로 잠수하는 고래처럼 허파 가득 공기를 채웠다. 고래의 숨구멍에서 뿜어져 나온 수증기가 골목 하늘 위로 퍼져 나가고 있었다.

"이야기는 전설의 첫날로 넘어간다. 부치하난에게 우물을 맡긴 만다란투는 부족 전사들과 함께 몽냥족을 뒤쫓기 시작하지. 그런데 냉정하기로 유명한 만다란투의 얼굴이 영 좋지 않았어. 부치하난 때문이었지……."

* * *

하늘은 사막을 물들일 정도로 파랬고 태양은 손이 베일 만큼 명징했다. 하지만 추적대를 이끄는 만다란투의 얼굴에는 회색 그림자가 드리워져 있었다. 이유는 간단했다. 이제 부치하난에게 기억을 돌려줘야 할 때가 온 것이다. 기억을 되돌려줄 경우 벌어질 일은 불을 보듯 뻔했다. 분노에 찬 부치하난이 사력을 다해 자신을 죽이려들 것이었다. 나머지 부족 전사 전체가 힘을 모아 그를 막으려 해도 소용없었다. 그는 부족 최고의 전사였다. 그를 막을 수 있는 건 아무것도 없었다. 그만큼 부치하난은 막강했다. 사막에 버려진 채 죽어가던 어린 시절을 생각하면 상상도 할 수 없는 일이었다. 작은 막대조차 들지 못하던 녀석이 이제는 사막을 통틀어 최고의 전사로 거듭난 것이다. 그가 잠시 후면 자신의 숨통을 노릴 것이었다. 그렇다고 거짓된 기억을 돌려줄 수도 없는 노릇이었다.

기억이란 것은 일단 자물쇠를 해체하는 순간 판도라의 상자처럼 꼬리에 꼬리를 물고 쏟아져 나오기 때문이었다. 방법을 강구했지만 뾰족한 수가 떠오르지 않았다. 평소엔 채찍질을 하며 부족을 이끌던 만다란투가 낙타에 몸을 맡긴 채 정처 없이 달리고 있었다. 그때였다. 끼룩- 소리를 내며 분신 같은 애완용 매가 정찰을 마치고 돌아왔다. 매는 만다란투의 어깨에 내려앉더니 지금까지 본 것들을 남김없이 전했다. 그런데 정보 중 만다란투의 호기심을 끄는 것이 있었다.

"가용, 부심!"

만다란투는 가장 신뢰하는 두 명의 전사를 불렀다.

"매를 따라가라. 그러면 암벽산 중턱 동굴에 숨은 몽냥족이 있을 거다. 잡아와."

전사들은 번개처럼 매를 쫓아갔다.

암벽 산으로 들어간 지 반나절쯤 지났을 무렵 전사들이 돌아왔다. 그들 낙타에는 두 명의 여인이 포박된 채 매달려 있었다.

올라와 어머니였다. 전사들은 만다란투 앞에 두 여인을 내동댕이쳤다. 겁에 질려 벌벌 떨면서도 올라는 의식이 불투명한 어머니를 챙겼다.

"이 둘이 전부였습니다. 어떡할까요?"

전사들이 칼을 겨눈 채 말했다.

"처리해라."

만다란투가 명령하자 전사들이 곧바로 칼을 치켜들었다. 목이 날아가기 일보 직전이었다.

"당신 아이를 낳아주겠어요!"

올라가 소리쳤다.

그녀의 당돌한 제안이 만다란투를 붙잡았다.

"당신들 부족에는 여자가 없다고 들었어요. 그래서 아이들이 없다고. 후손이 없으면 당신들의 미래도 없는 거예요."

올라는 두려웠지만 또박또박 할 말을 했다.

"너희 부족은 미래가 있다고 생각하나?"

만다란투가 차갑게 물었다.

"어른들은 당신들 손에 모두 죽겠죠. 하지만 우리에게는 아이들이 있어요. 그들이 다시 부족을 세울 거예요. 하지만 당신들은 어떤가요? 당신들이 늙고 병들어 죽으면 츄위샤이족은 어떻게 되죠? 당신들을 이어갈 미래가 있나요? 내가 미래를 만들어 주겠어요. 당신 아내가 돼서."

열여섯밖에 안 됐지만 올라는 당찼다. 비록 살기 위한 발버둥이

295

었지만 올라는 정곡을 찌르고 있었다. 츄위샤이족에는 여인이 없었다. 그들은 오직 전사들만으로 구성된 부족이었다. 전투에 적합지 않은 것은 모두 버렸다. 여자와 아이도 그중 하나였다. 하지만 뱀처럼 냉정한 만다란투의 마음을 움직이기엔 역부족이었다.

"우리의 미래는 우리가 알아서 한다."

만다란투는 매몰차게 돌아섰다.

대기하고 있던 부하의 칼날이 다시 치솟았다.

"당신들은 괴물이야! 당신들한테 사랑이란 감정이 있기나 해! 이 짐승들아!"

올라가 처절하게 울부짖었다. 그런데 마지막 절규 중 한 단어가 만다란투의 마음을 건드릴 줄은 상상도 못 했다.

"잠깐!"

날카롭게 공기를 가르던 칼날이 허공에 멈췄다.

"지금 뭐라고 했지?"

"사랑이란 감정이 있냐고 했어요."

올라의 입술이 파르르 떨리고 있었다.

"사랑이라……."

만다란투가 되뇌었다. 순간 이 강력한 단어는 놀라운 계획을 떠올렸다. 그것은 만다란투의 목숨을 구할 수도 있는 계획이었다. 만다란투는 올라를 유심히 바라봤다. 이제 갓 열여섯이 된 올라는 사막에 핀 수선화처럼 아름다웠다.

"살고 싶나?"

"물론이죠."

"그렇다면 한 가지 제안을 하마."

만다란투가 낙타에서 내렸다.

"우물에 가면 전사가 한 명 있을 거다. 부치하난. 우리 부족 최고의 전사지. 전투마다 눈도 깜짝 않고 수십 명, 아니 수백 명의 목을 베는 전사다. 얼음보다도 차가운 심장을 지녔지. 앞으로 열흘 안에 그가 널 사랑하게 만들어라. 그럼 너와 네 어미의 목숨을 살려주마."

만다란투의 눈이 뱀처럼 가늘어졌다.

"사랑…… 열흘 안에……."

올라가 신음하듯 읊조렸다.

들어본 적 있었다. 부치하난. 인간의 두개골로 만든 투구를 쓰고 척추뼈를 갈아 만든 창을 휘두르는 전장의 악귀. 그 괴물을 열흘 안에 사랑에 빠지게 만드는 건 불가능에 가까웠다. 하지만 지금은 그걸 따질 때가 아니었다.

"좋아요. 하겠어요."

올라가 단호하게 대답했다.

그러자 만다란투의 입가가 씩 올라갔다.

"열 번째 달이 뜨는 날 다시 오겠다."

이 말을 남긴 채 만다란투는 부족을 이끌고 사막으로 사라졌다. 올라의 머리 위에 수족 같은 매를 남겨둔 채.

* * *

골목 위로 먹구름이 몰려들었다.

당장에라도 눈이 쏟아질 기세였지만 영봉 도사는 아랑곳 않고 이야기에 집중하고 있었다.

"만다란투는 사랑을 이용할 생각이었지. 제아무리 천하무적 부치하난도 사랑에 빠지는 순간 치명적인 약점이 생긴다는 걸 간파한 거야. 꽃처럼 아름다운 올라를 보는 순간 가능성이 보인 거지. 그리고 놀랍게도 그의 계획은 적중했어. 올라는 물을 핑계로 부치하난에게 접근했어. 그리고 기억을 찾아주겠다는 빌미로 부치하난과 가까워졌지. 그렇게 친밀해진 두 사람은 함께 기억을 찾는 여행을 떠나게 돼. 부란족의 고향, 부란눅타로 말이야."

* * *

어둠이 내렸지만 모래폭풍은 멈출 기미가 없었다.

갈수록 거세져 한 치 앞도 볼 수 없을 지경이었다. 제아무리 부치하난이라도 몇 시간째 올라를 업은 채 사막을 헤매는 건 무리였다. 온몸이 땀과 흙먼지로 범벅이 되어 있었다.

"안 되겠어요. 잠깐이라도 쉬어야겠어요."

올라가 소리쳤다.

"휴식 따윈 필요 없다. 이대로 사막을 건넌다."

부치하난이 대답했다.

"아무리 당신이라도 무리예요. 쓰러진다고요."

부치하난은 대꾸 없이 터벅터벅 걸음을 내딛고 있었다.

하지만 얼마 못 가 주저앉고 말았다.

"그거 봐요. 쉴 곳을 찾아야겠어요."

올라는 주위를 살폈다. 그러나 온통 모래와 바위뿐이었다. 마땅히 모래바람을 피할 곳이 없었다.

"따라와라."

부치하난이 지친 몸을 일으키더니 바위가 듬성듬성 난 곳으로 향했다. 그는 창으로 바닥을 여기저기 찔러보더니 적당한 토양이 나타나자 파기 시작했다. 올라도 함께 바닥을 긁어냈다. 그렇게 얼마쯤 파 내려가자 두 사람이 간신히 몸을 숨길 수 있는 구덩이가 만들어졌다. 모래폭풍을 피하기 위한 임시 피난처였다. 부치하난이 먼저 구덩이로 들어갔다.

"와라."

부치하난이 손을 뻗으며 말했다.

올라는 잠시 머뭇거렸다. 남자와 단둘이 같은 공간에 있는 건 처음이었다. 혼전 남자와 단둘이 한 공간에 있는 건 몽냥족 율법에 어긋나는 일이었다. 하지만 지금은 율법 따위 따질 때가 아니었다. 비록 어렸지만 올라는 본능적으로 이보다 더 좋은 기회는 없다는 걸 알 수 있었다. 남은 시간은 고작 사흘이었다. 그 안에 부치하난을 사랑에 빠지게 해야만 했다. 올라는 머뭇머뭇 구덩이로 내려갔다. 워낙 급조된 굴이라 서로 몸을 바짝 밀착시켜야 할 만큼 비좁았다. 두 사람은 서로에게 등을 진 채 웅크리고 앉았다.

구덩이 안에는 몰아치는 모래바람 소리 외에 아무것도 들리지 않았다. 사막의 미물들도 숨을 죽이고 폭풍이 지나가기를 기다리고 있었다. 항아리 같은 굴 안에선 작은 숨소리마저 거인의 호흡처럼 과장되게 들렸다. 그렇게 두 사람은 서로의 등을 의지한 채 폭풍을 피하고 있었다.

온몸이 부서질 정도로 피곤했지만 잠이 오지 않았다. 부치하난 역시 마찬가지였다. 밤낮으로 전투가 벌어졌을 때도 이만큼 지치진 않았다. 그런데 작은 소녀 한 명을 업고 사막을 걸은 것뿐인데 손가락 하나 까딱일 수 없을 정도로 녹초가 되어 있었다. 하지만 어쩐 일인지 정신은 어느 때보다도 맑게 깨어 있었다.

밤이 깊어질수록 폭풍은 점점 더 거세졌다. 기온은 영하로 곤두박질쳤다. 굴속에서도 입김이 날 정도였다. 사막은 매일 영하와 폭염 사이를 오갔다. 가뜩이나 얇게 입은 올라는 추위를 이기지 못하고 바들바들 떨고 있었다. 이빨이 부딪히고 오금이 저려왔다. 올라는 부치하난에게 몸을 바짝 밀착시켰다. 그런데 바위 같은 줄 알았던 부치하난 역시 떨고 있었다. 수십 명의 전사들이 철퇴를 들고 덤빌 때도 눈 하나 깜빡이지 않던 거인이 어린애처럼 떨고 있었다.

올라는 직감적으로 추위 때문이 아니란 걸 알았다. 여인과 단둘이 같은 공간에 있는 것이 처음이었던 것이다. 여인과 살을 맞댄 것이 태어나 처음이었던 것이다. 이제껏 살육과 생존 사이를 오가던 육체가 처음으로 이성을 만나자 폭발적으로 연쇄반응을 일으킨 것이다. 초라한 사막의 굴 안에는 묘한 긴장감이 흐르고 있었다.

본능과 초심자의 부끄러움 사이를 아슬아슬 오가며 만수위까지 차오른 욕망을 간신히 틀어막고 있었다. 그렇게 얼마를 위태롭게 숨죽였을까.

"너무 추워요. 이대론 둘 다 얼어 죽겠어요."

홍조 띤 정적을 깬 건 올라였다.

올라는 몸을 돌려 부치하난을 바라봤다.

"서로를 안고 있으면 체온이 올라갈 거예요. 가까이 와요."

올라가 부치하난을 끌어당겼다. 부치하난은 마지못해 고개를 돌렸다. 그는 두개골로 이루어진 투구가 신체의 일부라도 되는 양 항상 쓰고 있었다. 그 너머에 살기로 이글거리는 눈이 도사리고 있었다. 그런데 지금 부치하난의 눈에선 아무런 살의도 느낄 수 없었다. 오히려 부끄러운 소년의 눈이 자리하고 있었다. 올라는 조심스럽게 부치하난의 투구를 벗기려 했다. 그러자 반사적으로 부치하난이 움찔 물러섰다.

"벗으면 편할 거예요."

올라가 부드럽게 말했다. 그리고 살며시 투구를 벗겼다.

그러자 부치하난의 얼굴이 온전히 드러났다.

그의 얼굴은 끔찍할 정도로 깊은 흉터들이 전체를 가로지르고 있었는데 마치 누더기를 기워 만든 헝겊 인형 같았다. 상처 하나하나마다 생사를 넘나든 절박함이 묻어 있었다. 부치하난은 그런 자신의 외모가 창피한지 도로 투구를 쓰려고 했다.

"그러지 말아요. 괜찮아요."

올라가 부치하난의 손을 잡았다.

부치하난은 마지못해 고개를 들었다. 두 사람은 한 뼘도 안 되는 거리에 있었다. 올라는 처음으로 부치하난의 얼굴을 자세히 볼 수 있었다. 그런데 가까이서 보자 괴물이라고 생각했던 얼굴에 앳된 소년이 남아 있었다. 비록 깊은 흉터들이 가로막고 있었지만 어느 모로 보나 이제 갓 스무 살이 되었을 법한 소년이었다. 그리고 투구 속 소년은 부끄러움에 떨고 있었다. 그런 부치하난이 올라는 싫지 않았다. 오히려 연민이 느껴졌다.

"여자와 가까이한 게 처음이군요."

부치하난은 대답하지 않았다.

올라는 잠시 바라보다가 살며시 겉옷을 벗었다. 뒤이어 백옥 같은 살을 감싸고 있는 마지막 헝겊 조각을 풀었다. 그러자 올라의 알몸이 드러났다. 부치하난은 그녀의 몸에서 눈을 떼지 못한 채 얼어 있었다.

"부끄러워하지 말아요. 저도 처음이에요."

올라가 부치하난의 갑옷을 풀었다. 그러자 바위 같은 부치하난의 맨살이 드러났다. 몸 역시 흉터로 가득했다. 하지만 그 아래에는 생존을 통해 얻은 근육들이 조각해서 붙인 듯 가지런히 정렬되어 있었다. 밖은 여전히 모래바람이 휘몰아치고 있었고 얕은 굴속에는 앳된 흥분이 피어오르고 있었다. 올라는 부드럽게 부치하난을 안았다. 사지를 건너온 새끼를 맞이하는 어미 사자처럼.

* * *

모래폭풍이 전설을 넘어 인천의 외진 골목까지 도달해 있었다.

"그날 밤 두 사람은 사랑을 나누지. 밤이 새도록. 그리고 아침이 밝았을 때 부치하난은 깊은 사랑에 빠지고 말아. 사랑이라는 감정에 백지와도 같았던 부치하난에게 올라는 첫 여인이자 유일한 여자였던 거야. 지옥 같은 전장에서만 살아왔던 부치하난에게 올라의 품은 천국과도 같았어. 그녀는 부치하난에게 어머니이자 애인이었지. 그야말로 행복 그 자체였어. 하지만 모든 게 만다란투의 계획이었다는 건 꿈에도 몰랐지. 그리고 시간이 흘러 약속한 열 번째 달이 떠올라. 달도 모습을 감춘 그믐이었어. 어둠을 틈타 만다란투가 다시 모습을 드러내지. 부치하난이 아닌, 올라 앞에 말이야."

* * *

달도 사라진 밤하늘엔 옅은 구름이 깔려 있었다.

부란눅타에서 돌아온 올라는 곧장 어머니가 있는 여우 동굴로 향했다.

"저 왔어요, 엄마."

동굴로 들어서며 소리쳤다.

부란눅타로 출발하기 전 넉넉히 물을 길어뒀지만 내내 걱정이 됐다.

"엄마. 몸은 괜찮아요?"

반응이 없자 다시 소리쳤다.

그런데 동굴 안에는 또 다른 인기척이 있었다. 입구에서부터 서늘한 기운을 느낄 만큼 섬뜩한 존재감이었다. 올라는 반사적으로 몸을 움츠렸다.

"열 번째 달이 떴다."

만다란투였다. 밤의 그림자를 타고 순식간에 날아온 듯 어머니 옆에 앉아 있었다.

"나와의 약속은 어떻게 됐나?"

"약속은 지켰어요. 그러니 우릴 보내줘요."

올라가 당당히 대답했다.

"부치하난이 사랑에 빠졌다?"

"그래요. 그는 나를 사랑해요."

"어떻게 알지?"

"알 수 있어요. 난 여자니까."

비록 어둠 속이었지만 만다란투의 비정한 미소가 느껴졌다.

"그럼 너는?"

만다란투가 폐부를 꿰뚫었다.

"너는 사랑에 빠졌나?"

올라는 대답하지 못했다.

"불쌍한 부치하난. 천하의 부치하난이 어리석은 감정에 빠지다니. 이제 인생의 가장 쓴맛을 보겠구나. 죽음보다 고통스러운."

304

만다란투가 다가왔다.

"약속대로 우릴 보내줘요!"

올라가 말했다.

순간 만다란투가 올라의 팔목을 움켜쥐었다.

"아직 증명된 건 아무것도 없어. 놈이 사랑에 빠졌는지 알아볼 수 있는 방법은 하나뿐이지."

만다란투는 올라를 끌고 동굴을 나섰다. 암벽 아래 저 멀리 사막 한가운데 숨구멍처럼 나 있는 우물이 보였다.

"부치하난을 얼레지 꽃밭으로 유인해라. 거기서 약속을 지켰는지 시험해보겠다."

"어떻게 시험하겠다는 거죠?"

"얼레지 꽃밭으로 데려와라. 무슨 수를 써서라도."

만다란투는 이 말을 남긴 채 동굴을 떠났다.

* * *

누리는 상기된 채 이야기에 심취해 있었다.

"올라는 아픈 어머니를 핑계로 부치하난을 얼레지 꽃밭으로 유인해. 부치하난이 탈수로 의식을 잃어가는 어머니를 위해 얼레지 꽃밭으로 가리란 걸 알았거든. 올라의 예상대로 부치하난은 꽃밭으로 향해. 거기에 만다란투의 함정이 있다는 걸 알지 못한 채 말이야."

영봉 도사의 담배 연기가 전설을 따라 저 멀리 사막으로 퍼져 나가고 있었다.

* * *

만다란투는 꽃밭의 불과 함께 등장했고 기억을 되찾은 부치하난의 칼끝은 분노에 떨리고 있었다.

"네놈이 어머니를 죽음으로 몰았구나. 아니, 우리 동족을 죽음으로 몰았어!"

"네 어머니는 어리석었다. 그때 나와 손을 잡았더라면 우리 부족은 지금쯤 세상을 지배하고 있을 거다. 그런데 모든 걸 버리고 스스로 재가 됐다. 내 능력마저도 빼앗아 버렸지. 덕분에 난 남은 부족들과 십여 년을 사막을 떠돌아다녀야 했다."

부치하난은 칼을 움켜쥔 채 일어섰다.

그의 칼날에선 시퍼런 복수의 한이 눈물처럼 뚝뚝 떨어졌다.

"네놈은 어머니가 가장 아꼈던 수제자였다. 그런데 어머니를 배신하고, 우리 부란족을 멸망시켰어. 용서치 않겠다."

부치하난의 칼이 모래바람을 가르며 만다란투의 목을 향해 날아왔다. 그때였다.

"그렇다면 이 계집은 어쩔 테냐? 이 계집 역시 널 속인 배신자인데."

만다란투가 손짓하자 부하 한 명이 올라를 끌고 왔다.

부치하난은 움찔 멈췄다.

"올라…… 네가 왜 여기?"

만다란투의 얼굴에 간교한 미소가 떴다.

"전혀 눈치채지 못했군. 그럴 수밖에. 사랑에 빠졌으니. 사랑은 눈을 멀게 하고 귀머거리로 만들지. 이 계집은 내 명을 받고 네게 접근한 거다. 널 무너뜨리기 위해."

부치하난은 사색이 되어 멈췄다.

"그럴 리가…… 그럴 리 없어."

부치하난은 흔들리는 눈으로 올라를 바라봤다.

"사실이냐?"

올라는 대답할 수 없었다.

"사실이냐고 물었다!"

부치하난의 고함이 재가 된 꽃밭에 울려 퍼졌다.

"살기 위해 어쩔 수 없었어요."

올라가 바닥에 주저앉았다.

부치하난은 넋이 나간 채 멍하니 바라만 볼 뿐이었다.

"하지만 시간이 지나면서 당신의 진심을 알게 됐어요. 당신과 함께 기억을 찾으면서 당신의 새로운 모습을 봤어요. 그래서……."

"그래서……."

부치하난의 칼이 총기를 잃고 흔들리고 있었다.

"당신을 사랑하게 됐어요. 진심이에요."

올라의 눈망울이 미안함과 안타까움에 글썽였다.

하지만 그 모습을 조용히 지켜볼 만다란투가 아니었다.

"사랑이라. 정말 웃기는군. 열흘 전만 해도 살기 위해 내 아이를 낳겠다던 계집이……. 너를 이 자리에 유인한 것도 바로 이 계집이다. 과연 그런 계집의 사랑을 믿을 수 있을까."

만다란투가 매몰차게 몰아쳤다.

이 말은 날카로운 비수가 되어 부치하난의 심장을 그대로 관통했다. 부치하난은 가슴을 움켜쥔 채 주저앉았다. 태어나 이토록 가슴이 쓰라린 적은 없었다. 적의 칼에 온몸이 난도질당할 때도 이토록 고통스러웠던 적은 없었다. 심장이 수십 조각으로 갈기갈기 찢긴 듯 아팠다. 숨조차 제대로 쉴 수 없었다. 순간 부치하난은 이제껏 한 번도 손에서 놓은 적 없던 칼을 떨어뜨리고 말았다. 뱀처럼 표독한 만다란투가 그 기회를 놓칠 리 만무했다.

"지금이다. 녀석의 목을 가져와라."

만다란투가 지시하자 아홉 명의 전사들이 일제히 부치하난을 공격하기 시작했다. 부치하난은 다시 칼을 집어 들고 반격을 했지만 이제까지의 부치하난이 아니었다. 칼날은 무뎠으며 공격은 허점투성이였다. 츄위샤이 전사들은 차례로 부치하난의 몸에 창을 꽂았다. 온몸이 난자당하면서도 부치하난의 뇌리에는 온통 올라의 얼굴로 가득했다. 지난밤 천국의 숨결처럼 향기롭고 행복했던 그녀의 얼굴이 살을 찢는 창날의 고통보다도 아픈 비수가 되어 꽂히고 있었다. 그리고 드디어 여덟 번째 창이 부치하난의 심장을 향해 날아드는 순간이었다.

"안 돼!"

올라가 스스로 몸을 날려 부치하난을 끌어안았다.

* * *

먹구름으로 뒤덮인 골목은 음산하기까지 했다.

구름 속 낙뢰들이 부치하난의 죽음을 슬퍼하며 울부짖고 있었다.

"그렇게 부치하난은 여덟 개의 창을 맞고 숨을 거두지. 올라가 마지막 순간 죄책감을 못 이기고 달려들었지만 부치하난의 죽음을 막을 수는 없었어. 결국 자신도 함께 숨을 거두게 돼."

영봉 도사는 깊은 잠수를 마치고 수면으로 올라온 고래처럼 숨을 챙겼다.

"이것이 전설의 숨겨진 이야기다."

이야기를 모두 들은 누리의 눈에서 눈물이 흘러내렸다.

"내 얘기를 잘 들어라, 누리야."

영봉 도사가 근심 어린 눈으로 누리의 손을 잡았다.

"사랑은 어리석은 거야. 네 심장에 치유할 수 없는 상처를 입히고 영혼을 멍들게 해. 그 아이도 마찬가지야. 올라처럼 널 이용하는 것뿐이야. 자신이 살기 위해서라면 네 목숨도 이용할 거야. 그러니 더 이상 그 아이를 기다리지 말고 돌아가. 그리고 지금까지처럼 열심히 네 인생을 살아."

순간 누리가 영봉 도사의 손을 뿌리쳤다.

"아니야! 그렇지 않아!"

누리가 소리쳤다.

눈에선 하염없이 눈물이 흘러내리고 있었다.

"어허, 이 녀석! 아직도 정신을 못 차렸네. 지금 그 아이를 쫓아 갔다가는 네 녀석도 부치하난처럼 목숨을 잃을지도 모른다니까. 내 말 들어!"

영봉 도사가 호통을 쳤다. 하지만 물러날 누리가 아니었다.

"아니야!"

그때였다. 저 멀리 항구 쪽에서 검은 연기가 피어올랐다. 연기는 태경이 달려간 창고 인근에서 비롯되고 있었다. 누리는 본능적으로 태경에게 무슨 일이 일어났다는 걸 알 수 있었다.

"한 가지만 대답해, 영감."

누리가 글썽이는 눈으로 물었다.

"마지막 순간…… 부치하난이 죽을 때…… 올라가 눈물을 흘렸 어?"

영봉 도사는 대답을 못 하고 바라보고 있었다.

"눈물을 흘렸냐고!"

"아마도…….."

"그럼 됐어."

누리는 온 힘을 다해 연기가 피어오른 곳으로 달려갔다.

한 손에는 태경의 심장과도 같은 다이아몬드를 움켜쥔 채.

사랑의 정의

불은 창고 내부에서 비롯되고 있었다.

주위에는 불구경차 모여든 주민들이 웅성대고 있을 뿐 아직 소
방차나 경찰은 보이지 않았다. 검은 연기를 내뿜던 창문에선 어느
새 붉은 화염이 치솟고 있었다. 누리 눈에 처음으로 띈 것은 창고
벽면에 그려진 꽃들이었다. 건조한 시멘트 벽에는 겉치레 인사처
럼 파스텔 톤의 꽃들이 기하학적 문양으로 수놓아져 있었다. 어떤
것은 핑크색 삼각형, 어떤 것은 민트색 타원형 꽃 모양이었다. 하
지만 누리 눈에는 정체불명의 수학적 꽃들이 모두 하나의 꽃으로
보였다.

"얼레지 꽃!"

전설대로 얼레지 꽃밭에 불이 난 것이다.

그렇다면 이제 만다란투가 올라를 위협하며 등장할 차례였다.

누리는 불안을 못 이기고 창고 가까이 다가갔다. 입구 문틈 사이

로 검은 연기가 찐득한 액체처럼 흘러나오고 있었다. 그런데 문고리에 뭔가 걸려 있었다. 누리는 그것이 뭔지 한눈에 알아볼 수 있었다. 올라의 목걸이였다. 노끈에 매달린 뼛조각이 열기에 흔들리고 있었다.

"올라!"

누리는 봉인이 해제된 실험용 더미처럼 헐레벌떡 달려갔다.

"이 양반이 미쳤나? 불난 거 안 보여? 어딜 들어가!"

창고 경비원이 누리 앞을 막으며 소리쳤다.

"저 안에 올라가 있어! 구해야 돼!"

누리가 막무가내로 물리치며 말했다.

"있긴 누가 있다고 그래! 이 년째 텅 빈 창고야! 죽기 싫으면 어여 물러나!"

경비원이 힘껏 밀쳐냈다.

하지만 뚜껑이 제대로 열린 누리를 막기에는 어림없었다.

누리는 단번에 경비를 제치고 문을 향해 냅다 달렸다.

"죽고 싶어 환장했어! 당장 돌아와!"

경비원이 소리쳤지만 이미 늦은 후였다.

누리는 어느새 문 앞에 도착해 있었다. 다행히 목걸이는 불타지 않았다. 누리는 목걸이를 챙기고는 주저 없이 문을 열었다. 급작스럽게 공기가 유입되자 내부에 웅크리고 있던 화염이 순식간에 분출됐다. 그로 인해 누리는 열기에 떠밀려 저만치 날아가고 말았다. 머리와 옷깃에 불이 붙었지만 다행히 큰 화상은 입지 않았다. 이대로 들어갔다가는 불덩이가 될 게 뻔했다. 뭔가 다른 방도가 필요했다. 누리는 주변을 둘러봤다. 마침 구경꾼들 사이에 수족처럼 낯익은 물건이 보였다. 리어카였다. 누리는 곧장 리어카 주인에게 달려갔다.

"영감. 이거 잠깐만 빌려."

누리는 주인 허락이 떨어지기도 전에 리어카 핸들을 돌렸다.

입구에는 여전히 화마가 분을 삭이지 못하고 불을 뿜고 있었다.

누리는 화염의 숨결에 맞춰 심호흡했다.

"하나…… 둘…… 셋!"

누리는 화마가 숨을 돌린 순간을 놓치지 않고 죽을힘을 다해 리어카로 돌진했다.

"으아아아!"

구경꾼들이 숨을 죽인 채 지켜보고 있었다. 이윽고 와장창- 요란한 소리를 내며 리어카가 입구를 통과해 창고 안으로 진입했다.

창고 안은 온통 불바다였다. 몇 년 동안 방치됐던 쓰레기 더미에 불이 붙어 사방 불기둥이 넘실거리고 있었다. 뜨거운 열기에 숨조차 가누기 힘들었지만 누리는 정신을 바짝 차리고 창고 안을 살펴보기 시작했다. 불행 중 다행으로 입구 부근을 지나자 빈 공간이 나타나며 열기의 공백이 있었다. 그런데 연기에는 누군가 고의로 불을 붙인 듯 휘발유 냄새가 진동했다. 누리는 옷소매로 입과 코를 틀어막고는 창고 안을 뒤졌다.

"올라야, 어딨어? 나야! 누리! 대답해!"

누리는 불길 속에 남아 있는 태경의 그림자를 애타게 찾았다.

얼마나 화마의 숲을 지났을까. 열기에 정신이 혼미해지기 직전이었다. 저만치 불 한가운데 인기척이 일렁였다. 열기와 유독가스에 기력이 쇠했지만 분명 사람의 그림자였다.

"올라야! 내가 왔어!"

누리는 무너져 내리는 잔해와 화염을 뚫고 단숨에 인기척을 향해 달려갔다. 누군가 창고 귀퉁이에 있었는데 철제 의자에 묶인 채 방치되어 있었다.

"올라야, 이젠 괜찮아. 내가 왔으니까. 정신 차려!"

누리가 누군가의 어깨를 흔들어 깨우려 했다. 그러자 의식이 잠시 돌아온 누군가가 고개를 들었다.

"살려……줘요…….

그런데 누군가는 태경이 아니었다. 태경의 어머니였다.

"올라는?"

누리가 당황해서 물었다.

"당신이…… 누리군요…….

어머니가 희미하게 말했다.

사방에 불덩이가 튀고 천장이 무너져 내리고 있었다.

"맞아! 올라는 어딨어?"

누리가 서둘러 포박을 풀며 물었다.

"당신이 올 거라고 했어요…… 우리 딸을 구하러…….

밧줄을 모두 풀자 누리는 어머니를 부축했다.

"어머니?"

누리는 서둘러 탈출구를 찾았다. 입구와 뒷문은 천장까지 치솟은 불길로 가로막혀 있었다. 유일하게 불길이 닿지 않는 2층 사무실이 있었다. 저만치 2층으로 향하는 계단이 있었다. 누리는 어머니를 업고 죽을힘을 다해 계단으로 달렸다. 저 멀리서 소방차 사이렌 소리가 다가오고 있었다.

"어머니. 올라는 어딨어?"

"놈들이 끌고 갔어요…… 당신을 유인하려고……."

2층 사무실에 도착한 누리는 창문 밖을 살폈다. 창밖에는 어느새 도착한 소방대원들이 진화를 위해 호스를 준비하고 있었다.

"여기야! 살려줘!"

누리가 창문 밖으로 손을 흔들며 소리쳤다.

"거기 꼼짝 말고 있어요! 구하러 갈 테니!"

두 사람을 발견한 소방대원이 사다리차를 몰고 왔다. 소방대원들은 순식간에 사다리를 창문에 연결하더니 채 1분도 안 돼서 다다랐다. 그리고 능숙하게 두 사람을 구조했다. 간신히 목숨을 건진 두 사람 주위로 구급요원들이 달려왔다. 하지만 누리의 신경은 온통 올라의 행방에 쏠려 있었다.

"그래서 올라는 어딨냐고!"

구급요원이 어머니를 이동 침대에 옮기고 있었다.

어머니는 구급차로 향하며 간신히 입을 열었다.

"여기로 찾아오라고 했어요."

어머니가 쪽지 하나를 건넸다. 쪽지에는 짧은 메모가 적혀 있었다. 누리는 더듬더듬 내용을 읽었다.

"제3부두…… 밀레니엄…… 천년호?"

쪽지의 내용이었다.

"천년호! 제3부두가 어디야?"

누리가 지나는 구조요원을 붙잡고 물었다.

"저쪽일걸."

구조요원이 부두를 가리켰다.

방향을 알자 누리는 쪽지를 움켜쥔 채 달리기 시작했다.

먹구름 덕에 맥을 못 추는 해가 수평선 너머로 모습을 감추고 있었다. 수증기를 듬뿍 머금은 구름이 찬 공기를 내뿜으며 항구를 뒤덮고 있었다. 당장에라도 함박눈이 내릴 기세였다. 누리는 숨이 턱에 차서 부두에 도착했다. 부둣가는 텅 비어 있었다. 만선을 빌며 출항한 어선들은 아직 돌아오지 않았다. 오늘 마지막 페리선이 여객 부두에서 출항을 준비하고 있을 뿐이었다. 덕분에 천년호를 찾는 건 어렵지 않았다. 배는 도크 맨 끝에 홀로 정박해 있었다.

상당히 큰 어선이었다. 3층 높이의 선교와 십여 미터 높이의 어망 크레인이 앞뒤로 설치된 대형 선박이었다. 뱃머리에 큼지막하게 참치가 그려진 것으로 보아 원양에서 참치를 잡는 배인 모양이었다. 누리는 쪽지를 꺼내 선수에 적힌 배 이름을 확인했다.

"천……년……호……!"

쪽지에 적힌 배가 틀림없었다. 하지만 올라는 보이지 않았다.

"올라야! 내가 왔어! 누리가 왔다고!"

누리는 항구가 떠나가라 소리쳤다. 그때였다. 갑판 쪽에서 웅얼대는 소리가 들렸다. 누군가 입이 틀어막힌 채 살려달라고 외치고 있었다. 누리는 서둘러 배와 연결된 다리를 찾았다. 배 중앙에 철제 다리가 도크와 이어져 있었다. 누리는 서둘러 다리를 지나 배에 올랐다. 배는 아래서 봤을 때보다 훨씬 컸다. 갑판 중앙에는 냉동고로 이어진 커다란 개폐식 문이 있었고 그 위에 그물을 끄는 거대한 크레인이 치솟아 있었다. 그 너머에 선교가 자리하고 있었다. 그런데 선교 난간에 누군가 묶여 있었다. 태경이었다. 태경이 입에 재갈을 문 채 몸부림을 치고 있었다.

"올라!"

누리는 태경을 향해 달려가려다 멈칫했다. 태경 앞에 여러 명의 수상한 그림자가 버티고 있었다. 그림자들은 한 남자를 중심으로 날개처럼 양옆에 도열해 있었는데 모두 섬뜩한 살기를 뿜고 있었다.

"왔구나. 우리 주인공……."

하문의 파이프에서 흘러나온 연기가 사막의 모래바람을 닮아 있었다.

"역시 상상했던 모습은 아니구나. 하지만 여기까지 왔다는 건 불속에서 어머니를 구했다는 거겠지."

그림자 너머 입가에 그려진 하문의 미소가 달빛에 희미하게 반사됐다. 마치 사지에서 돌아온 어린 부치하난을 맞는 만다란투처럼 기특함 반, 호기심 반.

"올라를 보내줘."

누리는 돌려 말하는 재주가 없었다.

"알고 있다. 이 계집을 구하러 왔다는 거. 그럼 내가 왜 여기까지 왔는지도 알겠구나."

누리는 무의식적으로 품 안의 다이아를 확인했다. 그걸 놓칠 하문이 아니었다.

"그걸 내게 돌려주겠니?"

누리는 고개를 저었다.

"올라를 보내줘. 그래야 이걸 줄 거야."

하문은 다 피운 파이프 담뱃재를 털었다.

"그래야지. 그래야 우리 주인공이지. 그럼 나는 전설의 악당이 되는 수밖에 없겠구나. 만다란투라고 했나."

누리의 표정이 굳었다.

"전설의 마지막이 어떻게 되더라. 불탄 꽃밭에서 아홉 명의 전사와 싸우다가 장렬히 전사했지, 아마. 여덟 개의 창을 맞고."

하문은 양옆을 바라봤다. 모두 정확히 아홉 명이었다.

"이렇게 하도록 하지."

하문이 새 담배를 파이프에 넣자 부하가 불을 붙여줬다.

건조한 담배 연기가 새로운 모래바람을 몰고 왔다.

"만약 네가 내 부하들과 싸워 이겨서 내 앞까지 온다면 네 말대로 올라를 풀어주마. 물론 내 물건은 돌려받아야겠지. 하지만 만약 실패한다면 너와 저 계집은 살아서 이 배를 나설 수 없어. 알겠니?"

"만다란투는 믿을 수 없어. 거짓말만 하니까."

"난 믿어도 돼. 그리고 다른 방법이라도 있나?"

하문의 말에 부하들이 웃음을 터뜨렸다. 배 안에 아홉 전사의 웃음소리가 울려 퍼졌다. 누리도 다른 방도가 없다는 걸 알고 있었다.

"약속 지켜야 돼. 내가 여덟 개의 창을 맞고도 영감 앞에 서면 올라를 풀어주기로."

누리 얼굴에선 웃음기라고는 찾아볼 수 없었다.

"정말 해볼 생각이냐, 꼬마야."

하문이 흥미진진한 얼굴로 물었다.

누리는 단호한 표정으로 대답을 대신했다.

하문은 어이가 없다. 덥수룩한 머리에 자그마한 키의 소년은 자신의 정예 부하들 앞에서 조금도 위축되지 않고 있었다. 부하들은 수많은 조직 간의 전쟁에서 종로 바닥을 지킨 베테랑들이었다. 싸움이라면 이력이 난 전문가였다. 그런데 평생 병을 주웠다던 소년은 이제껏 마주한 어떤 상대보다도 비장했다. 하문은 이제부터 펼쳐질 전설의 후속편이 어떻게 전개될지 궁금해서 참을 수가 없었다.

"약속 꼭 지켜야 돼, 영감."

누리가 팔을 휘휘 저으며 몸을 풀었다. 마치 새벽 체조를 하듯.

"준비되면 와라."

하문이 수신호를 보내자 부하들이 품고 있던 무기를 꺼내 들었다.

사시미 칼이었다. 시퍼런 아홉 개의 칼날이 항구의 불빛을 기세등등하게 반사하고 있었다. 하지만 누리는 조금도 움츠러들지 않았다.

"간다!"

누리가 출발선에 서듯 자세를 잡으며 말했다.

"한 가지 물어보자."

하문이 출발을 연기했다.

"뭔데?"

"대체 왜 이렇게까지 하는 거니? 저런 싸구려 창녀 하나 때문에 목숨을 거는 거니?"

"사랑하니까."

하문이 어이없다는 듯 웃었다.

"사랑이 뭔진 아니?"

누리가 고개를 끄덕였다.

"사랑이 뭐니?"

"영감도 모르는구나. 사랑이 뭔지."

저 멀리 전설 속 바람을 타고 날아와 누리 주위를 맴돌고 있었다. 부치하난과 올라를 이어줬던 그 바람이.

"영감은 자기 심장을 다른 사람한테 줘본 적 있어?"

하문은 대답하지 못했다.

"부치하난이 올라를 위해 죽은 건 자기 심장을 줬기 때문이야. 한번 준 심장은 돌려받을 수 없거든."

누리의 눈에 재 속에서 함께 죽어가는 부치하난과 올라의 모습이 선명하게 그려졌다.

"사랑은 심장을 주는 거야. 그래서 그 사람이 죽느니 차라리 내가 죽는 게 덜 아픈 거야."

하문의 입가에서 미소가 사라졌다.

"그리고 지금 내 심장은…… 저기 올라가 가지고 있어."

누리는 태경을 바라봤다.

태경이 재갈을 문 채 안 된다고 고개를 저었다. 하지만 누리는 얼굴 가득 미소를 지었다. 천국의 입구에서 천사들의 마중을 받듯 환하게. 그리고 결심을 한 듯 하문을 바라봤다.

"자, 이제 간다."

누리는 거침없이 첫걸음을 내디뎠다.

전설 속 부치하난은 온몸을 인골 갑옷으로 둘러싸고 거대한 칼로 무장하고 있었지만 누리는 누더기 야상에 막대기 쪼가리 하나 들고 있지 않았다. 하지만 기세만큼은 부치하난에게 조금도 뒤지지 않았다. 누리가 움직이자 아홉 명의 부하 중 하나가 앞으로 나섰다. 첫 번째 부하는 조직 간의 싸움에 이골이 난 베테랑이었다. 이미 여러 번 사람의 몸에 칼을 담갔던 경험자였다. 외모도 그에 걸맞게 살기등등했다. 부하는 몇 걸음 내딛더니 누리를 향해 칼을 겨눴다. 하지만 누리는 조금도 머뭇거리지 않고 성큼성큼 다가서는 것이었다. 그러자 오히려 부하가 당황했다. 제아무리 칼부림에 이골이 난 선수도 칼을 들이밀면 본능적으로 방어 자세를 취하는 게 상식이었다. 그런데 더벅머리 소년은 일말의 망설임도 없이 일직선으로 다가오는 것이었다. 누리가 사정거리 안에 들어오자 부하는 자신도 모르게 반사적으로 칼을 휘둘렀다. 칼은 정확히 누리의 왼쪽 옆구리에 박혔다. 헉- 하는 작은 신음이 전부였다. 누리는 어떤 반항도 하지 않고 고스란히 칼을 맞는 것이었다. 부하는 당황해서 누리의 얼굴을 살폈다. 그러자 누리가 고개를 들며 말했다.

"하나⋯⋯."

심지어 미소를 짓고 있었다. 마치 첫 번째 승리라도 쟁취한 듯.

부하가 놀라서 움찔 물러섰다. 여러 번 조직 간의 전쟁이 있었지만 이런 경우는 처음이었다. 부하는 자신의 임무를 다하고는 도로 제자리로 돌아갔다. 그의 칼은 고스란히 누리의 옆구리에 꽂혀 있었다. 하문은 콜로세움의 네로라도 된 듯 파이프 담배를 피우며 관전하고 있었다.

잠시 후 누리가 다시 걷기 시작했다. 마치 아무 일도 없었다는 듯 평온한 얼굴로 걸어왔다. 하문이 다시 손을 들자 두 번째 부하가 준비했다. 이번 부하의 칼은 이전 것보다도 길고 날카로웠다. 두 번째 부하는 서슴없이 다가가더니 누리를 향해 칼을 날렸다. 이번에 노 누리는 조금의 망설임도 없이 칼을 받아들였다. 두 번째 칼은 누리의 복부 한복판에 꽂혔다. 작은 신음과 함께 누리의 몸이 움츠러들었다. 두 번째 부하는 고통을 확인하려는 듯 칼을 더욱 깊이 밀어 넣었다. 누리의 몸이 더욱 움츠러들었다. 부하는 만족스럽다는 듯 미소를 지었다. 그런데 잠시 후 누리가 다시 고개를 드는 것이었다. 그리고 미소를 지으며 말하는 것이었다.

"둘⋯⋯."

부하는 화들짝 놀라 물러섰다.

"이 새끼! 뭐야!"

부하는 예상 밖의 반응에 뒷걸음질하다가 넘어지고 말았다.

여유롭게 담배를 피우던 하문의 얼굴에도 균열이 생기고 있었다. 난간에 묶인 채 이 모습을 지켜보던 태경은 미친 듯이 몸부림을 치며 고함을 질러댔다.

"제발…… 그만해……! 그 애는 아무 잘못 없어…… 그만하라고!"

태경의 울부짖음이 공허하게 항구에 메아리쳤다.

누리의 복부와 옆구리에서 피가 뿜어져 나오고 있었다. 이미 낡은 야상은 피로 범벅이 되어 있었다. 하지만 누리는 이를 악물고 다시 걷기 시작했다. 한 발자국…… 두 발자국…… 누리가 내딛는 한 발 한 발 붉은 선혈이 발자국을 내며 따라오고 있었다. 비록 비틀거리고 있었지만 누리는 어느새 절반이나 다다랐다. 하문은 서둘러 세 번째 부하에게 지시를 내렸다. 하지만 넋을 잃고 있던 세 번째 부하는 지시를 눈치채지 못했다. 옆에 있던 동료 부하가 어깨를 툭 치자 그제야 부하는 칼을 꺼냈다. 하지만 망설이는 기색이 역력했다. 누리는 마치 죽기 위해 다가오는 것 같았다. 이미 죽음 따윈 초월한 상태였다. 부하는 이전에 수많은 칼잡이를 상대했지만 단 한 명도 죽음을 초월한 이는 없었다. 칼부림이라면 이력이 난 선수라도 눈빛에는 일말의 두려움이 남아 있었다. 그런데 눈앞의 스무 살 소년은 어떤 망설임도 없이 당당히 다가오고 있었다.

그것이 부하들을 혼란스럽게 만들고 있었다. 세 번째 부하는 점점 속력을 높여 달려가더니 주저 않고 누리의 오른쪽 옆구리를 공격했다. 역시 아무런 방어도, 저항도 없었다. 칼은 미끄러지듯 옆구리를 관통했다. 부하는 확인사살을 하듯 누리의 얼굴을 살폈다.

그런데 어찌 된 일인지 누리는 아픈 기색조차 없었다. 피로 범벅이 된 복부는 감각조차 사라진 모양이었다. 부하는 믿을 수 없다는 듯 칼을 빼더니 다시 한번 같은 자리에 찔러 넣었다. 누리의 미간이 작게 일그러졌다.

"이번엔 좀 아프다…… 셋…….."

세 번째 부하는 얼굴이 하얗게 질려서 주춤주춤 물러섰다.

"뭐 이런 새끼가 다 있어! 이거 괴물이잖아."

부하는 달아나듯이 제자리로 돌아갔다.

차례를 기다리던 부하들이 술렁였다. 담담하게 칼을 맞는 누리의 천진난만한 미소가 밑바닥에 남아 있던 양심을 건드리고 있었다. 태경은 묶인 팔에 피가 나는 줄도 모른 채 미친 듯이 몸부림을 치고 있었다. 눈에서는 하염없이 눈물이 흘러내리고 있었다.

"그만해! 누리야, 이제 됐어! 제발 그만둬! 부탁이야!"

하지만 누리는 멈추지 않았다. 자신을 향해 눈물을 흘리는 태경을 바라보며 환한 미소를 짓고는 다시 일어나는 것이었다. 하문은 어느덧 네로 의자에서 일어나 고함을 치고 있었다.

"뭐하는 거야! 다음 순서 어떤 새끼야! 빨리 안 나가!"

네 번째 부하는 하문의 오른팔이었다. 부하는 어쩔 수 없이 칼을 빼 들었지만 선뜻 나서지 못하고 있었다.

"형님. 꼭 이렇게까지 하셔야겠습니까?"

부하가 떨리는 목소리로 말했다. 그러자 하문이 부하의 정강이를 걷어찼다.

"당장 안 나가! 새꺄!"

하문은 이성을 잃고 있었다. 누리는 이제 몇 발자국 앞에 도달해 있었다. 네 번째 부하는 마지못해 칼을 들고 누리를 향해 다가갔다.

"이봐. 그대로 있어. 어차피 이길 수 없는 게임이야."

부하가 나지막이 말했다. 하지만 누리는 멈출 생각이 없었다. 누리는 비틀거리며 계속 걸어오는 것이었다. 흘러내린 피에 야상과 바지가 온통 붉게 물들어 있었다. 지나온 자리에는 붉은 발자국이 길처럼 나 있었다.

"빌어먹을!"

부하는 어쩔 수 없이 누리의 가슴 정중앙에 칼을 꽂았다.

고통이 심한지 누리는 그 자리에 주저앉았다.

"그래. 그대로 있어. 제발."

부하가 타이르듯 말했다.

그러자 누리가 고개를 들며 말하는 것이었다.

"넷…… 이제 네 개 남았어."

누리가 부하의 옷을 움켜쥐며 일어서는 것이었다. 누리가 잡은 옷자락에 붉은 피가 도장 자국처럼 묻어 있었다. 부하는 하얗게 질려서 물러섰다. 미친 듯이 울부짖던 태경은 목이 쉬어 제대로 소리를 지를 수도 없었다.

"차라리 날 죽여…… 제발 그만해……."

더 이상 흘릴 눈물도 남아 있지 않았다. 발버둥 친 덕에 묶인 손목은 유혈이 낭자했다. 하지만 누리를 막을 순 없었다. 누리는 젖 먹던 힘까지 보태 간신히 일어섰다. 하문의 얼굴도 이제 새파랗게 질려 있었다.

"뭐하고 있어? 다 덤벼! 새끼들아! 죽여 버리라고!"

하문이 미친 듯이 소리를 질러댔다.

그러자 남아 있던 네 명이 괴성을 지르며 누리를 향해 돌진했다.

그리고 네 개의 칼로 난도질을 하는 것이었다. 이성을 잃은 칼날은 연약한 누리의 살을 무자비하게 파고들었다. 하지만 누리는 아무런 저항도 않고 칼을 고스란히 받아들였다. 더 이상 비명도 지르지 않았고 고통스러운 표정도 짓지 않았다. 마치 신부님으로부터 세례를 받듯 편안하게 칼 세례를 받고 있었다. 얼마쯤 지났을까. 미친 듯이 난자하던 부하들이 제풀에 물러서는 것이었다.

"이 새끼…… 괴물이야!"

부하들은 겁에 질려 칼도 버린 채 달아나는 것이었다.

도열해 있던 부하들도 더 이상 못 보겠는지 칼을 버린 채 달아났다. 이를 지켜보던 하문이 이성을 잃고 괴성을 질러댔다.

"이 개새끼들! 어딜 가는 거야! 이리 안 와?"

하지만 부하들은 모두 달아나고 없었다. 그때였다.

"여덟……."

유혈이 낭자한 누리가 하문을 향해 한 걸음 두 걸음 다가오고 있

326

326

었다. 흔들리지만 길을 잃지 않고 곧장. 오래전 하문의 팔목에 내려앉았던 매 문신이 처음으로 떨고 있었다.

"씨발 놈, 내가 끝장을 내주지. 내 총! 내 총 어딨어!"

하문이 뒤춤에 있던 총을 찾았다. 하지만 어찌 된 일인지 있어야 할 자리에 총은 없었다. 그때였다. 철컥! 뒤통수에서 노리쇠 장전하는 소리가 들렸다. 하문은 천천히 뒤를 돌아봤다. 어느새 포박을 푼 태경이 총을 겨눈 채 서 있는 것이었다. 온통 눈물로 범벅이 된 채.

"뒤져버려! 개새끼!"

태경이 주저 않고 방아쇠를 당겼다.

탕! 청명한 총소리가 항구에 울려 퍼졌다. 뒤를 이어 하문이 맥없이 바닥에 쓰러졌다. 분신처럼 들고 있던 파이프와 함께.

그 모습을 지켜보던 누리가 무너지듯 주저앉았다. 임무 완수와 동시에 전원이 꺼진 로봇 전사처럼.

"누리야! 정신 차려!"

태경이 누리를 부둥켜안으며 외쳤다. 하지만 누리는 이미 온몸이 난자당한 후였다. 수십 개의 상처에서 피가 분수처럼 뿜어져 나오며 사지가 경련을 일으키고 있었다.

"도와줘요! 제발! 여기 사람이 죽어가요!"

태경이 양손으로 피를 막으려 안간힘을 쓰며 외쳤다. 하지만 주위에는 아무도 없었다. 적막한 바닷바람만이 웅- 하는 소리를 내며 차갑게 스쳐갔다.

"아무도 없어요! 여기 사람이 죽는다고!"

태경의 고함이 밤하늘을 타고 덧없이 울려 퍼졌다.

순간 누리가 힘겹게 자신의 품에 손을 넣는 것이었다. 그리고 뭔가를 꺼내 천천히 태경에게 내밀었다. 다이아몬드였다. 투명한 광채를 내뿜던 다이아몬드에 누리의 선혈 지문이 사신의 서명처럼 선명하게 찍혀 있었다.

"이딴 거 필요 없어! 조금만 기다려! 내가 앰뷸런스를 불러올게! 버텨야 돼, 누리야. 우리 같이 가야지. 홍콩도 가고, 피지도 가고! 이제 갈 수 있어! 누리야."

태경의 눈물이 붉은 상처 위로 폭포수처럼 떨어지고 있었다. 순간 누리의 입에서 피가 뿜어져 나왔다.

"안 돼! 제발 죽지 마. 누리야! 날 두고 가지 마! 부치하난!"

태경이 누리를 부둥켜안은 채 오열했다. 그러자 누리가 부드럽게 태경의 뺨을 어루만지며 말하는 것이었다.

"거봐…… 니가…… 올라라 그랬잖아……."

누리는 이제껏 지었던 어떤 미소보나도 환하게 웃었다. 그리고 잠이 들듯 편안하게 눈을 감았다. 비로소 소명을 마치고 귀환하는 천사처럼.

"으아아아아!"

태경의 오열이 항구 구석구석 퍼져 나갔다.

그 소리는 이제껏 참고 있었던 먹구름의 눈물을 터트리며 하얀 얼음 조각을 항구에 흩뿌리기 시작했다. 누리의 죽음을 애도하듯 경건하고 성스럽게. 서서히 내리던 눈은 이윽고 함박눈으로 변하더니 새하얀 담요가 되어 다시 이루어진 슬픈 전설의 사랑을 따뜻하게 덮어주었다.

늘 영감을 주셨던 아버지를 기리며

부치하난의 우물

초판 1쇄 발행 2021년 8월 5일

지은이 장용민
펴낸이 황남용
책임편집 장윤민
표지디자인&일러스트 이종건

펴낸곳 (주)재담미디어
출판등록 제2014-000179호
주소 서울특별시 마포구 홍익로5안길 28, 스퀘어빌 3층
대표전화 02-322-4580
전자우편 hitman7@jaedam.com
홈페이지 www.jaedam.com

인쇄 (주)파인북스
유통/마케팅 (주)출판마케팅센터
전화 031-943-1655~6(구매문의) **팩스** 031-943-1674

ISBN 979-11-275-0727-5